LES GRANDS DISCOURS DU XXe SIÈCLE

LES GRANDS DISCOURS DU XXe SIÈCLE

présentés par
Christophe BOUTIN

Champs classiques

Malgré le soin apporté à cette édition, l'éditeur n'a pu retrouver trace de tous les traducteurs des textes qui figurent dans ce volume. Il espère que cette publication leur permettra de se faire connaître.

ISBN : 978-2-0812-2898-6

Introduction

L'ultime magie du politique

Dans notre imaginaire, le discours politique se résume souvent à la confrontation d'un homme et d'une foule, comme sur cette photographie bien connue de Lénine en 1917, haranguant la masse rassemblée sur une place de Saint-Pétersbourg. Si l'on approfondit la portée de cette image symbolique, on constate que ce type de discours est bien souvent associé à une idée de violence au moins potentielle, et se situe en dehors du paisible déroulement de la vie politique quotidienne. Il peut ainsi appeler à une transgression de l'ordre existant, sinon à une révolution contre cet ordre. Par ailleurs, parce qu'il est une réponse à un état de fait, il reste enraciné dans un moment précis de l'histoire d'une nation, mais il dépasse aussi ce cadre imposé pour être une projection vers un nouvel ordre souhaitable. Enfin, parce qu'il doit pouvoir créer cet autre ordre social et mettre fin aux anciennes structures, il doit galvaniser ceux auxquels il s'adresse. Émouvoir pour mouvoir, en quelque sorte.

Au cœur de la cité : l'homme et la foule

Le discours politique, c'est donc d'abord ce choc direct entre un homme et une foule ou, au moins, un public. Un homme au sens restreint, car on trouve effectivement peu de femmes politiques jouant un rôle important jusqu'au dernier tiers du XXe siècle. Il serait sans doute intéressant de comparer sur ce point ce recueil avec une anthologie future des grands discours du XXIe siècle pour mesurer le chemin parcouru en quelques décennies. Un homme donc, mais pas n'importe lequel : un homme *politique*. Il ne s'agit pas obligatoirement d'un élu bénéficiant de cette particulière légitimité que confère ce que l'on nomme pompeusement l'« onction du suffrage », non plus que d'une personne exerçant une fonction dans l'appareil d'État. Mais il s'agit, dans tous les cas, d'un homme politique, puisqu'il entend influer directement sur la vie de la Cité. Pour cela, il agit souvent dans le cadre d'une organisation partisane, mais même cette appartenance n'est pas obligatoire. Ainsi, si l'abbé Pierre prononce bien un discours politique lorsqu'il appelle, en 1954, à agir pour les sans-abri, il ne le fait pas en tant que membre d'un parti mais pour faire face à ce qu'il estime être une défaillance des pouvoirs publics, et donc de ces politiques qu'il exhorte à agir en donnant un exemple.

Dans tous les cas, notre orateur entend bel et bien imprimer sa marque sur son temps. Il souhaite changer l'ordre des choses, les institutions peut-être, mais plus souvent encore, il aimerait modifier les comportements. Par exemple en faisant prendre en compte à ceux auxquels il s'adresse une autre dimension de l'existence. C'est le cas lorsque Jean-Paul II déclare à Assise, en 1986, que la paix est avant tout l'affaire de la volonté de chaque homme (« Il n'y a pas de paix sans un amour passionné de la paix. Il n'y a pas de paix sans une volonté farouche de réaliser la paix. »), avant d'ajouter aussitôt que cette volonté n'est rien sans la prière (« Si le monde doit continuer, et si les hommes et les femmes doivent y survivre, le monde ne peut pas se passer de la prière. »). Par exemple encore en leur faisant prendre conscience de ce que vouloir le bien commun suppose de savoir oublier ses intérêts propres et, parfois, jusqu'à ses souffrances. C'est ce que rappelle Nelson Mandela lorsqu'il accède, en 1994, à la présidence d'un pays dans lequel il a été si longtemps prisonnier politique. « Le temps de soigner les blessures est arrivé, déclare-t-il alors à un peuple déchiré. Le temps de combler les fossés qui nous séparent est arrivé. Le temps de construire est arrivé. [...] Que chacun d'entre nous sache que son corps, son esprit et son âme ont été libérés afin qu'ils puissent s'épanouir. »

Au-delà, les orateurs inspirés veulent offrir de nouvelles voies à un peuple ou à une nation, quel que soit le terme retenu pour caractériser un groupe social dont ils présupposent toujours sinon l'homogénéité, à tout le moins la volonté de former une communauté. Voici encore Mandela, qui rassemble les anciens ennemis dans un même attachement à leur patrie charnelle : « À mes compatriotes, déclare-t-il, je dis sans hésiter que chacun d'entre nous est aussi intimement enraciné dans le sol de ce pays magnifique que le sont les fameux jacarandas de Pretoria et les mimosas de la brousse. Chaque fois que l'un de nous touche le sol de ce pays, il ressent un profond sentiment de bonheur et d'exaltation. » Et le même évoque, un peu plus loin, « cette sensation spirituelle et physique de ne faire qu'un avec notre patrie commune ».

Notons donc, sans le regretter vraiment, que le discours politique n'a rien à voir avec ce discours *sur* la politique que tout un chacun se plaît à tenir gravement devant ses amis. Parce qu'alors, on ne cherche pas à influer sur la vie de la Cité, mais surtout parce que l'on ne parle pas d'une tribune politique. Inversement, le discours du maire d'une commune de quatre cents habitants, quand bien même il serait totalement centré sur un simple projet d'aire de stationnement à construire, reste malgré tout un discours politique. Mais il ne s'agit certes pas d'un discours d'anthologie…

Autre élément, qui pourrait surprendre mais qui est en réalité lié à ce point déjà évoqué sinon de transgression, du moins de tournant politique : peu de discours prononcés lors de débats parlementaires sont présents dans ces pages. Non que le cadre majestueux des Assemblées, ce décor somptueux des « ors de la République » n'incite à y prononcer des mots historiques. Mais le discours qui marque son temps et les mémoires sort presque toujours du jeu d'une dialectique parlementaire souvent limitée à un renvoi de balle convenu entre majorité et opposition. Quand bien même ils sont effectivement prononcés à une tribune parlementaire classique, comme ceux de Georges Clemenceau, de Robert Badinter ou de Simone Veil (et non depuis ces lieux privilégiés que sont par exemple les tribunes de l'ONU ouvertes à un Yasser Arafat ou à un Dominique de Villepin), les discours ici réunis visent souvent les fondements même de la société : continuation de la guerre, abolition de la peine de mort, dépénalisation de l'avortement, pour les trois exemples évoqués. Les solutions politiques proposées par les orateurs, les directions d'action indiquées, et non pas seulement esquissées, entendent fédérer un groupe autour d'un nouvel ordre social. Ces discours posent donc presque tous la question de ce « vouloir vivre ensemble » qui structure le groupe auquel ils s'adressent. En ce sens, les discours d'investiture des présidents américains – ceux de Roosevelt, de Kennedy ou d'Obama – sont particulièrement révélateurs de cette volonté de « nouveau départ », de changement… mais sans rupture, bref de ce jeu subtil entre une cohésion à maintenir et de nouvelles orientations à définir. Qu'on en juge : « À chaque fois que notre nation traversait un moment sombre, une main franche et vigoureuse a trouvé auprès du peuple lui-même cette entente et ce soutien indispensables à la victoire. [...] Unis dans un même esprit, de mon côté ainsi que du vôtre, nous surmonterons ces difficultés. » (Roosevelt) ; « Le flambeau est passé entre les mains d'une nouvelle génération d'Américains, nés dans le siècle présent, aguerris par les combats, disciplinés par une paix difficile et amère, fiers de leur héritage, qui refusent d'assister à la décomposition des droits de l'homme pour lesquels notre nation s'est toujours engagée, pour lesquels elle est engagée aujourd'hui encore chez nous et à l'étranger. » (Kennedy) ; « La route devant nous sera longue. La pente sera dure. Nous n'y serons peut-être pas en un an, ou même en un mandat mais, Amérique, je n'ai jamais eu plus d'espoir d'y arriver que je n'en ai eu ce soir. Je vous le promets. Nous, en tant que peuple, y arriverons. » (Obama). Ce pourraient être là des extraits d'un même texte…

Discours opportunistes et discours visionnaires

Certes, il y a bien des discours de circonstance. C'est le cas, de manière frappante, pour celui que prononce Charles de Gaulle à la télévision en 1962, après la tentative de putsch des généraux en Algérie. Il s'agit bien d'une réponse directe, quasi immédiate, à un événement précis. Pourtant, au-delà du fait qu'il reste un modèle de concision et d'ironie, ce discours est aussi un parfait exemple d'une réponse pleinement politique donnée dans l'urgence pour contrer un trouble qui menace la vie même de la Cité. La cohésion nationale, le rassemblement de tout un peuple derrière sa personne, que demande explicitement le chef de l'État, fait presque figure de nouveau contrat social. C'est en tout cas une réponse à cet autre choix de société proposé par les putschistes.

Si donc le discours peut être une réponse à une situation de fait qui le provoque effectivement, il est aussi bien plus que cela. Il peut indiquer une nouvelle direction à une nation, face à une crise imprévue, comme les grands discours d'investiture américains qui figurent dans ce recueil. Il peut aussi être la présentation d'un programme politique précis. Et, même quand un discours se veut avant tout la critique d'un ordre du monde qui semble dépassé, il ne s'arrête pas là mais constitue bien en même temps une projection vers le futur, même si tous nos orateurs, à la différence de Martin Luther King, n'ont pas « fait un rêve ».

Les grands discours politiques ne se limitent donc pas au contexte qui les fait naître. Sans relever de la philosophie politique, ils présupposent tous une réflexion de fond sur ce qu'est le monde en général et une nation en particulier, en même temps que sur ce que peut être, ce que doit être la politique, cette mystérieuse alchimie de normes et de volontés qui donne sa colonne vertébrale à une communauté.

Pour autant, il est indéniable qu'ils sont aussi le fruit du moment et c'est en cela que les discours retenus ici scandent les temps forts du XXe siècle. Qu'ils fassent résonner le fracas de deux guerres mondiales, qu'ils évoquent la guerre froide ou la décolonisation, ils sont ancrés dans ce siècle troublé, ils en sont l'image, et les écouter ou les lire, c'est voir se tourner des pages de l'histoire de notre temps. C'est que l'homme politique moderne ne peut ignorer l'opinion publique. Qu'il s'en méfie, ou qu'il aspire à la maîtriser, il sait en tout cas qu'il lui doit des explications sur sa conduite et sur ses choix. Chaque discours est donc un peu un plaidoyer *pro domo*, qu'il s'agisse de reconnaître une défaite ou d'annoncer une victoire. C'est pourquoi on y trouve toujours des renvois au contexte qui a conduit à tel choix, alors présenté comme nécessaire, ou des références aux hautes valeurs que l'on prétend défendre en agissant de telle manière. C'est ainsi que Mussolini, même lorsqu'il assume en 1925 la responsabilité d'une situation politique qui a permis l'assassinat du député socialiste Matteotti, le fait en référence à une supposée grandeur du fascisme.

Faut-il aller plus loin ? Les discours présentés ici ont-ils influencé le cours de l'Histoire ? Ont-ils pu entraîner des peuples dans des directions qu'ils n'auraient pas suivies autrement ? C'est moins évident. Qu'ils aient contribué à certains choix, sans nul doute ; qu'ils en aient créé à eux seuls les conditions, sans doute pas. Mais cela ne veut pas dire non plus qu'ils sont de simples exercices de style de la part d'hommes politiques qui, parce qu'ils sentiraient mieux que d'autres les lames de fond des inconscients collectifs, en profiteraient pour se faire porter par elles. C'est toute leur ambiguïté, et c'est toute l'ambiguïté du politique.

En effet, le discours politique ne s'adresse pas à l'homme en général, à cet homme mythique d'une humanité qui peine à se trouver des éléments communs pour vivre de manière harmonieuse. Il vise plutôt ce que Georges Burdeau nommait « l'homme situé », c'est-à-dire le citoyen, le membre de la Cité. D'où, souvent, la tentation de bien des orateurs de définir ce citoyen par rapport à un Autre, qu'il s'agisse d'un membre d'une autre nation, d'une autre ethnie, d'une autre religion, mais aussi, plus simplement, d'une autre classe sociale, voire, de manière encore plus limitée, d'un autre parti politique. Avec toutes les conséquences dramatiques que peut entraîner le recours à une telle stigmatisation, à un tel processus d'exclusion. Mao Zedong envisage par exemple très clairement le « travail d'élimination des contre-révolutionnaires », regrettant tout autant les « excès » à leur encontre que l'impunité de certains d'entre eux. Et l'on sait ce qu'il entendait lorsqu'il parlait de les « éliminer énergiquement » ! Heureusement, tous les orateurs retenus, loin de là, ne se livrent pas à une telle diabolisation de l'Autre, préférant souvent fédérer le groupe auquel ils s'adressent autour d'idéaux communs et/ou d'un même attachement à la patrie, comme nous l'avons vu pour Nelson Mandela.

Mais, dans tous les cas, parce qu'il s'adresse à l'« animal politique », au citoyen, le discours politique lui présente un choix de société auquel il pourra parfois participer directement, par son vote. C'est pourquoi le locuteur avance souvent que le citoyen privilégié auquel il s'adresse a des qualités civiques que n'auraient pas les autres. Fidèle en cela aux présupposés optimistes de la démocratie, il considère – au moins officiellement – que ces citoyens-là, ceux qui vont le suivre, seraient comme lui capables de se donner pour objectif le bien commun de la Cité, quand les autres, ceux qui ne valideraient pas ses choix sur le devenir commun souhaitable, resteraient en fait crispés sur leurs intérêts personnels. C'est cette logique que convoque le maréchal Pétain, chef de l'État français, dans son fameux discours du « vent mauvais » du 12 août 1941, dénonçant pêle-mêle « tous ceux qui ont fait passer leurs intérêts personnels avant les intérêts permanents de l'État : maçonnerie, partis politiques dépourvus de clientèle mais assoiffés de revanche, fonctionnaires attachés à un ordre dont ils étaient les bénéficiaires et les maîtres, ou ceux qui ont subordonné les intérêts de la patrie à ceux de l'étranger ».

Inversement, le discours politique se fait facilement flatteur (« vous seuls me comprenez et comprenez les enjeux de l'heure ») et rassemble ainsi ceux qui l'écoutent dans une fraternité d'armes et de conviction qui n'existait pas l'instant d'avant : « grand-messes » au cours desquelles on « communie » dans une même ferveur – les termes que l'on emploie pour désigner ces rassemblements d'auditeurs sont eux-mêmes révélateurs.

*La fabrique du discours : de l'*inventio *à l'incarnation*

D'où, enfin, la question de la construction du discours, de son agencement, du choix des termes utilisés. Certaines formules particulièrement emblématiques, cela n'est pas anodin, restent souvent dans les mémoires comme le résumé de l'ensemble d'un discours, le véritable condensé d'un moment de l'Histoire : ce sont le « Je vous ai compris » de de Gaulle, le « *Ich bin ein Berliner* » de Kennedy, le « *I have a dream* » de Martin Luther King et, maintenant, ce « *Yes, we can* » de Barack Obama. Le discours politique peut être déterminé, en partie au moins, par le fait qu'il est enraciné dans un moment singulier de l'Histoire. Il peut être une réponse à un événement précis, et doit le dire : une déclaration de guerre ne prendra pas la forme d'un discours-programme. Mais il est ensuite, comme tout discours, une forme élaborée de communication. Or, on ne parle pas de la même manière à la Chambre et dans la rue, à un groupe de parlementaires et à une foule, à des amis et à des ennemis, à son parti ou à des opposants. Le discours sera donc orienté par les récepteurs que privilégie un locuteur, qui s'adapte nécessairement à son destinataire, même si le fond reste le même – du moins quand il s'agit du discours politique tel que nous l'avons défini, c'est-à-dire de l'opposé de ce *flatus vocis* si souvent entendu.

N'oublions pas non plus que ces discours sont destinés à un large public et qu'à cause de cela, ils doivent frapper l'affect autant, sinon plus, que la raison. Les masses, on le sait, ne sont pas mises en mouvement par l'intellect mais par les sentiments, et l'on n'a pas attendu les grandes études de la sociologie moderne pour le prouver : rhéteurs ou sophistes, tous ces maîtres antiques du discours politique n'ont cessé de le répéter. Ainsi, au-delà de la recherche d'une adéquation entre sa forme et le public visé, il ne faut pas négliger le fait qu'un discours se veut toujours convaincant, sinon manipulateur, et que sur ce dernier point, le *Manuel de sophismes politiques* de Jeremy Bentham est toujours d'actualité. À lire ce texte de 1824, à suivre le philosophe anglais disséquer les sophismes utilisés par les parlementaires britanniques dans leurs discours aux Chambres, qu'ils cherchent à valoriser l'autorité du locuteur, ou, au contraire, qu'ils mettent en garde contre les dangers que feraient courir ses adversaires, on constate que rien n'a changé depuis presque deux siècles : aujourd'hui comme hier, le discours politique revient presque toujours à certaines formes très codifiées.

Alors, bien sûr, le discours politique est sous contrôle – même si Charles de Gaulle n'avait certes pas préparé son « Vive le Québec libre ! », qui devait tant à la chaleur du moment. Il est, dans la plupart des cas, élaboré longtemps à l'avance. Certains des discours présentés ici ont même pu être testés devant un auditoire réduit, voire modifiés par d'autres intervenants que celui qui a eu la charge de le prononcer. Tous en effet ne sont pas rédigés par l'orateur lui-même dans la nuit qui précède, comme le fut l'intervention de Clemenceau dans le feu de la Première Guerre mondiale, en 1917.

La forme même du discours est surveillée de près. Il y a des termes choisis et des thèmes interdits. Il y a une « langue de bois », qui semble s'être développée tout au long du siècle – des formules stéréotypées des totalitarismes aux plans si rigoureux de « l'énarchie » –, à travers des termes que relève avec saveur et ironie Jean-Marie Denquin dans son *Vocabulaire politique*. Ce professeur de droit, aussi caustique qu'éminent, réussit là, pour le seul vocabulaire politique, une sorte de *Dictionnaire des idées reçues* à la Flaubert : « un discours particulièrement solennel adressé à la nation, à la conscience universelle, aux siècles futurs, etc., et qui vise à mobiliser les énergies en vue d'un but, pourra porter le nom élégant d'"appel" », écrit-il par exemple, avant de préciser que « l'expression "appel de Cochin" est parfois encore utilisée pour qualifier une initiative qui ne semble pas répondre à une nécessité clairement définie et dont les suites s'avèrent peu satisfaisantes ». Cette pente s'est peut-être accentuée ces dernières années, mais elle existait déjà auparavant. Sans remonter une nouvelle fois à l'Antiquité et à ses florilèges d'*exempla* prêts à l'emploi pour illustrer n'importe quelle argumentation, qu'on se penche par exemple sur les textes rassemblés dans *L'Orateur populaire* : écrit par Louis Filippi au début du siècle, ce « recueil de discours à l'usage de tous ceux qui sont appelés à prendre la parole soit en public, soit dans des réunions privées : maires et adjoints, présidents ou membres de sociétés diverses, délégués ou représentants, etc. » fournissait lieux communs et modèles clés en mains à l'orateur débutant ou occasionnel...

Le discours politique a-t-il changé avec l'avènement des mass-média : la radio d'abord, la télévision ensuite ? Il est certain que les grands orateurs du siècle ont dû apprendre à maîtriser les nouveaux outils. L'évolution d'un Charles de Gaulle a ici valeur d'exemple. Le « général micro », comme le surnommait la propagande de Vichy, usait alors non seulement de l'unique moyen qu'il avait de se faire entendre des Français, la radio, mais il comprit vite que, grâce à elle, il pouvait instaurer comme un dialogue entre lui et chacun de ses compatriotes. Il comprit aussi qu'il fallait à ce média un ton particulier, un plan clair, des idées-forces données dans un délai limité. Et le même de Gaulle se lança ensuite à la conquête du média télévisuel, toujours avec succès : il y prononça des discours, ses conférences de presse y étaient retransmises, et il innova même en adoptant la forme d'un dialogue avec un journaliste. Quels sont les éléments de sa réussite ? D'abord – mais est-ce ici volonté de s'adapter à ces média ou, plus certainement, rencontre d'un style et d'un média ? – de Gaulle a multiplié toute sa vie les fameuses « petites phrases », ces formules que l'on se répète ensuite et qui peuvent faire basculer une situation, du « quarteron de généraux » à la « chienlit ». Ensuite, sa scansion même donne à ses discours, c'est le cas de le dire, un souffle inspiré : « voici l'État bafoué, la nation défiée, notre puissance ébranlée, notre prestige international abaissé, notre place et notre rôle en Afrique compromis. Et par qui ? Hélas ! Hélas ! Par des hommes dont c'était le devoir, l'honneur, la raison d'être, de servir et d'obéir », lance-t-il en 1961 face au putsch en Algérie.

Souffle, diction. L'homme politique est donc aussi un personnage au sens antique du terme, il est ce masque sur une scène de théâtre. Il est en partie tenu par ce qu'il doit représenter ; on n'incarne pas de la même manière le pouvoir et l'opposition : l'attitude, le ton, et jusqu'aux vêtements peuvent changer selon le cas. Et cette représentation elle-même évolue dans ses formes, elle peut changer en fonction de l'évolution des mœurs. Autant d'apprentissages pour notre homme politique, sans lesquels l'environnement du discours desservirait ce dernier. Reste que face à l'évolution de notre société, certains conseillers du Prince l'engagent peut-être un peu vite à suivre une politique d'abandon. Délaisser tout apparat est bien délicat pour continuer à jouer de tels rôles. Peut-on vraiment se défaire de toute distance face à ses interlocuteurs sans porter atteinte à l'image de la fonction et desservir un discours qui, bien souvent, reste, partiellement au moins, un discours d'autorité ? Jusqu'où peut-on refuser d'incarner un statut sans le perdre ? Il vaut toujours mieux assumer son rôle. André Malraux pouvait-il se départir de ce ton emphatique quand il accompagnait les cendres de Jean Moulin au Panthéon ? Dominique de Villepin pouvait-il perdre la distance du diplomate ? L'abbé Pierre pouvait-il laisser de côté son indignation ? Non, quand le discours sonne juste, c'est qu'il correspond intimement sinon à l'homme, au moins au personnage que celui-ci souhaite – ou doit – incarner.

Ainsi, le discours politique est travaillé, mûri, soupesé. Mais que l'on ne s'y trompe pas : dans les discours qui suivent, à la différence de ce que l'on peut rencontrer parfois de nos jours, l'essentiel n'est pas pensé autour d'une petite phrase qui ferait la une du vingt-heures, modifiée pendant des jours par des conseillers en communication, et flottant sur le vide abyssal du reste. Nous touchons ici à la limite de la production politique « hors-sol », qui ne serait que le fruit d'une analyse technocratique. Il peut y avoir de tels éléments, épars ; mais nous ne pensons pas qu'ils aient fait, seuls, le succès d'aucun des textes ici présentés…

Car le discours politique reste bien avant tout indissolublement lié à une personne qui, à un moment précis de l'Histoire, incarne quelque chose qui la dépasse. Une personne qui, pour de mystérieuses raisons, rend visible autre chose que son banal destin d'homme ou de femme, et qui permet à une foule de comprendre et de vivre cette dimension essentielle de la vie collective qu'est la politique. Il faut en tenir compte lorsque nous lisons ces textes « à froid », au lieu de les écouter dans la chaleur du moment. Les mêmes paroles, prononcées au même moment par un autre, auraient-elles eu le même impact ? L'alchimie du discours politique, ce mystère permanent, permet d'en douter. En effet, s'il fallait à ces discours un moment particulier, il leur fallait aussi un ton particulier, une voix, un geste, un charisme. Est-ce bien d'ailleurs le thème du discours que la foule analyse ou l'orateur qu'elle écoute ? Suit-elle par conviction, ou est-elle subjuguée par une force de persuasion, fascinée par ce qu'incarne l'orateur ? Incarnation : tout est là, et cette incarnation d'une idée dans un homme est la force et la spécificité du discours politique. S'affirme à ce moment, dans la conscience de la collectivité, grâce à un orateur, une idée de l'État et de la destinée d'un peuple. C'est donc ainsi qu'il faut lire les discours qui suivent. En se gardant d'oublier que la politique conserve encore sa part de magie.

1.

JEAN JAURÈS

La Grande Guerre, c'est le basculement de l'Europe tout entière dans le conflit par un jeu diplomatique qui voit s'opposer la Triple Alliance (Autriche-Hongrie, Allemagne et Italie) à la Triple Entente (France, Russie et Grande-Bretagne). Après les violents troubles balkaniques des années 1912-1913, l'assassinat du prince héritier de l'Empire austro-hongrois à Sarajevo en juin 1914 entraîne l'ultimatum de Vienne à la Serbie, puis la déclaration de guerre. La Russie orthodoxe apporte alors son soutien aux Slaves du Sud, l'Allemagne le sien à l'Autriche-Hongrie, et c'est toute l'Europe qui est entraînée dans une guerre qui va la saigner à blanc.

La grève générale des masses prolétaires peut-elle empêcher la guerre, comme l'avait un temps pensé l'Internationale ouvrière ? Les socialistes européens n'y croient plus guère.

Jean Jaurès (1859-1914) est sensible depuis des années à la montée des nationalismes dans l'Europe centrale et balkanique. Ce normalien, d'abord radical puis converti au socialisme par les grèves de la fin du XIXe siècle, est présent lors de la création du Parti socialiste français en 1902, puis de la Section française de l'Internationale ouvrière (SFIO) en 1905. Il crée, en 1904, le quotidien L'Humanité.

Mais s'il veut éviter la guerre, Jaurès cherche aussi à se donner les moyens de la préparer, évoquant en 1910 l'« armée nouvelle » d'une nation préparée à sa défense. Devant les événements de 1914, il rappelle, sans y croire vraiment, la possibilité de grève générale.

Le 31 juillet 1914, Jaurès est assassiné par un étudiant nationaliste, Raoul Villain, finalement acquitté en 1919. Le jour de ses funérailles, la gauche se rallie à l'« Union sacrée » contre l'Allemagne…

JE VEUX ESPÉRER ENCORE QUE LE CRIME NE SERA PAS CONSOMMÉ

Citoyens,

Je veux vous dire ce soir que jamais nous n'avons été, que jamais depuis quarante ans l'Europe n'a été dans une situation plus menaçante et plus tragique que celle où nous sommes à l'heure où j'ai la responsabilité de vous adresser la parole. Ah ! citoyens, je ne veux pas forcer les couleurs sombres du tableau, je ne veux pas dire que la rupture diplomatique dont nous avons eu la nouvelle il y a une demi-heure, entre l'Autriche et la Serbie, signifie nécessairement qu'une guerre entre l'Autriche et la Serbie va éclater et je ne dis pas que si la guerre éclate entre la Serbie et l'Autriche le conflit s'étendra nécessairement au reste de l'Europe, mais je dis que nous avons contre nous, contre la paix, contre la vie des hommes à l'heure actuelle, des chances terribles et contre lesquelles il faudra que les prolétaires de l'Europe tentent les efforts de solidarité suprême qu'ils pourront tenter.

Citoyens, la note que l'Autriche a adressée à la Serbie est pleine de menaces et si l'Autriche envahit le territoire slave, si les Germains, si la race germanique d'Autriche fait violence à ces Serbes qui sont une partie du monde slave et pour lesquels les Slaves de Russie éprouvent une sympathie profonde, il y a à craindre et à prévoir que la Russie entrera dans le conflit, et si la Russie intervient pour défendre la Serbie, l'Autriche ayant devant elle deux adversaires, la Serbie et la Russie, invoquera le traité d'alliance qui l'unit à l'Allemagne et l'Allemagne fait savoir qu'elle se solidarisera avec l'Autriche. Et si le conflit ne restait pas entre l'Autriche et la Serbie, si la Russie s'en mêlait, l'Autriche verrait l'Allemagne prendre place sur les champs de bataille à ses côtés. Mais alors, ce n'est plus seulement le traité d'alliance entre l'Autriche et l'Allemagne qui entre en jeu, c'est le traité secret mais dont on connaît les clauses essentielles, qui lie la Russie et la France et la Russie dira à la France :

« J'ai contre moi deux adversaires, l'Allemagne et l'Autriche, j'ai le droit d'invoquer le traité qui nous lie, il faut que la France vienne prendre place à mes côtés. » À l'heure actuelle, nous sommes peut-être à la veille du jour où l'Autriche va se jeter sur les Serbes et alors l'Autriche et l'Allemagne se jetant sur les Serbes et les Russes, c'est l'Europe en feu, c'est le monde en feu.

Dans une heure aussi grave, aussi pleine de périls pour nous tous, pour toutes les patries, je ne veux pas m'attarder à chercher longuement les responsabilités. Nous avons les nôtres [...] et j'atteste devant l'histoire que nous les avions prévues, que nous les avions annoncées ; lorsque nous avons dit que pénétrer par la force, par les armes au Maroc, c'était ouvrir l'ère des ambitions, des convoitises et des conflits, on nous a dénoncés comme de mauvais Français et c'est nous qui avions le souci de la France.

Voilà, hélas ! notre part de responsabilité, et elle se précise, si vous voulez bien songer que c'est la question de la Bosnie-Herzégovine qui est l'occasion de la lutte entre l'Autriche et la Serbie et que nous, Français, quand l'Autriche annexait la Bosnie-Herzégovine, nous n'avions pas le droit ni le moyen de lui opposer la moindre remontrance, parce que nous étions engagés au Maroc et que nous avions besoin de nous faire pardonner notre propre péché en pardonnant les péchés des autres.

Et alors notre ministre des Affaires étrangères disait à l'Autriche :

« Nous vous passons la Bosnie-Herzégovine, à condition que vous nous passiez le Maroc » et nous promenions nos offres de pénitence de puissance en puissance, de nation en nation, et nous disions à l'Italie : « Tu peux aller en Tripolitaine, puisque je suis au Maroc, tu peux voler à l'autre bout de la rue, puisque moi j'ai volé à l'extrémité. »

Chaque peuple paraît à travers les rues de l'Europe avec sa petite torche à la main et maintenant voilà l'incendie. Eh bien ! citoyens, nous avons notre part de responsabilité, mais elle ne cache pas la responsabilité des autres et nous avons le droit et le devoir de dénoncer, d'une part, la sournoiserie et la brutalité de la diplomatie allemande, et, d'autre part, la duplicité de la diplomatie russe. Les Russes qui vont peut-être prendre parti pour les Serbes contre l'Autriche et qui vont dire : « Mon cœur de grand peuple slave ne supporte pas qu'on fasse violence au petit peuple slave de Serbie. » Oui, mais qui est-ce qui a frappé la Serbie au cœur ? Quand la Russie est intervenue dans les Balkans, en 1877, et quand elle a créé une Bulgarie, soi-disant indépendante, avec la pensée de mettre la main sur elle, elle a dit à l'Autriche : « Laisse-moi faire et je te confierai l'administration de la Bosnie-Herzégovine. » L'administration, vous comprenez ce que cela veut dire, entre diplomates, et du jour où l'Autriche-Hongrie a reçu l'ordre d'administrer la Bosnie-Herzégovine, elle n'a eu qu'une pensée, c'est de l'administrer au mieux de ses intérêts.

Dans l'entrevue que le ministre des Affaires étrangères russe a eue avec le ministre des Affaires étrangères de l'Autriche, la Russie a dit à l'Autriche : « Je t'autoriserai à annexer la Bosnie-Herzégovine à condition que tu me permettes d'établir un débouché sur la mer Noire, à proximité de Constantinople. » M. d'Ærenthal a fait un signe que la Russie a interprété comme un oui, et elle a autorisé l'Autriche à prendre la Bosnie-Herzégovine, puis quand la Bosnie-Herzégovine est entrée dans les poches de l'Autriche, elle a dit à l'Autriche : « C'est mon tour pour la mer Noire. » – « Quoi ? Qu'est-ce que je vous ai dit ? Rien du tout ! », et depuis c'est la brouille avec la Russie et l'Autriche, entre M. Iswolsky, ministre des Affaires étrangères de la Russie, et M. d'Ærenthal, ministre des Affaires étrangères de l'Autriche ; mais la Russie avait été la complice de l'Autriche pour livrer les Slaves de Bosnie-Herzégovine à l'Autriche-Hongrie et pour blesser au cœur les Slaves de Serbie.

C'est ce qui l'engage dans les voies où elle est maintenant.

Si depuis trente ans, si depuis que l'Autriche a l'administration de la Bosnie-Herzégovine, elle avait fait du bien à ces peuples, il n'y aurait pas aujourd'hui de difficultés en Europe ; mais la cléricale Autriche tyrannisait la Bosnie-Herzégovine ; elle a voulu la convertir par force au catholicisme ; en la persécutant dans ses croyances, elle a soulevé le mécontentement de ces peuples.

La politique coloniale de la France, la politique sournoise de la Russie et la volonté brutale de l'Autriche ont contribué à créer l'état de choses horrible où nous sommes. L'Europe se débat comme dans un cauchemar.

Eh bien ! citoyens, dans l'obscurité qui nous environne, dans l'incertitude profonde où nous sommes de ce que sera demain, je ne veux prononcer aucune parole téméraire, j'espère encore malgré tout qu'en raison même de l'énormité du désastre dont nous sommes menacés, à la dernière minute, les gouvernements se ressaisiront et que nous n'aurons pas à frémir d'horreur à la pensée du cataclysme qu'entraînerait aujourd'hui pour les hommes une guerre européenne.

Vous avez vu la guerre des Balkans ; une armée presque entière a succombé soit sur le champ de bataille, soit dans les lits d'hôpitaux, une armée est partie à un chiffre de trois cent mille hommes, elle laisse dans la terre des champs de bataille, dans les fossés des chemins ou dans les lits d'hôpitaux infectés par le typhus cent mille hommes sur trois cent mille.

Songez à ce que serait le désastre pour l'Europe : ce ne serait plus, comme dans les Balkans, une armée de trois cent mille hommes, mais quatre, cinq et six armées de deux millions d'hommes. Quel massacre, quelles ruines, quelle barbarie ! Et voilà pourquoi, quand la nuée de l'orage est déjà sur nous, voilà pourquoi je veux espérer encore que le crime ne sera pas consommé. Citoyens, si la tempête éclatait, tous, nous socialistes, nous aurons le souci de nous sauver le plus tôt possible du crime que les dirigeants auront commis et en attendant, s'il nous reste quelque chose, s'il nous reste quelques heures, nous redoublerons d'efforts pour prévenir la catastrophe. Déjà, dans le *Vorwärts*, nos camarades socialistes d'Allemagne s'élèvent avec indignation contre la note de l'Autriche et je crois que notre bureau socialiste international est convoqué.

Quoi qu'il en soit, citoyens, et je dis ces choses avec une sorte de désespoir, il n'y a plus, au moment où nous sommes menacés de meurtre et de sauvagerie, qu'une chance pour le maintien de la paix et le salut de la civilisation, c'est que le prolétariat rassemble toutes ses forces qui comptent un grand nombre de frères, Français, Anglais, Allemands, Italiens, Russes et que nous demandions à ces milliers d'hommes de s'unir pour que le battement unanime de leurs cœurs écarte l'horrible cauchemar.

J'aurais honte de moi-même, citoyens, s'il y avait parmi vous un seul qui puisse croire que je cherche à tourner au profit d'une victoire électorale, si précieuse qu'elle puisse être, le drame des événements. Mais j'ai le droit de vous dire que c'est notre devoir à nous, à vous tous, de ne pas négliger une seule occasion de montrer que vous êtes avec ce Parti socialiste international qui représente à cette heure, sous l'orage, la seule promesse d'une possibilité de paix ou d'un rétablissement de la paix.

Discours prononcé à Lyon-Vaise,
le 25 juillet 1914.

2.
LÉNINE

En 1917, la Russie bascule dans la révolution. L'économie du pays subit de plus en plus durement les contrecoups de la guerre, et les défaites entraînent des désertions, voire une volonté de rébellion d'une partie des troupes. L'opposition au régime tsariste que représente Nicolas II est alors très diverse, et va du centre droit à l'extrême gauche. En février 1917, le tsar se voit contraint d'abdiquer. Début mars, un soviet prend le pouvoir à Petrograd (Saint-Pétersbourg), tandis que l'assemblée, la Douma, désigne un gouvernement provisoire de centre droit. Ce dernier veut continuer la guerre, quand le soviet demande la signature immédiate de la paix.

L'Allemagne permet alors à Lénine (Vladimir Ilitch Oulianov, dit Lénine, 1870-1924) de rentrer en Russie, espérant grâce à lui se défaire de son ennemi de l'est par une paix séparée. Lénine dirige depuis 1903 la frange « bolchevik » du Parti ouvrier social-démocrate de Russie (POSDR), opposée aux « mencheviks ». À partir de 1907, il quitte la Russie et vit en Finlande d'abord, avant de voyager en Europe, habitant notamment pendant trois ans à Paris. Lors de la révolution de février 1917, il est à Montreux, en Suisse, et les autorités allemandes l'autorisent donc à traverser leur territoire et à gagner la Russie protégé par l'immunité diplomatique.

Arrivant à Petrograd, Lénine présente les fameuses « thèses d'avril », qui sont radicales et visent autant à la paix extérieure qu'à la collectivisation intérieure. L'insurrection d'octobre 1917 renverse le gouvernement provisoire de Kerenski et le pouvoir passe aux bolcheviks. La paix de Brest-Litovsk sera finalement signée en mars 1918, Lénine ayant eu entre-temps maille à partir avec les tenants de la guerre révolutionnaire qui voulaient la continuer pour exporter la révolution vers les empires centraux.

Après la révolution d'Octobre, Lénine devient président du Conseil des commissaires du peuple et met en place son programme : nationalisation des grandes propriétés agricoles en février 1918, des propriétés industrielles en juin de la même année. La dictature du prolétariat, appuyée sur une police politique toute-puissante, la Tchéka, créée dès décembre 1917, peut commencer.

THÈSES D'AVRIL

Je présente ici ces thèses qui me sont personnelles, accompagnées simplement de très brèves remarques explicatives ; elles ont été développées avec beaucoup plus de détails dans mon rapport.

Thèses

1. Aucune concession, si minime soit-elle, au « jusqu'auboutisme révolutionnaire » ne saurait être tolérée dans notre attitude envers la guerre qui, du côté de la Russie, même sous le nouveau gouvernement de Lvov

et Cie, est demeurée incontestablement une guerre impérialiste de brigandage en raison du caractère capitaliste de ce gouvernement.

Le prolétariat conscient ne peut donner son consentement à une guerre révolutionnaire, qui justifierait réellement le jusqu'auboutisme révolutionnaire, que si les conditions suivantes sont remplies :

a) passage du pouvoir au prolétariat et aux éléments pauvres de la paysannerie, proches du prolétariat ;

b) renonciation effective, et non verbale, à toute annexion ;

c) rupture totale en fait avec les intérêts du Capital.

Étant donné l'indéniable bonne foi des larges couches de la masse des partisans du jusqu'auboutisme révolutionnaire qui n'admettent la guerre que par nécessité et non en vue de conquêtes, et étant donné qu'elles sont trompées par la bourgeoisie, il importe de les éclairer sur leur erreur avec une persévérance, une patience et un soin tout particuliers, de leur expliquer qu'il existe un lien indissoluble entre le Capital et la guerre impérialiste, de leur démontrer qu'il est impossible de terminer la guerre par une paix vraiment démocratique et non imposée par la violence, sans renverser le Capital.

Organisation de la propagande la plus large de cette façon de voir dans l'armée combattante.

Fraternisation.

2. Ce qu'il y a d'original dans la situation actuelle en Russie, c'est la transition de la première étape de la révolution, qui a donné le pouvoir à la bourgeoisie par suite du degré insuffisant de conscience et d'organisation du prolétariat, à sa deuxième étape, qui doit donner le pouvoir au prolétariat et aux couches pauvres de la paysannerie.

Cette transition est caractérisée, d'une part, par un maximum de possibilités légales (la Russie est aujourd'hui, de tous les pays belligérants, le plus libre du monde) ; de l'autre, par l'absence de contrainte exercée sur les masses, et enfin, par la confiance irraisonnée des masses à l'égard du gouvernement des capitalistes, ces pires ennemis de la paix et du socialisme.

Cette situation originale exige que nous sachions nous adapter aux conditions spéciales du travail du Parti au soin de la masse prolétarienne innombrable qui vient de s'éveiller à la vie politique.

3. Aucun soutien au gouvernement provisoire ; démontrer le caractère entièrement mensonger de toutes ses promesses, notamment de celles qui concernent la renonciation aux annexions. Le démasquer, au lieu d'« exiger » – ce qui est inadmissible, car c'est semer des illusions – que ce gouvernement, gouvernement de capitalistes, cesse d'être impérialiste.

4. Reconnaître que notre Parti est en minorité et ne constitue pour le moment qu'une faible minorité, dans la plupart des Soviets des députés ouvriers, en face du bloc de tous les éléments opportunistes petits-bourgeois tombés sous l'influence de la bourgeoisie et qui étendent cette influence sur le prolétariat.

Expliquer aux masses que les Soviets des députés ouvriers sont la seule forme possible de gouvernement révolutionnaire, et que, par conséquent, notre tâche, tant que ce gouvernement se laisse influencer par la bourgeoisie, ne peut être que d'expliquer patiemment, systématiquement, opiniâtrement aux masses les erreurs de leur tactique, en partant essentiellement de leurs besoins pratiques.

Tant que nous sommes en minorité, nous nous appliquons à critiquer et à expliquer les erreurs commises, tout en affirmant la nécessité du passage de tout le pouvoir aux Soviets des députés ouvriers, afin que les masses s'affranchissent de leurs erreurs par l'expérience.

5. Non pas une république parlementaire – y retourner après les Soviets des députés ouvriers serait un pas en arrière –, mais une république des Soviets de députés ouvriers, salariés agricoles et paysans dans le pays tout entier, de la base au sommet.

Suppression de la police, de l'armée et du corps des fonctionnaires.

Le traitement des fonctionnaires, élus et révocables à tout moment, ne doit pas excéder le salaire moyen d'un bon ouvrier.

6. Dans le programme agraire, reporter le centre de gravité sur les Soviets de députés des salariés agricoles.

Confiscation de toutes les terres des grands propriétaires fonciers.

Nationalisation de toutes les terres dans le pays et leur mise à la disposition des Soviets locaux de députés des salariés agricoles et des paysans. Formation de Soviets de députés des paysans pauvres. Transformation de tout grand domaine (de 100 à 300 hectares environ, en tenant compte des conditions locales et autres et sur la décision des organismes locaux) en une exploitation modèle placée sous le contrôle des députés des salariés agricoles et fonctionnant pour le compte de la collectivité.

7. Fusion immédiate de toutes les banques du pays en une banque nationale unique placée sous le contrôle des Soviets des députés ouvriers.

8. Notre tâche immédiate est non pas d'« introduire » le socialisme, mais uniquement de passer tout de suite au contrôle de la production sociale et de la répartition des produits par les Soviets des députés ouvriers.

9. Tâches du Parti :

a) convoquer sans délai le congrès du Parti ;

b) modifier le programme du Parti, principalement :

i) sur l'impérialisme et la guerre impérialiste,

ii) sur l'attitude envers l'État et notre revendication d'un « État-Commune »,

iii) amender le programme minimum, qui a vieilli ;

c) changer la dénomination du Parti.

10. Rénover l'Internationale.

Prendre l'initiative de la création d'une Internationale révolutionnaire, d'une Internationale contre les social-chauvins et contre le « centre ».

Texte paru le 7 avril 1917
dans le n° 26 de *Pravda*.

3.

GEORGES CLEMENCEAU

Parti du radical-socialisme dans les années 1870, alors à l'extrême gauche de l'échiquier parlementaire, le Vendéen Georges Clemenceau (1841-1929) est, comme avocat et comme homme politique, un orateur brillant, plus à l'aise dans la défense que dans l'attaque, ses réponses cinglantes laissant souvent ses adversaires médusés. Notons d'ailleurs qu'il n'hésite pas à terminer sur le pré, l'arme à la main, une querelle commencée par la plume…

Il est, à cause notamment de ce talent oratoire et des conséquences qu'il a sur le maintien au pouvoir de certains ministres, un des hommes politiques les plus en vue de la IIIe République. Affaire Dreyfus, dans laquelle il défend le capitaine aux côtés de Zola ; scandale de Panamá ; alliances et contre-alliances politiques ; chutes à grand fracas de ministères et de ministres : son nom revient en permanence dans l'histoire politique mouvementée et trop oubliée de cette IIIe République qui nous légua tant de grands principes républicains et façonna largement notre mystique démocratique.

La guerre le retrouve dans l'opposition, et fait de lui un ennemi permanent du pacifisme et du défaitisme. C'est pourquoi Poincaré le nomme en 1917, à soixante-seize ans, président du Conseil et ministre de la Guerre, à un moment où tout peut encore basculer : revers militaires, mutineries, grèves se succèdent, et l'Allemagne est loin d'être vaincue.

Il explique sommairement sa politique résolument autoritaire, dans ce texte ramassé, concis, rédigé dans la nuit du 18 au 19 novembre. Une politique qui n'est qu'esquissée et se résume déjà à « faire la guerre », comme il le dira en réponse à une interpellation. Sur le plan du style, ce texte est parfois largement emphatique, et même les plumes de nos modernes présidents n'oseraient aller aussi loin dans l'évocation d'une « race française » qui serait l'éternel garant des droits des peuples…

Nous avons conservé les interruptions ou les soutiens exprimés par les députés lors de la lecture de ce discours devant la Chambre. Clemenceau avait tenté de regrouper derrière lui tous les partis, y compris les socialistes, qui n'accepteront pas ses offres. Dans les interpellations qui suivent, son côté offensif se réveille. Il obtient un vote massif de soutien, de 418 voix contre 65.

Le « Père la Victoire » reste au pouvoir jusqu'à celle-ci, et il faudra parfois toute son énergie et sa présence sur le front, auprès des généraux comme dans les tranchées – image célèbre de nos anciens livres d'histoire –, notamment lors des dernières grandes offensives allemandes de 1918, pour y arriver.

La guerre. Rien que la guerre

Messieurs,

Nous avons accepté d'être au gouvernement pour conduire la guerre avec un redoublement d'efforts en vue du meilleur rendement de toutes les énergies. *(Très bien ! très bien !)*

Nous nous présentons devant vous dans l'unique pensée d'une guerre intégrale. Nous voudrions que la confiance dont nous vous demandons le témoignage fût un acte de confiance en vous-mêmes, un appel aux vertus historiques qui nous ont faits Français. *(Vifs applaudissements.)* Jamais la France ne sentit si clairement le besoin de vivre et de grandir dans l'idéal d'une force mise au service de la conscience humaine *(très bien ! très bien)*, dans la résolution de fixer toujours plus de droit entre les citoyens, comme entre les peuples capables de se libérer. *(Applaudissements.)* Vaincre pour être justes, voilà le mot d'ordre de tous nos gouvernements depuis le début de la guerre. Ce programme à ciel ouvert, nous le maintiendrons. *(Vifs applaudissements.)*

Nous avons de grands soldats d'une grande histoire, sous des chefs trempés dans les épreuves, animés aux suprêmes dévouements qui firent le beau renom de leurs aînés. *(Très bien ! très bien !)* Par eux, par nous tous, l'immortelle patrie des hommes, maîtresse de l'orgueil des victoires, poursuivra dans les plus nobles ambitions de la paix le cours de ses destinées.

Ces Français que nous fûmes contraints de jeter dans la bataille, ils ont des droits sur nous. *(Applaudissements prolongés.)* Ils veulent qu'aucune de nos pensées ne se détourne d'eux, qu'aucun de nos actes ne leur soit étranger. Nous leur devons tout, sans aucune réserve. Tout pour la France saignante dans sa gloire, tout pour l'apothéose du droit triomphant. *(Applaudissements.)* Un seul devoir, et simple : demeurer avec le soldat, vivre, souffrir, combattre avec lui. Abdiquer tout ce qui n'est pas de la patrie. L'heure nous est venue d'être uniquement Français, avec la fierté de nous dire que cela suffit. *(Vifs applaudissements.)*

Droits du front et devoirs de l'arrière, qu'aujourd'hui tout soit donc confondu. Que toute zone soit de l'armée. S'il doit y avoir des hommes pour retrouver dans leurs âmes de vieilles semences de haines, écartons-les.

Toutes les nations civilisées sont engagées dans la même bataille contre les formations modernes des vieilles barbaries. Avec nos bons alliés, nous sommes le roc inébranlable d'une barrière qui ne sera pas franchie. Au front de l'Alliance, à toute heure et partout, rien que la solidarité fraternelle, le plus sûr fondement du monde à venir. *(Applaudissements.)*

Champ clos des idéals, notre France a souffert pour tout ce qui est de l'homme. Ferme dans ses espérances puisées aux sources de l'humanité la plus pure, elle accepte de souffrir encore, pour la défense du sol des grands ancêtres, avec l'espoir d'ouvrir, toujours plus grandes, aux hommes comme aux peuples, toutes les portes de la vie. La force de l'âme française est là. C'est ce qui meut notre peuple au travail comme à l'action de guerre. Ces silencieux soldats de l'usine, sourds aux suggestions mauvaises *(applaudissements)*, ces vieux paysans courbés sur leurs terres, ces robustes femmes au labour, ces enfants qui apportent l'aide d'une faiblesse grave : voilà de nos poilus. *(Nouveaux applaudissements.)* De nos poilus qui, plus tard, songeant à la grande œuvre, pourront dire, comme ceux des tranchées : J'en étais. Avec ceux-là aussi, nous devons demeurer, faire que, pour la patrie, dépouillant nos misères, un jour, nous nous soyons aimés.

S'aimer, ce n'est pas se le dire, c'est se le prouver. *(Vifs applaudissements.)* Cette preuve, nous voulons essayer de la faire. Pour cette preuve, nous vous demandons de nous aider. Peut-il être un plus beau programme de gouvernement ?

Il y a eu des fautes. N'y songeons que pour les réparer.

Hélas ! il y a eu aussi des crimes, des crimes contre la France, qui appellent un prompt châtiment. *(Vifs applaudissements.)* Nous prenons devant vous, devant le pays qui demande justice, l'engagement que justice sera faite selon la rigueur des lois. *(Très bien ! très bien !)* Ni considérations de personnes, ni entraînements de passions politiques *(vifs applaudissements à gauche, au centre et à droite. – Interruptions sur les bancs du Parti socialiste)* ne nous détourneront du devoir ni ne nous le feront dépasser. *(Très bien ! très bien !)* Trop d'attentats se sont déjà soldés, sur notre front de bataille, par un surplus de sang français. Faiblesse serait complicité. Nous serons sans faiblesse comme sans violence. Tous les inculpés en conseil de guerre. Le soldat au prétoire, solidaire du soldat au combat. Plus de campagnes pacifistes, plus de menées allemandes. Ni trahison, ni demi-trahison : la guerre. *(Applaudissements.)* Rien que la guerre. Nos armées ne seront pas prises entre deux feux. La justice passe. Le pays connaîtra qu'il est défendu. *(Nouveaux applaudissements.)*

Et cela, dans la France libre, toujours. Nous avons payé nos libertés d'un trop grand prix pour céder quelque chose au-delà du besoin de prévenir les divulgations, les excitations dont pourrait profiter l'ennemi. Une censure sera maintenue des informations diplomatiques et militaires, aussi bien que de celles qui pourraient troubler la paix civile. *(Mouvements divers sur les bancs du Parti socialiste. – Applaudissements à gauche, au centre et à droite.)* Cela jusqu'aux limites du respect des opinions. Un bureau de presse fournira des avis – rien que des avis – à qui les sollicitera. En temps de guerre, comme en temps de paix, la liberté s'exerce sous la responsabilité personnelle de l'écrivain. En dehors de cette règle, il n'y a qu'arbitraire, anarchie. *(Applaudissements.)*

Messieurs, pour marquer le caractère de ce gouvernement, dans les circonstances présentes, il ne nous a pas paru nécessaire d'en dire davantage. Les jours suivront les jours. Les problèmes succéderont aux problèmes. Nous marcherons du même pas, avec vous, aux réalisations dont la nécessité s'impose. Nous sommes sous votre contrôle. La question de confiance sera toujours posée. *(Très bien ! très bien !)*

Nous allons entrer dans la voie des restrictions alimentaires, à la suite de l'Angleterre, de l'Italie, de l'Amérique elle-même, admirable d'élan. Nous demanderons à chaque citoyen de prendre toute sa part de la défense commune, de donner plus et de consentir à recevoir moins. L'abnégation est aux armées. Que l'abnégation soit dans tout le pays. *(Applaudissements.)* Nous ne forgerons pas une plus grande France sans y mettre de notre vie.

Et voici qu'à la même heure quelque chose de notre épargne, par surcroît, nous est demandé. Si le vote qui conclura cette séance nous est favorable, nous en attendons la consécration par le succès complet de notre emprunt de guerre, suprême attestation de la confiance que la France se doit à elle-même, quand on lui demande pour la victoire, après l'aide du sang, l'aide pécuniaire dont la victoire sera la garantie. *(Applaudissements.)*

Messieurs, cette victoire, qu'il nous soit permis, à cette heure, de la vivre, par avance, dans la communion de nos cœurs à mesure que nous y puisons plus et plus d'un désintéressement inépuisable qui doit s'achever dans le sublime essor de l'âme française au plus haut de ses plus hauts espoirs.

Un jour, de Paris au plus humble village, des rafales d'acclamations accueilleront nos étendards vainqueurs, tordus dans le sang, dans les larmes, déchirés par les obus, magnifique apparition de nos grands morts. *(Applaudissements.)* Ce jour, le plus beau de notre race, après tant d'autres, il est en notre pouvoir de le faire. Pour les résolutions sans retour, nous vous demandons, Messieurs, le sceau de votre volonté. *(Vifs applaudissements répétés et prolongés à gauche, au centre et à droite.)*

Déclaration ministérielle de Clemenceau
à la Chambre des députés,
le 20 novembre 1917.

4.
WILSON

Le président américain Thomas Woodrow Wilson (1856-1924) est élu pour deux mandats, de 1913 à 1921, alors que la Première Guerre mondiale ravage l'Europe. Pour ce pacifiste convaincu, les États-Unis n'ont pas à intervenir, puisqu'ils ne sont pas directement concernés. Mais les attaques menées contre les navires américains par les forces navales allemandes alertent l'opinion publique et l'obligent à agir.

Son idée majeure est de régler ce conflit mondial de telle manière qu'il soit le dernier. Selon lui, les nations modernes, engagées dans la voie du commerce international, et prises à cause de cela dans une interaction toujours plus grande, devraient coopérer et accepter l'idée d'un arbitrage international de leurs différends.

Dans ce discours, Wilson présente devant le Congrès américain, en janvier 1918, les fameux « quatorze points » qui devraient, selon lui, permettre de poser les bases d'une nouvelle diplomatie mondiale. La puissance maritime que sont les États-Unis demande notamment le respect des règles des libertés de navigation et de commerce qui lui sont indispensables. Wilson souhaite aussi que l'autodétermination soit la règle pour les peuples européens qui font partie des empires centraux d'abord, mais qu'elle puisse ensuite être plus largement étendue. Enfin, il avance cette idée de la création d'une instance internationale, lieu de débat et de négociation entre les États. La Société des Nations (SDN) sera finalement créée en 1919.

Quelques mois après la victoire, les États-Unis négocient aux côtés de la France, du Royaume-Uni et de l'Italie un traité de Versailles qui déplaît au Sénat américain et dans lequel est inscrit le programme définissant la SDN. Alors qu'il tente de convaincre l'opinion de son pays par une campagne de discours, Wilson est frappé par une attaque qui le laisse paralysé à demi : les États-Unis n'adhéreront jamais à cette première organisation internationale, diminuant ainsi de beaucoup ses capacités d'action et de contrainte.

La SDN, malgré son régime de sanctions, ne parvient à empêcher ni la politique coloniale de l'Italie vis-à-vis de l'Éthiopie, ni la Seconde Guerre mondiale... Elle est remplacée en 1945 par l'Organisation des Nations unies (ONU).

La paix du monde pour programme

Ce que nous voulons, c'est que le monde devienne un lieu sûr où tous puissent vivre, un lieu possible spécialement pour toute nation éprise de la paix, comme la nôtre, pour toute nation qui désire vivre librement de sa vie propre, décider de ses propres institutions, et être sûre d'être traitée en toute justice et loyauté par les autres nations, au lieu d'être exposée à la violence et aux agressions égoïstes de jadis. Tous les peuples du monde sont en effet solidaires dans cet intérêt suprême, et en ce qui nous concerne, nous voyons très clairement qu'à moins que justice ne soit rendue aux autres, elle ne nous sera pas rendue à nous-mêmes.

C'est donc le programme de la paix du monde qui constitue notre programme. Et ce programme, le seul possible selon nous, est le suivant :

1. Des conventions de paix, préparées au grand jour ; après quoi il n'y aura plus d'ententes particulières et secrètes d'aucune sorte entre les nations, mais la diplomatie procédera toujours franchement et à la vue de tous.

2. Liberté absolue de la navigation sur mer, en dehors des eaux territoriales, aussi bien en temps de paix qu'en temps de guerre, sauf dans le cas où les mers seraient fermées en tout ou en partie par une action internationale tendant à faire appliquer des accords internationaux.

3. Suppression, autant que possible, de toutes les barrières économiques, et établissement de conditions commerciales égales pour toutes les nations consentant à la paix et s'associant pour son maintien.

4. Échange de garanties suffisantes que les armements de chaque pays seront réduits au minimum compatible avec la sécurité intérieure.

5. Un arrangement librement débattu, dans un esprit large et absolument impartial, de toutes les revendications coloniales, basé sur la stricte observation du principe que, dans le règlement de ces questions de souveraineté, les intérêts des populations en jeu pèseront d'un même poids que les revendications équitables du gouvernement dont le titre sera à définir.

6. Évacuation du territoire russe tout entier et règlement de toutes questions concernant la Russie qui assure la meilleure et la plus libre coopération de toutes les nations du monde, en vue de donner à la Russie toute latitude, sans entrave ni obstacle, de décider, en pleine

indépendance, de son propre développement politique et de son organisation nationale ; pour lui assurer un sincère et bienveillant accueil dans la société des nations libres, avec des institutions de son propre choix, et même plus qu'un accueil, l'aide de toute sorte dont elle pourra avoir besoin et qu'elle pourra souhaiter. Le traitement qui sera accordé à la Russie par ses nations sœurs dans les mois à venir sera la pierre de touche de leur bonne volonté, de leur compréhension des besoins de la Russie, abstraction faite de leurs propres intérêts, enfin, de leur sympathie intelligente et généreuse.

7. Il faut que la Belgique, tout le monde en conviendra, soit évacuée et restaurée, sans aucune tentative pour restreindre la souveraineté dont elle jouit au même titre que toutes les autres nations libres. Aucun autre acte isolé ne saurait servir autant que celui-ci à rendre aux nations leur confiance dans les lois qu'elles ont elles-mêmes établies et fixées, pour régir leurs relations réciproques. Sans cet acte réparateur, toute l'armature du droit international et toute sa valeur seraient ébranlées à jamais.

8. Le territoire français tout entier devra être libéré et les régions envahies devront être restaurées ; le préjudice causé à la France par la Prusse en 1871 en ce qui concerne l'Alsace-Lorraine, préjudice qui a troublé la paix du monde durant près de cinquante ans, devra être réparé afin que la paix puisse de nouveau être assurée dans l'intérêt de tous.

9. Une rectification des frontières italiennes devra être opérée conformément aux données clairement perceptibles du principe des nationalités.

10. Aux peuples de l'Autriche-Hongrie dont nous désirons voir sauvegarder et assurer la place parmi les nations, devra être accordée au plus tôt la possibilité d'un développement autonome.

11. La Roumanie, la Serbie, le Monténégro devront être évacués ; les territoires occupés devront être restaurés ; à la Serbie devra être assuré un libre accès à la mer ; les rapports des États balkaniques entre eux devront être déterminés par un échange amical de vues basé sur des données d'attaches traditionnelles et nationales historiquement établies ; des garanties internationales d'indépendance politique, économique et d'intégrité territoriale seront fournies à ces États.

12. Aux régions turques de l'Empire ottoman actuel devront être garanties la souveraineté et la sécurité ; mais aux autres nations qui sont maintenant sous la domination turque, on devra garantir une sécurité absolue d'existence et la pleine possibilité de se développer d'une façon autonome, sans être aucunement molestées ; quant aux Dardanelles, elles devront rester ouvertes comme un passage libre pour les navires et le commerce de toutes les nations sous la protection de garanties internationales.

13. Un État polonais indépendant devra être créé, qui comprendra les territoires habités par des populations indiscutablement polonaises, auxquelles on devra assurer un libre accès à la mer ; leur indépendance politique et économique aussi bien que leur intégrité territoriale devront être garanties par un accord international.

14. Il faut qu'une société des nations soit constituée en vertu de conventions formelles ayant pour objet d'offrir des garanties mutuelles d'indépendance politique et d'intégrité territoriale aux petits comme aux grands États.

Discours devant le Congrès des États-Unis,
le 8 janvier 1918.

5.
BENITO MUSSOLINI

Benito Mussolini (1883-1945), le Duce italien de 1922 à 1943, vient des rangs de la gauche. Journaliste, directeur du quotidien Avanti !, *il est exclu du Parti socialiste italien lorsqu'il se déclare favorable à l'entrée en guerre de l'Italie, en 1914. Il fonde ensuite son propre mouvement, le Parti national fasciste, dans lequel les déçus de la victoire de 1918, ceux qui estiment que l'Italie n'a pas reçu la juste part territoriale de ses sacrifices militaires, se retrouvent bientôt.*

En opposition au communisme qui s'inspire de la révolution russe, le fascisme, de 1918 à 1922, malgré son caractère syndicaliste et étatiste, s'allie de fait avec la bourgeoisie italienne et les propriétaires terriens. La tension monte jusqu'au choix qui est fait sinon de faire une révolution, du moins de tenter d'intimider le gouvernement par une action concertée. C'est une réussite. Après la « marche sur Rome » (28 octobre 1922), le roi Victor-Emmanuel III nomme Mussolini Premier ministre ; ses pouvoirs sont alors d'autant plus étendus que la fusion se fait rapidement entre le gouvernement et le Parti au sein du Grand Conseil du fascisme.

En 1924, la victoire des fascistes aux élections est contestée par la gauche, et notamment par le député socialiste

Giacomo Matteotti (1885-1924). Celui-ci est enlevé le 10 juin et exécuté. Son corps n'est découvert qu'en août. Les députés de l'opposition refusent alors de siéger au Parlement, se « retirant sur l'Aventin ». Le 12 septembre 1924, c'est un député fasciste qui est assassiné à son tour.

Le 3 janvier 1925, Mussolini prononce le discours que nous présentons, dans lequel il assume l'entière responsabilité de la situation : le fascisme apparaît donc bien comme un système politique dictatorial fonctionnant sous une fiction, celle de la royauté qui est malgré tout maintenue. Cela n'est pas sans rappeler d'ailleurs la distinction originelle des pouvoirs du dux *et du* rex *dans la Rome antique, lorsque le dictateur, appelé pour sauver la République, s'emparait de l'intégralité du pouvoir avant de le remettre, une fois la crise passée, aux mains de ses titulaires légitimes.*

Mais la crise ne passera pas. Déçue de ne pas avoir les mains libres pour entamer des conquêtes coloniales en Éthiopie – conquêtes qui se révéleront d'ailleurs plus difficiles que prévu –, l'Italie quitte la Société des Nations fin 1937 et se rapproche de l'Allemagne. Mussolini, pourtant arrivé au pouvoir dix années avant Hitler, est placé dans un rôle secondaire par son allié du nord, avant et après l'entrée en guerre.

L'invasion du sol italien et les victoires remportées par les Alliés vont entraîner la destitution de Mussolini par le Grand Conseil du fascisme : le 25 juillet 1943, il est arrêté par ordre du roi après un vote du Grand Conseil. Libéré par un coup de main de commandos allemands, il crée, après avoir rencontré une dernière fois Hitler, la République sociale italienne, dite République de Salò, dans le nord de la péninsule, revenant alors à la doctrine syndicale originelle du fascisme.

Mais l'avancée des troupes alliées continue et Mussolini est finalement capturé et fusillé par des partisans le 28 avril 1945.

CETTE ATMOSPHÈRE HISTORIQUE, POLITIQUE ET MORALE, JE L'AI CRÉÉE PAR UNE PROPAGANDE

Messieurs,

Le discours que je vais prononcer devant vous ne pourra peut-être pas être classé, à la rigueur, comme un discours parlementaire. Il peut s'en trouver parmi vous qui jugeront vers la fin de ce discours qu'il se rattache, par-dessus le temps écoulé, à celui que j'ai prononcé dans cette même salle le 16 novembre 1922.

Je vous déclare ici en présence de cette assemblée et devant tout le peuple italien, que j'assume à moi tout seul la responsabilité politique, morale et historique de tout ce qui est arrivé... Si le fascisme n'a été qu'une affaire d'huile de ricin et de matraques, et non pas, au contraire, la superbe passion de l'élite de la jeunesse italienne, c'est à moi qu'en revient la faute !

Si le fascisme a été une association de délinquants, si toutes les violences ont été le résultat d'une certaine atmosphère historique, politique et morale, à moi la responsabilité de tout cela, parce que cette atmosphère historique, politique et morale, je l'ai créée par une propagande qui va de l'intervention dans la guerre jusqu'à aujourd'hui.

Un peuple ne respecte pas un gouvernement qui se laisse vilipender. Le peuple veut que sa dignité soit reflétée dans la dignité du gouvernement, et le peuple même avant moi a dit : « Assez ! La mesure est comble ! »

Lorsque deux éléments sont en lutte et lorsqu'ils sont irréductibles, la solution est dans l'emploi de la force. Il n'y a jamais eu d'autres solutions dans l'histoire et il n'y en aura jamais d'autres.

Maintenant j'ose dire que le problème sera résolu. Le fascisme, à la fois gouvernement et parti, est en pleine puissance.

Messieurs, vous vous êtes fait des illusions ! Vous avez cru que le fascisme était fini…

L'Italie, Messieurs, veut la paix, la tranquillité, le calme laborieux ; nous lui donnerons tout cela, de gré si cela est possible, et de force si c'est nécessaire.

Soyez certains que, dans les quarante-huit heures qui suivront mon discours, la situation sera éclaircie, comme l'on dit, dans toute son ampleur. Et que tout le monde sache que ce n'est pas là le caprice d'un homme, que ce n'est pas un excès de pouvoir de la part du gouvernement, que ce n'est pas non plus une ignoble passion, mais qu'il s'agit seulement d'un amour puissant et sans bornes pour la patrie.

Discours prononcé devant la Chambre,
le 3 janvier 1925.

6.
FRANKLIN DELANO ROOSEVELT

Franklin Delano Roosevelt (1882-1945) fut le seul président américain à être élu pour quatre mandats consécutifs à partir de novembre 1932.

Lorsqu'il arrive au pouvoir, les effets de la crise de 1929 se font encore largement sentir sur une économie américaine en pleine déroute, celle de la « Grande Dépression ». Roosevelt met alors en œuvre le New Deal, la « nouvelle donne », un programme de relance de l'économie et de lutte contre le chômage qui mêle un certain interventionnisme d'État aux principes classiques d'une économie libérale à laquelle il fait toujours confiance. Pour le nouveau président américain, en effet, comme pour Hoover qui l'avait précédé, la crise économique a été essentiellement causée par la perte de confiance en l'avenir des Américains, entraînant une baisse de la consommation et des investissements.

Le discours d'investiture que nous présentons joue sur cette nécessité primordiale de rétablir la confiance, notamment dans un système bancaire que le président critique, mais qu'il s'efforce quand même de sauver. Dire la vérité aux Américains, sanctionner les dérives par trop évidentes du système économique, pour, grâce à une confiance restaurée, rebondir et relancer la machine, c'est en fait tout le pari de cette nouvelle politique… qui n'en est pas forcément une.

Roosevelt utilise bien l'élan causé par son arrivée au pouvoir conjugué au soutien du Congrès pour faire immédiatement voter de nombreux textes bâtis par son équipe de conseillers, son « brain trust *». Mais il s'agit souvent de reprendre des éléments déjà lancés par Hoover : lutte contre le chômage, aides à l'industrie et aux grands travaux, création du Civilian Conservation Corps qui embauchera 250 000 jeunes chômeurs pour réaliser de grands projets. Des prêts furent par ailleurs accordés aux fermiers et aux propriétaires pour leur éviter de vendre leur outil de travail – qui était aussi leur moyen de subsistance.*

Parallèlement, Roosevelt diminua les pensions des anciens combattants, réduisit le budget des armées, les dépenses dans l'éducation ou la recherche, réduisit aussi le nombre de fonctionnaires. Enfin, les États-Unis abandonnèrent l'étalon-or, une décision encore lourde de conséquences pour l'économie mondiale.

Le New Deal

Monsieur le Président Hoover, Monsieur le président de la Cour suprême, mes amis,

Je suis certain que mes concitoyens attendent de moi que, pour mon investiture à la présidence, je m'adresse à eux avec une franchise et une décision telles que la situation actuelle de la nation les réclame.

C'est avant tout le moment de dire la vérité, toute la vérité, avec sincérité et sans ambages. De plus, il ne nous faut pas craindre de faire face honnêtement à la situation actuelle dans notre pays. Cette grande nation supportera les moments difficiles comme elle les a toujours supportés, cette nation revivra et prospérera.

Permettez-moi tout d'abord d'affirmer ma conviction déterminée que nous n'avons à craindre que la crainte elle-même, cette peur irraisonnée, injustifiée qui ne porte pas de nom et qui anéantit les efforts nécessaires pour transformer une retraite en progression.

À chaque fois que notre nation traversait un moment sombre, une main franche et vigoureuse a trouvé auprès du peuple lui-même cette entente et ce soutien indispensables à la victoire. Je reste persuadé que vous accorderez à nouveau ce soutien à vos dirigeants en ces journées difficiles.

Unis dans un même esprit, de mon côté ainsi que du vôtre, nous surmonterons ces difficultés. Il ne s'agit, Dieu en soit loué, que de questions matérielles. Les valeurs se sont effondrées dans des proportions incroyables, les taxes se sont envolées, notre capacité de payement a chuté, toute forme de gouvernement doit affronter une grave réduction de ses revenus, les moyens d'échange sont gelés dans les courants du commerce, les feuilles mortes de l'entreprise industrielle se ramassent partout, les paysans ne trouvent pas de marché pour leurs produits, des milliers de familles voient leurs économies de plusieurs années s'envoler.

Ce qui est encore plus important c'est qu'une foule de citoyens sans emploi doit faire face à la dure réalité de l'existence et qu'un nombre tout aussi important peine sans grand profit. Seuls les optimistes, simples d'esprit, peuvent nier la dure réalité des choses actuelles.

Pourtant notre détresse ne provient pas d'un manque de substance. Nous ne sommes pas envahis par une armée de sauterelles. En comparaison avec les périls que nos aïeux ont dû braver parce qu'ils avaient la foi et n'avaient aucune crainte, nous devons être reconnaissants pour plus d'une raison. La nature nous prodigue sa générosité et les efforts de l'homme la font fructifier. L'abondance se trouve à portée de main, mais la perspective d'une utilisation généreuse de celle-ci s'évanouit à la seule vue des provisions.

Cela s'explique premièrement par le fait que les dirigeants qui président aux échanges des biens de l'humanité ont échoué par leur propre obstination et leur propre incompétence, pour ensuite admettre leur échec et abdiquer. Les pratiques de cambistes sans scrupules restent l'objet de l'accusation publique. Les hommes les ont rejetés du fond de leur cœur et de leur esprit. Il est vrai qu'ils ont essayé d'agir, mais leurs efforts sont moulés sur une coutume obsolète. Face au manque de crédit, ils n'ont rien trouvé de mieux que de prêter davantage.

Privés de l'attrait du profit grâce auquel ils incitaient la population à les suivre, ils n'ont eu d'autre recours que d'exhorter, larmoyants, les citoyens à leur rendre la confiance perdue. Ils ne connaissent que les lois d'une génération d'égoïstes. Il leur manque une vision d'avenir et sans celle-ci, les gens vont à leur perte. Les marchands du temple se sont enfuis de leurs postes élevés. À nous maintenant de rétablir le temple de notre civilisation dans sa vérité ancienne.

L'étendue de cette remise en état dépend de l'intensité avec laquelle nous ferons valoir des valeurs sociales plus précieuses que le seul profit matériel. Le bonheur ne réside pas dans la seule possession de biens, il est dans la joie de l'exploit, dans la sensation de l'effort créateur.

Le plaisir et l'encouragement moral que procure le travail ne doivent plus succomber à la recherche effrénée de profits fugitifs. Ces jours sombres nous récompenseront de tous les efforts qu'ils nous auront coûtés, s'ils nous apprennent que notre destinée n'est pas d'être assistés, mais bien de nous assister nous-mêmes et nos concitoyens.

Reconnaître la fausseté des biens matériels comme critère du succès va de pair avec la remise en question de la croyance selon laquelle les fonctions officielles et les plus hautes charges politiques se mesurent seulement à l'aune de la fierté d'occuper un poste et en fonction du bénéfice personnel. Il faut mettre fin à ce comportement dans le monde bancaire et des affaires qui trop souvent a conféré au rapport de confiance l'apparence du méfait égoïste et sans cœur.

Il ne faut dès lors pas s'étonner que la confiance se dégrade, car elle ne prospère que sur l'honnêteté et sur l'honneur, sur le respect des obligations, sur la protection fidèle, sur la réalisation altruiste. Sans cela, il n'y a point de confiance.

Une remise en état n'appelle pas uniquement des changements éthiques. Cette nation a besoin d'action, d'action tout de suite.

La première de nos grandes tâches est de mettre les gens au travail. Il ne s'agit pas là d'un problème insurmontable si nous nous y prenons avec sagesse et courage.

Nous pouvons y arriver en partie en engageant directement les gens dans les services publics, en abordant le problème comme nous le ferions pour faire face à l'urgence en cas de guerre, mais en même temps ces emplois peuvent servir à réaliser des projets indispensables en vue de stimuler et de réorganiser l'utilisation de nos ressources naturelles.

En même temps, nous devons être conscients de la surpopulation dans nos centres industriels et tenter, en entreprenant une redistribution à l'échelle nationale, d'améliorer l'utilisation des terres pour ceux qui sont adaptés à la vie agricole.

Il est possible d'atteindre ce but en menant des efforts délibérés d'augmenter la valeur des produits agricoles et par là augmenter le pouvoir d'achat qui absorbera le produit de nos villes.

Il est possible d'y arriver en empêchant, de façon concrète, la disparition tragique, par la forclusion, de nos humbles demeures et de nos fermes.

Il est possible d'y arriver en insistant pour que le gouvernement fédéral, les États et les autorités locales veillent à réduire radicalement leurs frais.

Il est possible d'y arriver en unifiant les mesures d'aide qui actuellement sont souvent dispersées, peu rentables et inéquitables.

Il est possible d'y arriver en planifiant et en gérant à l'échelle nationale toutes les formes de transports, de communications et de services à caractère éminemment public.

Il y a de nombreuses manières d'atteindre ce but, mais il n'est pas possible d'y arriver en ne faisant que parler. Il nous faut agir et agir rapidement.

Enfin, dans nos efforts pour une reprise de l'emploi, nous devrons nous assurer de deux garanties contre les maux du passé. Il faut un contrôle strict des activités bancaires, de crédit et d'investissement. Il faut mettre fin à la spéculation qui se sert de l'argent d'autrui et il faut prendre des dispositions pour une monnaie solide et disponible en quantité suffisante.

Telles sont les lignes d'attaque. Je vais recommander à un congrès nouveau en session extraordinaire d'adopter les mesures nécessaires à leur réalisation et je demanderai l'assistance immédiate des différents États.

Par ce programme d'action, nous nous attaquons à la remise en ordre de notre maison nationale et à l'équilibre de nos revenus.

Nos relations commerciales internationales, toutes importantes qu'elles soient, viennent, pour ce qui est de leur urgence et de leur nécessité, après l'établissement d'une économie nationale saine.

Je privilégie, comme pratique politique, de réaliser les choses importantes d'abord. Je n'épargnerai aucun effort pour rétablir le commerce mondial par des réajustements internationaux, mais l'urgence dans mon pays ne peut pas attendre.

L'idée maîtresse qui guide les moyens spécifiques de cette reprise nationale n'est pas strictement nationaliste. C'est l'insistance, comme première préoccupation, sur l'interdépendance des différentes composantes qui constituent les États-Unis – une reconnaissance du vieil esprit pionnier américain, éternellement valable.

C'est le chemin de la reprise, le chemin direct. C'est la plus forte assurance de la pérennité de la reprise.

Dans le domaine de la politique internationale, je recommanderais à ce pays une politique de bon voisinage, avec chaque voisin se respectant résolument et par là, respectant les droits de l'autre, avec chaque voisin respectant ses obligations et respectant la dignité des engagements qui constituent – et qui le lient à – un monde de bons voisins.

Si j'interprète correctement l'état d'esprit de nos concitoyens, nous nous rendons compte, comme jamais auparavant, de notre dépendance mutuelle. Nous comprenons que nous ne pouvons pas simplement prendre, mais que nous devons donner aussi, et que, si nous voulons aller de l'avant, nous devons marcher comme une armée bien exercée et loyale, prête à se sacrifier pour le bien d'une discipline commune, car sans une telle discipline, il n'est pas possible d'aller de l'avant et aucun commandement ne peut être efficace.

Je suis sûr que nous sommes disposés à donner nos vies et nos biens pour une telle discipline, car elle rend possible un commandement qui vise de plus grandes réalisations.

C'est le sacrifice que je propose, et je vous promets que les plus larges desseins nous réuniront comme une obligation sacrée, avec une unité de devoir, évoquée jusqu'ici seulement en temps de conflit armé.

Cet engagement pris, j'assume sans hésiter le commandement de cette grande armée de nos citoyens prêts à s'attaquer, dans la discipline, à nos problèmes communs.

L'action, dans cette optique et dans ce but, est possible dans la forme de gouvernement que nous avons héritée de nos ancêtres.

Notre Constitution est à ce point simple et pratique qu'il est toujours possible de répondre aux besoins les plus extraordinaires par un changement des priorités et un arrangement n'affectant en rien sa forme essentielle.

C'est la raison pour laquelle notre Constitution s'est avérée être le mécanisme politique le plus stable que le monde moderne ait produit. Elle a su faire face aux extensions de territoire, comme aux conflits à l'étranger, à la lutte interne, comme aux rapports internationaux.

Il faut espérer que l'équilibre normal entre les pouvoirs exécutif et législatif soit tout à fait apte à braver la tâche qui nous attend. Mais il se peut qu'une exigence sans précédent, un besoin d'action immédiate, requière que l'on s'écarte temporairement de cet équilibre caractéristique de la procédure normale.

Je suis prêt à recommander, de par ma mission constitutionnelle, les mesures qu'une nation éprouvée peut requérir dans un monde éprouvé. De telles mesures, et d'autres que le Congrès mettra au point sur la base de son expérience et de sa sagesse, je les ferai, dans les limites de mon pouvoir constitutionnel, adopter rapidement.

Mais au cas où le Congrès n'emprunterait pas une de ces voies, et que la situation du pays serait toujours critique, je ne me déroberai pas au devoir qui s'imposera alors à moi.

Je demanderai au Congrès de pouvoir disposer du seul instrument subsistant qui soit à la hauteur de la crise – le pouvoir exécutif élargi afin d'engager un combat contre l'urgence, qui serait de la même ampleur que le pouvoir qui me serait octroyé si nous étions envahis par un ennemi extérieur.

À la confiance qui repose sur moi, je répondrai par le courage et le dévouement qui s'imposent, c'est le moins que je puisse faire.

Nous faisons face aux jours difficiles qui nous attendent dans le courage de l'unité nationale, en pleine conscience de notre recherche de valeurs morales anciennes et précieuses ; avec la pure satisfaction que confère l'accomplissement strict du devoir partagé par les jeunes et les anciens à la fois.

Nous visons la garantie d'une vie harmonieuse de notre nation.

Nous ne manquons pas de confiance dans l'avenir du principe démocratique. Le peuple des États-Unis n'a pas démérité. Dans le besoin, il a souscrit à un mandat qui réclame une action directe et vigoureuse.

Il a opté pour la discipline et un commandement fort. Il m'a fait l'instrument de sa volonté. Je l'accepte dans l'esprit du don.

Dans ce dévouement à la nation, nous demandons humblement la bénédiction de Dieu. Puisse-t-il tous nous préserver, et chacun de nous ! Puisse-t-il guider mes pas dans les jours à venir !

Discours d'investiture
du 4 mars 1933.

7.
DOLORES IBÁRRURI OU « LA PASIONARIA »

En avril 1931, les républicains remportent les élections dans quarante et une provinces espagnoles sur cinquante. Le roi Alphonse XIII part alors en exil et la seconde République est proclamée le 14 avril.

Des élections législatives sont organisées en juin 1931, qui portent au pouvoir les partis de la gauche républicaine. La réforme agraire de septembre 1932 et l'instabilité politique qui marque les débuts de la République provoquent des troubles et des soulèvements (notamment la révolte des Asturies en 1934) durement réprimés par l'armée. Entre 1932 et 1936, les gouvernements se succèdent et l'on procède par deux fois à des élections anticipées qui donnent alternativement le pouvoir à la droite et à la gauche, tandis que des mouvements autonomistes se développent dans certaines provinces (Asturies, Catalogne).

Mais en janvier 1936, alors qu'une majorité de partis de gauche unis dans un Front populaire s'impose au pouvoir, les violences se multiplient : pillage d'églises, grèves sauvages, attentats. Autour des partis républicains, les extrêmes se radicalisent dans une gauche révolutionnaire et anarchiste et dans une droite fasciste. De violents débats ont lieu aux Cortes *(le Parlement). En juin, le député monarchiste José Calvo Sotelo appelle le gouvernement et l'armée à rétablir l'ordre ; la députée communiste Dolores Ibárurri Gómez (1895-1989), plus connue sous le pseudonyme de « La Pasionaria », réagit en le menaçant de mort. Quelques jours après, celui-ci est assassiné. C'est dans ce contexte qu'a lieu, le 17 juillet, un soulèvement militaire au Maroc espagnol et en Espagne. Le 19 juillet, La Pasionaria prononce à Madrid le discours qui suit, resté célèbre pour sa formule emblématique « ¡ No pasarán ! » (« Ils ne passeront pas »), que l'on dit parfois reprise de la phrase martelée par le général Nivelle devant Verdun en 1916 mais qui demeure surtout le symbole de la lutte antifasciste. Le coup d'État nationaliste se mue en guerre civile : alimentées en hommes et en armes par l'Italie de Mussolini et par l'Allemagne d'Hitler, les troupes du général Francisco Franco progressent rapidement. Les républicains sollicitent en vain l'appui des démocraties européennes. Dolores Ibárruri tente sans succès de fléchir le gouvernement Blum, qui a décidé de la non-intervention (cf.* infra*), et elle agit durant toute la guerre pour tenter de sauver la cause républicaine, seulement soutenue par des volontaires de tous pays s'infiltrant en Espagne pour intégrer les Brigades internationales.*

L'appel de La Pasionaria, aussi puissant que vain, a dramatiquement résonné sur le XXe siècle. Plus qu'une guerre civile, la guerre d'Espagne fut en effet une répétition générale de la Seconde Guerre mondiale, au cours de laquelle Mussolini et Hitler ont mis à l'épreuve leurs armées, leurs armes et leurs stratégies militaires, autant qu'ils ont pu tester la volonté des autres gouvernements européens d'entrer en guerre pour défendre leurs libertés et leurs principes démocratiques.

Face à la victoire franquiste en 1939, Dolores Ibárruri, qui avait fait sienne la formule d'Emiliano Zapata : « Mieux vaut mourir debout que vivre à genoux », s'exile en URSS. Reconnue comme une figure du communisme international (nationalité soviétique en 1960, docteur honoris causa *de l'université de Moscou, prix Lénine de la paix en 1964, Ordre de Lénine en 1965), elle rentre en Espagne après la mort de Franco en 1975. Elle est élue une dernière fois députée communiste aux* Cortes *en 1977 et s'éteint paisiblement à quatre-vingt-treize ans.*

¡ NO PASARÁN !

Ouvriers ! Paysans ! Antifascistes ! Espagnols patriotes !

Face au soulèvement militaire fasciste, tous debout ! Défendons la République ! Défendons les libertés populaires et les conquêtes démocratiques du peuple !

Par les communiqués du gouvernement et du Front populaire, le peuple connaît la gravité du moment actuel. Au Maroc et aux Canaries, les travailleurs sont en lutte aux côtés des forces restées fidèles à la République, contre les militaires et les fascistes insurgés.

Au cri de : « Le fascisme ne passera pas, les bourreaux d'octobre ne passeront pas ! », les ouvriers et les paysans de diverses provinces d'Espagne s'incorporent à la lutte contre les ennemis de la République. Les communistes, les socialistes et les anarchistes, les républicains démocrates, les soldats et les forces demeurées loyales à la République ont infligé les premières défaites aux factieux qui traînent dans la boue de la trahison l'honneur militaire dont ils se glorifiaient tant.

Tout le pays vibre d'indignation devant ces misérables qui veulent plonger l'Espagne démocratique et populaire dans un enfer de terreur et de mort. Mais ils ne passeront pas ! L'Espagne entière s'apprête au combat. À Madrid, le peuple est dans la rue, soutenant le gouvernement et le stimulant avec son énergie et son esprit de lutte, pour que les militaires et les fascistes insurgés soient totalement écrasés.

Jeunes, préparez-vous au combat !

Femmes, héroïques femmes du peuple ! Souvenez-vous de l'héroïsme des femmes des Asturies en 1934.

Luttez vous aussi aux côtés des hommes pour défendre la vie et la liberté de vos enfants que le fascisme menace !

Soldats, fils du peuple ! Restez fidèles au gouvernement et à la République, luttez aux côtés des travailleurs, aux côtés des forces du Front populaire, aux côtés de vos parents, de vos frères et de vos camarades ! Luttez pour l'Espagne du 16 février, luttez pour la République, aidez-les à vaincre !

Travailleurs de toutes tendances ! Le gouvernement met entre vos mains des armes pour sauver l'Espagne et le peuple de l'horreur et de la honte que représenterait la victoire des bourreaux d'octobre couverts de sang. Que nul n'hésite ! Soyez tous prêts pour l'action ! Chaque ouvrier, chaque antifasciste doit se considérer comme un soldat en armes.

Peuples de Catalogne, du Pays basque et de Galice ! Espagnols de partout ! Défendons la République démocratique, consolidons la victoire obtenue par le peuple le 16 février.

Le Parti communiste vous appelle au combat. Il appelle tout spécialement les ouvriers, les paysans, les intellectuels à occuper un poste de combat pour écraser définitivement les ennemis de la République et des libertés populaires.

Vive le Front populaire !

Vive l'union de tous les antifascistes !

Vive la République du peuple !

Les fascistes ne passeront pas ! Ils ne passeront pas ! ¡ No pasarán !

Appel lancé depuis le ministère de l'Intérieur,
à Madrid,
le 19 juillet 1936.

8.

LÉON BLUM

Léon Blum (1872-1950) est une des grandes figures du socialisme français. C'est Blum qui refuse l'adhésion à la IIIe Internationale communiste lors du Congrès de Tours de 1920. C'est Blum aussi qui permet à la Section française de l'Internationale ouvrière (SFIO), alliée cette fois aux communistes et aux radicaux dans le Front populaire, d'accéder au pouvoir, avec lui comme président du Conseil de juin 1936 à juin 1937.

Le 20 juillet 1936, le gouvernement légal de l'Espagne républicaine demande à la France du Front populaire son soutien contre le soulèvement de Franco. Mais le gouvernement que dirige Léon Blum renonce à apporter son aide, au moins de manière officielle. Certes, la presse de droite s'oppose à cette ingérence dans les affaires espagnoles ; certes les alliés radicaux, membres du gouvernement de Front populaire, ne le veulent pas non plus ; mais au-delà, et Léon Blum le sait bien, ce sont les gouvernements des principaux pays européens, au premier rang desquels le Royaume-Uni, qui sont inquiets devant les risques d'escalade auxquels conduirait un tel soutien. Les forces alliées de l'Italie et de l'Allemagne trouveraient en effet ainsi une excuse facile pour intensifier leurs propres livraisons, des livraisons que l'on ne pourrait alors interdire que par une action de force. On s'en tient donc à la signature d'un pacte de non-intervention... plus ou moins suivi, avec un embargo sur l'armement plus ou moins contourné, comme souvent en pareils cas.

Léon Blum intervient ici lors d'une fête de la fédération de la Seine, à Luna Park, le 6 septembre 1936, devant des militants dont beaucoup n'ont pas caché, dans les semaines précédentes, leur déception devant le choix gouvernemental (les communistes ont quitté pour cela le gouvernement de Front populaire). Blum assume entièrement ce choix, et, après en avoir présenté les données avec franchise et clarté – art suprême du politique ou personnalité de l'orateur ? –, demande qu'on continue de lui faire confiance. La foule, plus qu'hésitante au début, terminera par des vivats en chantant l'Internationale.

On retrouvera cette volonté d'écarter, à quelque prix que ce soit, l'horreur de la guerre au moment où Léon Blum se félicitera des accords de Munich.

JE ME REFUSE À DÉSESPÉRER DE LA PAIX

Je n'étais pas inscrit au programme de cette fête. C'est moi qui, hier soir, à la fin d'une journée assez dure et après m'être entretenu avec mes camarades délégués des usines métallurgiques de la région parisienne, ai pris le parti soudain de demander à la fédération socialiste de la Seine de m'accorder aujourd'hui son hospitalité. [...]

On se demandera peut-être si je parle en qualité de chef du gouvernement ou en qualité de militant socialiste. Qu'on se pose ailleurs la question, si l'on veut, mais pas ici. Du reste, je vous avoue que je n'arrive pas à distinguer très bien en ce qui me concerne entre les deux qualités. En tant que chef du gouvernement, je ne pourrai pas bien entendu vous dire ici plus que je pourrai dire ailleurs. Comme militant, il n'y a pas une seule de mes pensées que j'entende aujourd'hui dissimuler. [...] Vous savez bien que je n'ai pas changé et que je suis toujours le même. Est-ce que vous croyez qu'ici il y a un seul de vos sentiments que je n'éprouve pas et que je ne comprenne pas ? Vous avez entendu l'autre soir, au vélodrome d'Hiver, les délégués du Front populaire espagnol ; je les avais vus le matin même. Croyez-vous que je les aie entendus avec moins d'émotion que vous ? *(Applaudissements.)* Quand je lisais comme vous dans les dépêches le récit de la prise d'Irun et de l'agonie des derniers miliciens, croyez-vous par hasard que mon cœur n'était pas avec eux ? Et est-ce que vous croyez, d'autre part, que j'aie été subitement destitué de toute intelligence, de toute faculté de réflexion et de prévision, de tout don de peser dans leurs rapports et dans leurs conséquences les événements auxquels j'assiste ? Vous ne croyez rien de tout cela, n'est-ce pas ? Alors ?

Si j'ai agi comme j'ai agi, si j'agis encore comme j'estime qu'il est nécessaire d'agir, alors il faut qu'il y ait des raisons à cela, il faut bien qu'il y ait tout de même à cette conduite des motifs peut-être valables. Je les crois en tout cas intelligibles.

Je ne vous demande pas une confiance aveugle, une confiance personnelle. [...] Je sais très bien, en cette affreuse aventure, quels souhaits doivent nous imposer l'intérêt national, l'intérêt de notre pays, en dehors de toute espèce d'affinité ou de passion politique. Je suis obligé ici de mesurer mes mots, et vous le comprendrez. Je sais que le maintien du gouvernement légal de la République espagnole garantirait à la France, en cas de complications européennes, la sûreté de sa frontière pyrénéenne, la sûreté de ses communications avec l'Afrique du Nord et, sans que je me permette aucune prévision sur un avenir que nul ne connaît exactement, je peux pour le moins dire que du côté du gouvernement militaire, il nous est impossible de prévoir avec certitude quelles seraient ou les obligations ou les ambitions de ses chefs.

[...]

La question du droit public n'est pas plus douteuse que la question de l'intérêt direct et national de la France. [...] Pas de doute que si nous nous plaçons sur le terrain strict du droit international, du droit public, seul le gouvernement légal aurait le droit de recevoir de l'étranger des livraisons d'armes, alors que ce droit devrait être refusé sévèrement aux chefs de la rébellion militaire. *(Applaudissements.)* Oui, vous avez raison de m'applaudir, mais je crois que vous aurez raison aussi d'écouter et de méditer les paroles que je vais ajouter. Dans la rigueur du droit international, si c'est une rigueur qu'on invoque comme on l'a fait dans un grand nombre d'ordres du jour dont le gouvernement a été saisi, laissez-moi vous dire que le droit international permettrait demain aux gouvernements qui jugeraient cette mesure commode, de reconnaître comme gouvernement de fait la junte rebelle de Burgos, et qu'à partir de cette renaissance de fait, sur le terrain du droit international (terrain moins solide que vous ne le pensez), des livraisons d'armes pourraient être faites à ce gouvernement rebelle aussi bien qu'au gouvernement régulier. [...]

Vous me dites : « Cela est contraire au droit international. » Peut-être. Pour assurer alors l'observation stricte du droit international, que d'ailleurs il devient si aisé de tourner, quel autre moyen auriez-vous que la force ?

Quel autre moyen auriez-vous vu que la sommation, que l'ultimatum, avec toutes ses conséquences possibles ?

[...] Demandez-vous aussi qui peut fournir dans le secret, par la concentration des pouvoirs dans la même main, par l'intensité des armements, par le potentiel industriel, comme on dit ; demandez-vous aussi qui peut s'assurer l'avantage dans une telle concurrence. Demandez-vous cela ! Une fois la concurrence des armements installée, car elle est fatale dans cette hypothèse, elle ne restera jamais unilatérale. Une fois la concurrence des armements installée, sur le sol espagnol, quelles peuvent être les conséquences pour l'Europe entière, cela dans la situation d'aujourd'hui ? Et alors, si ces pensées sont maintenant suffisamment claires et suffisamment présentes devant votre esprit, ne vous étonnez pas trop, mes amis, si le gouvernement a agi ainsi. Je dis le gouvernement, mais je pourrais aussi bien parler à la première personne, car j'assume toutes les responsabilités. *(Vifs applaudissements.)*

[...] La solution, ce qui permettrait peut-être à la fois d'assurer le salut de l'Espagne et le salut de la paix, c'est la conclusion d'une convention internationale par laquelle toutes les puissances s'engageraient, non pas à la neutralité – il ne s'agit pas de ce mot qui n'a rien à faire en l'espèce – mais à l'abstention, en ce qui concerne les livraisons d'armes, et s'engageraient à interdire l'exportation en Espagne du matériel de guerre. [...]

Le 8 août, nous avions, en Conseil des ministres, décidé de suspendre les autorisations d'exportations au profit du gouvernement régulier d'une nation amie. C'étaient les termes mêmes de notre communiqué officiel. Nous l'avons fait, nous avons dit pourquoi, en espérant par cet exemple piquer d'honneur les autres puissances et préparer ainsi la conclusion très rapide de cette convention générale qui nous paraissait le seul moyen de salut. […]

Il en est résulté que, pendant un trop long temps, beaucoup plus long que nous l'avions prévu, beaucoup plus long que nous ne l'aurions voulu, en raison de cette offre peut-être trop confiante, nous nous sommes trouvés, nous, les mains liées, tandis que les autres puissances gardaient juridiquement, gardaient politiquement, jusqu'à ce que leurs engagements fussent souscrits, jusqu'à ce que les mesures d'exécution fussent promulguées, l'aisance que nous nous étions interdite à nous mêmes. […] Et maintenant, aujourd'hui, devant quelle situation nous trouvons-nous ? […] Aujourd'hui, toutes les puissances ont non seulement donné leur assentiment, mais promulgué des mesures d'exécution. Il n'existe pas, à ma connaissance, une seule preuve ni même une seule présomption solide que, depuis la promulgation des mesures d'exécution par les différents gouvernements, aucun d'eux ait violé les engagements qu'il a souscrits. Je répète, s'il le faut, et en pesant chacun de mes mots, ce que je viens de dire.

Et vous pensez que, dans ces conditions, nous pouvons, nous, alors, déchirer le papier que nous avons, nous-mêmes, demandé aux autres de signer alors qu'il est tout frais de leurs signatures, alors que nous sommes hors d'état de prouver que par l'un quelconque des contractants, la signature en ait été violée ! […]

Si on me demande de revenir sur les positions du gouvernement et de déchirer le papier que nous avons signé, aujourd'hui comme hier, je réponds : « Non ! » Cela ne nous serait possible que si nous étions devant la certitude prouvée que la signature d'autres puissances a été violée. Nous ne pouvons pas retirer la nôtre, et nous pouvons encore moins faire quelque chose qui, à mes yeux, serait pire encore : la trahir en fait, sans avoir le courage de la retirer. [...] Impossible d'agir autrement sans ouvrir en Europe une crise dont il serait difficile ou dont il serait malheureusement trop facile de prévoir les conséquences. *(Applaudissements. Cris : « Vive la paix ! »)* Camarades, je répète que dans une occasion semblable, je ne demande d'applaudissements de personne, mais que je réclame, que je revendique comme un droit l'attention de tous.

[...] Nous avons des amis qui traitent la conduite du gouvernement de débile et de périlleuse par sa débilité même. Ils parlent de notre faiblesse, de nos capitulations. C'est, disent-ils, par cette habitude, cette molle habitude de concessions aux puissances belliqueuses qu'on crée, en Europe, de véritables dangers de guerre. Ils nous disent qu'il faut, au contraire, résister, raidir et exalter la volonté nationale, que c'est par la fierté, l'exaltation du sentiment patriotique qu'on peut aujourd'hui assurer la paix.

Mes amis, mes amis !... je connais ce langage, je l'ai déjà entendu. Je l'ai entendu il y a vingt-quatre ans. Je suis un Français – car je suis français – fier de son pays, fier de son histoire, nourri autant que quiconque, malgré ma race, de sa tradition. *(Applaudissements.)* Je ne consentirai à rien qui altère la dignité de la France républicaine, de la France du Front populaire. Je ne négligerai rien pour assurer la sécurité de sa défense. Mais quand nous parlons de dignité nationale, de fierté nationale, d'honneur national, oublierons-nous, les uns et les autres, que, par une propagande incessante depuis quinze ans, nous avons appris à ce peuple qu'un des éléments constitutifs nécessaires de l'honneur national était la volonté pacifique ? *(Ovation prolongée.)* [...] Tout ce qui resserre entre Français le sentiment de la solidarité vis-à-vis d'un danger possible, je le conçois ; mais l'excitation du sentiment patriotique, mais l'espèce de rassemblement préventif en vue d'un conflit qu'au fond de soi on considère comme fatal et inévitable, cela non ! Pour cela, il n'y aura jamais, je le dis tout haut, à tout risque, ni mon concours ni mon aveu. Je ne crois pas, je n'admettrai jamais que la guerre soit inévitable et fatale. Jusqu'à la dernière limite de mon pouvoir et jusqu'au dernier souffle de ma vie, s'il le faut, je ferai tout pour la détourner de ce pays. Vous m'entendez bien : tout pour écarter le risque prochain, présent de la guerre. Je refuse de considérer comme possible la guerre aujourd'hui parce qu'elle serait nécessaire ou fatale demain. La guerre est possible quand on l'admet comme possible ; fatale, quand on la proclame fatale. Et moi, jusqu'au bout, je me refuse à désespérer de la paix et de l'action de la nation française pour la pacification. [...]

Discours prononcé à la fête commémorative de la République, le 6 septembre 1936.

9.

JOSEPH STALINE

Joseph Vissarionovitch Djougachvili (1878-1953), dit Joseph Staline (de « stal », acier en russe), dirige l'URSS d'une poigne d'acier, comme l'indique son pseudonyme, de la fin des années 1920 à sa mort.

Soucieux de construire la patrie du communisme avant d'exporter la révolution dans le monde, Staline utilise les moyens mis en place par Lénine : police politique toute-puissante, politique de répression engagée contre les classes sociales qui pourraient s'opposer à la dictature du prolétariat, planification économique ne tenant guère compte des réalités de production. Il y ajoute la déportation de minorités et la rationalisation des camps de concentration qui allaient former le fameux « archipel » du goulag. Ce totalitarisme auquel s'adjoint un saisissant culte de la personnalité fera des millions de morts, notamment durant la période dite « de la Grande Terreur » (1936-1938).

Staline reste aussi comme l'artisan de la résistance et de la victoire de l'Union soviétique contre l'Allemagne nationale-socialiste, symbolisée par la capitulation des troupes allemandes à la bataille de Stalingrad en janvier 1943. Mais dans le discours qui suit, c'est sa politique d'alliance avec l'Allemagne (pacte de non-agression d'août 1939) qu'il expose clairement, menée dans le but de se renforcer en attendant qu'une Allemagne affaiblie par ses guerres, et même par ses conquêtes, ne soit plus une menace. On sait comment il se trompa et ne crut pas au déclenchement du plan Barbarossa qui, en 1941, envoya les divisions blindées allemandes jusqu'à quelques kilomètres de Moscou.

CAMARADES ! C'EST L'INTÉRÊT DE L'URSS QUE LA GUERRE ÉCLATE ENTRE LE REICH ET LE BLOC CAPITALISTE FRANCO-ANGLAIS

La question de la guerre ou de la paix entre dans une phase qui pour nous est critique. Si nous concluons le traité d'assistance mutuelle avec la France et la Grande-Bretagne, l'Allemagne renoncera à la Pologne et recherchera un *modus vivendi* avec les puissances occidentales. La guerre sera écartée, mais par la suite les événements pourront prendre un caractère dangereux pour l'URSS. Si nous acceptons l'offre de l'Allemagne pour la conclusion d'un pacte de non-agression, elle attaquera naturellement la Pologne et l'entrée de la France et de la Grande-Bretagne dans cette guerre deviendra inévitable. L'Europe de l'Ouest sera prise dans des troubles et des désordres sérieux. Dans ces conditions, nous aurons de grandes chances de rester en dehors du conflit, et nous pouvons espérer une entrée en guerre favorable pour nous.

L'expérience des vingt dernières années montre qu'en temps de paix le mouvement communiste en Europe n'a aucune chance d'être assez fort pour prendre le pouvoir. La dictature d'un parti communiste ne peut être envisageable que comme résultat d'une grande guerre. Nous allons prendre notre décision et celle-ci est sans équivoque. Nous devons accepter la proposition allemande et renvoyer poliment la mission franco-anglaise. Le premier avantage que nous nous assurerons sera la prise de la Pologne jusqu'aux portes de Varsovie, y compris la Galicie ukrainienne.

L'Allemagne nous réserve la pleine liberté d'action dans les États baltes et n'élève aucune objection au retour de la Bessarabie dans l'URSS. Ils [les Allemands] sont prêts à nous abandonner la Roumanie, la Bulgarie et la Hongrie à titre de sphère d'influence. Demeure ouverte la question yougoslave... En même temps, nous devons prendre en considération les conséquences aussi bien d'une défaite que d'une victoire de l'Allemagne. En cas de défaite de l'Allemagne s'ensuivront inéluctablement la soviétisation de l'Allemagne et la création d'un gouvernement communiste. Nous ne devons pas oublier non plus qu'une Allemagne soviétisée sera en grand danger, au cas où cette soviétisation se présenterait comme la conséquence d'une défaite-éclair. L'Angleterre et la France disposeraient encore de forces suffisantes pour s'emparer de Berlin et empêcher une Allemagne soviétique, et nous ne serions pas en mesure de venir en aide à nos camarades de Berlin.

Ainsi, notre tâche consiste à faire en sorte que l'Allemagne mène une guerre la plus longue possible, de sorte que l'Angleterre et la France soient à tel point épuisées qu'elles ne soient plus à même de représenter une menace pour une Allemagne soviétique. Pendant que nous conserverons une position de neutralité en attendant notre heure, l'URSS accordera à l'Allemagne actuelle une aide qui lui fournira matières premières et ravitaillement. Mais il va de soi que notre aide dans ce sens ne doit pas dépasser un ordre de grandeur tel qu'il puisse entamer notre propre économie ou affaiblir la capacité offensive de notre armée.

En même temps, nous devons mener une propagande communiste active, en particulier dans le bloc franco-anglais et avant tout en France. Nous devons être préparés à ce que, dans ces pays, le Parti soit contraint d'abandonner ses activités légales et de passer dans la clandestinité. Nous sommes bien conscients du fait que ce travail exigera beaucoup de victimes, mais nos camarades français n'auront aucune hésitation. Feront partie de ces tâches la décomposition et la démoralisation de l'armée et de la défense. Lorsque cette activité préparatoire aura été menée à bien comme il se doit, la sécurité de l'Allemagne soviétique sera assurée, et cela sera à son tour favorable à une soviétisation de la France.

Pour la réalisation de ces plans, il est indispensable de prolonger la guerre le plus longtemps possible, et c'est dans ce sens précis que l'on doit orienter toutes les forces avec lesquelles nous agirons en Europe occidentale et dans les Balkans.

Considérons maintenant une deuxième hypothèse, à savoir une victoire de l'Allemagne. Certains ont présenté le point de vue selon lequel cette éventualité nous mettrait en grand danger. Il y a un petit quantum de vérité dans cette affirmation, mais ce serait une erreur de croire que ce danger doive être si proche et si grand que certains se le représentent. Si l'Allemagne l'emporte, elle sortira de la guerre trop affaiblie pour s'engager dans un conflit militaire qui durerait au moins dix ans.

Le souci principal de l'Allemagne sera de surveiller les États vaincus de l'Angleterre et de la France. D'un autre côté, une Allemagne victorieuse s'emparera de territoires immenses et sera de ce fait occupée pendant des années à leur « mise en valeur » et à l'installation de l'ordre allemand. Il est évident que l'Allemagne sera trop occupée ailleurs pour se retourner contre nous. Il y a encore autre chose qui sert notre sécurité. Dans la France vaincue, le PCF sera très puissant. La révolution communiste se produira immanquablement et nous pourrons alors exploiter cette circonstance pour venir au secours de la France et en faire notre alliée. En outre, tous les peuples tombés sous la « protection » de l'Allemagne victorieuse deviendront de même nos alliés. Nous avons devant nous un large champ d'action pour développer la Révolution mondiale.

Camarades ! c'est l'intérêt de l'URSS, de la Patrie des Travailleurs, que la guerre éclate entre le Reich et le bloc capitaliste franco-anglais. On doit tout faire pour que celle-ci dure le plus longtemps possible avec pour but d'affaiblir les deux côtés. C'est pour ces raisons que nous devons en priorité approuver la conclusion du pacte proposé par l'Allemagne, et travailler pour que cette guerre, qui sera déclarée dans quelques jours, soit menée dans l'étendue de temps la plus longue possible. Il est donc nécessaire de renforcer le travail de propagande dans les pays qui y seront entrés, afin qu'ils soient prêts pour la période d'après-guerre.

Discours au plenum du Politburo
du Comité central du Parti communiste
panrusse bolchévique,
le 19 août 1939.

10.

PHILIPPE PÉTAIN

Maréchal de France après la Première Guerre mondiale, Philippe Pétain (1856-1951) s'est toujours montré respectueux de la loi républicaine. Quand Paul Reynaud propose au « vainqueur de Verdun » le poste de vice-président du Conseil de son gouvernement, celui-ci accepte, malgré – ou à cause de – ses quatre-vingt-quatre ans.

Devant l'avancée allemande, il préconise de demander l'armistice au plus vite, pour éviter une invasion totale du territoire français, s'opposant donc à ceux qui proposent de se replier sur les territoires de l'empire colonial pour continuer la lutte. C'est que l'on ne saurait selon lui abandonner les populations métropolitaines à l'ennemi. Quand les Américains refusent d'intervenir, le 14 juin, et que de Gaulle part pour la Grande-Bretagne, Paul Reynaud, minoritaire, doit démissionner. Le président Lebrun demande alors au maréchal Pétain de former un gouvernement, ce qu'il fait le 16 juin.

Paris est à ce moment occupé par des troupes allemandes qui continuent une avance vers le sud du pays sans rencontrer grande opposition, et les réfugiés sont par milliers mêlés à des armées en débâcle sur toutes les routes de France.

Le nouveau gouvernement, conformément au vœu de son chef, demande aussitôt l'armistice, et Pétain, dans cette allocution radiodiffusée, prévient de cette demande la population française.

Le texte affirme d'abord la continuité constitutionnelle et donc la légitimité du nouveau gouvernement, formé comme il se doit « à l'appel de Monsieur le président de la République ». Pétain se repose ensuite très logiquement sur la confiance des armées, des anciens combattants, puis du peuple, avant, dans une formule restée célèbre, de faire à la France le « don de sa personne ».

Je fais à la France le don de ma personne

Français,

À l'appel de Monsieur le président de la République, j'assume à partir d'aujourd'hui la direction de la France.

Sûr de l'affection de notre admirable armée qui lutte, avec un héroïsme digne de ses longues traditions militaires, contre un ennemi supérieur en nombre et en armes.

Sûr que par sa magnifique résistance elle a rempli nos devoirs vis-à-vis de nos alliés.

Sûr de l'esprit des Anciens Combattants que j'ai eu la fierté de commander.

Sûr de la confiance du peuple tout entier, je fais à la France le don de ma personne pour atténuer son malheur.

En ces heures douloureuses, je pense aux malheureux réfugiés qui, dans un dénuement extrême, sillonnent nos routes. Je leur exprime ma compassion et ma sollicitude.

C'est le cœur serré que je vous dis aujourd'hui qu'il faut cesser le combat.

Je me suis adressé cette nuit à l'adversaire pour lui demander s'il est prêt à rechercher avec nous, entre soldats, après la lutte et dans l'honneur, les moyens de mettre un terme aux hostilités.

Que tous les Français se groupent autour du gouvernement que je préside pendant ces dures épreuves et fassent taire leur angoisse pour n'écouter que leur foi dans le destin de la patrie.

Discours radiodiffusé
du 17 juin 1940.

11.
CHARLES DE GAULLE

Nommé le 6 juin 1940 sous-secrétaire d'État à la Défense nationale, le général Charles de Gaulle (1890-1970) ne peut que constater l'avancée allemande, notamment grâce à l'utilisation combinée des chars d'assaut et de l'aviation. Pétain et Weygand doutent rapidement des possibilités d'enrayer cette avance, comme d'arriver à trouver une ligne de repli satisfaisante, et ils évoquent clairement la demande d'armistice.

De Gaulle, qui a rencontré plusieurs fois Churchill, a confiance dans la volonté du Premier ministre anglais de continuer la guerre quoi qu'il arrive. Il propose donc, d'abord, le repli sur l'empire colonial, puis adhère à l'idée de Jean Monnet d'une « Union franco-britannique », une sorte de fusion institutionnelle qui aurait permis de transférer hors du territoire national – et alors en Angleterre – le siège d'un gouvernement qui n'aurait même pas été en exil. Mais le 16 juin, le président Lebrun appelle Philippe Pétain au gouvernement et, le lendemain, de Gaulle s'envole pour l'Angleterre pour rencontrer Churchill.

Charles de Gaulle ne représente rien alors : la transition institutionnelle des gouvernements Reynaud et Pétain est constitutionnelle, Pétain reste environné de la gloire de la

Première Guerre mondiale et de sa réputation de maréchal républicain, quand de Gaulle a quitté son poste et son pays. Ce n'est d'ailleurs qu'après la diffusion du discours du Maréchal annonçant la demande d'armistice du gouvernement français que l'on permet à de Gaulle de lancer son célèbre appel – plus connu qu'entendu – au micro de la BBC.

L'appel remet en cause les raisons de la défaite : pour Pétain (cf. supra*), c'est le surnombre des troupes allemandes ; pour de Gaulle, c'est une erreur de tactique militaire. Il se venge ainsi de l'incompréhension dont on a fait preuve à l'égard de ses thèses. Il évoque ensuite les ressources de l'empire colonial, de la Grande-Bretagne et même des États-Unis, dont l'« immense industrie » pourrait donner aux Alliés la « force mécanique supérieure » qui leur a manqué. Il invite enfin les Français qui se trouvent « en territoire britannique » à le rejoindre, et emploie le terme de « résistance française ».*

APPEL DU 18 JUIN

Les chefs qui, depuis de nombreuses années, sont à la tête des armées françaises, ont formé un gouvernement. Ce gouvernement, alléguant la défaite de nos armées, s'est mis en rapport avec l'ennemi pour cesser le combat.

Certes, nous avons été, nous sommes, submergés par la force mécanique, terrestre et aérienne, de l'ennemi.

Infiniment plus que leur nombre, ce sont les chars, les avions, la tactique des Allemands qui nous font reculer. Ce sont les chars, les avions, la tactique des Allemands qui ont surpris nos chefs au point de les amener là où ils en sont aujourd'hui.

Mais le dernier mot est-il dit ? L'espérance doit-elle disparaître ? La défaite est-elle définitive ? Non !

Croyez-moi, moi qui vous parle en connaissance de cause et vous dis que rien n'est perdu pour la France. Les mêmes moyens qui nous ont vaincus peuvent faire venir un jour la victoire.

Car la France n'est pas seule ! Elle n'est pas seule ! Elle n'est pas seule ! Elle a un vaste empire derrière elle. Elle peut faire bloc avec l'Empire britannique qui tient la mer et continue la lutte. Elle peut, comme l'Angleterre, utiliser sans limites l'immense industrie des États-Unis.

Cette guerre n'est pas limitée au territoire malheureux de notre pays. Cette guerre n'est pas tranchée par la bataille de France. Cette guerre est une guerre mondiale. Toutes les fautes, tous les retards, toutes les souffrances, n'empêchent pas qu'il y a, dans l'univers, tous les moyens nécessaires pour écraser un jour nos ennemis. Foudroyés aujourd'hui par la force mécanique, nous pourrons vaincre dans l'avenir par une force mécanique supérieure. Le destin du monde est là.

Moi, général de Gaulle, actuellement à Londres, j'invite les officiers et les soldats français qui se trouvent en territoire britannique ou qui viendraient à s'y trouver, avec leurs armes ou sans leurs armes, j'invite les ingénieurs et les ouvriers spécialistes des industries d'armement qui se trouvent en territoire britannique ou qui viendraient à s'y trouver, à se mettre en rapport avec moi.

Quoi qu'il arrive, la flamme de la résistance française ne doit pas s'éteindre et ne s'éteindra pas.

Demain, comme aujourd'hui, je parlerai à la Radio de Londres.

Message radiodiffusé
du 18 juin 1940.

12.

CHARLES DE GAULLE

Plus entendu que l'Appel du 18 juin, avec lequel il a souvent été confondu, le second appel lancé à la radio de Londres par le général de Gaulle, le 22 juin 1940, complète et enrichit le premier. De Gaulle, au-delà des erreurs tactiques qui ont pu conduire à la défaite, insiste cette fois sur un déséquilibre numérique auquel il lui semble que l'on pourra toujours remédier.

Surtout, ce discours dans sa forme, avec ce triple balancement autour de l'honneur, du bon sens et de l'intérêt supérieur de la patrie, avec ces redites qui sont autant de respirations, est presque plus gaullien que celui du 18 juin.

Le 28 juin, de Gaulle sera reconnu officiellement comme le chef de ces « Français libres » qu'il appelle à le rejoindre.

Appel du 22 juin

Le gouvernement français, après avoir demandé l'armistice, connaît maintenant les conditions dictées par l'ennemi.

Il résulte de ces conditions que les forces françaises de terre, de mer et de l'air seraient entièrement démobilisées, que nos armes seraient livrées, que le territoire français serait totalement occupé et que le gouvernement français tomberait sous la dépendance de l'Allemagne et de l'Italie.

On peut donc dire que cet armistice serait, non seulement une capitulation, mais encore un asservissement.

Or beaucoup de Français n'acceptent pas la capitulation ni la servitude, pour des raisons qui s'appellent l'honneur, le bon sens, l'intérêt supérieur de la patrie.

Je dis l'honneur ! car la France s'est engagée à ne déposer les armes que d'accord avec les Alliés. Tant que ses alliés continuent la guerre, son gouvernement n'a pas le droit de se rendre à l'ennemi. Le gouvernement polonais, le gouvernement norvégien, le gouvernement hollandais, le gouvernement belge, le gouvernement luxembourgeois, quoique chassés de leur territoire, ont compris ainsi leur devoir.

Je dis le bon sens ! car il est absurde de considérer la lutte comme perdue. Oui, nous avons subi une grande défaite. Un système militaire mauvais, les fautes commises dans la conduite des opérations, l'esprit d'abandon du gouvernement pendant ces derniers combats, nous ont fait perdre la bataille de France. Mais il nous reste un vaste empire, une flotte intacte, beaucoup d'or. Il nous reste des alliés, dont les ressources sont immenses et qui dominent les mers. Il nous reste les gigantesques possibilités de l'industrie américaine. Les mêmes conditions de la guerre qui nous ont fait battre par 5 000 avions et 6 000 chars peuvent nous donner, demain, la victoire par 20 000 chars et 20 000 avions.

Je dis l'intérêt supérieur de la patrie ! car cette guerre n'est pas une guerre franco-allemande qu'une bataille puisse décider. Cette guerre est une guerre mondiale. Nul ne peut prévoir si les peuples qui sont neutres aujourd'hui le resteront demain, ni si les alliés de l'Allemagne resteront toujours ses alliés. Si les forces de la liberté triomphaient finalement de celles de la servitude, quel serait le destin d'une France qui se serait soumise à l'ennemi ?

L'honneur, le bon sens, l'intérêt de la patrie, commandent à tous les Français libres de continuer le combat, là où ils seront et comme ils pourront.

Il est, par conséquent, nécessaire de grouper partout où cela se peut une force française aussi grande que possible. Tout ce qui peut être réuni, en fait d'éléments militaires français et de capacités françaises de production d'armement, doit être organisé partout où il y en a.

Moi, général de Gaulle, j'entreprends ici, en Angleterre, cette tâche nationale.

J'invite tous les militaires français des armées de terre, de mer et de l'air, j'invite les ingénieurs et les ouvriers français spécialistes de l'armement qui se trouvent en territoire britannique ou qui pourraient y parvenir, à se réunir à moi.

J'invite les chefs et les soldats, les marins, les aviateurs des forces françaises de terre, de mer, de l'air, où qu'ils se trouvent actuellement, à se mettre en rapport avec moi.

J'invite tous les Français qui veulent rester libres à m'écouter et à me suivre.

Vive la France libre dans l'honneur et dans l'indépendance !

Message radiodiffusé
du 22 juin 1940.

13.
PHILIPPE PÉTAIN

Une fois obtenu le soutien de la majorité des parlementaires, le maréchal Pétain peut mettre en place, par des actes constitutionnels, le nouveau régime. Il est centré autour de la personne du chef de ce qui n'est plus la « République française » mais l'« État français », et dont la nouvelle devise est « Travail, Famille, Patrie ». Toute une propagande se met en place, des images d'Épinal aux portraits largement affichés, en passant par le chant « Maréchal, nous voilà ».

L'armistice a permis de diviser la France entre une zone Nord (et Ouest) occupée et une zone Sud qui reste sous l'autorité du gouvernement installé à Vichy. Mais la France peut-elle rester « la seule France » au milieu d'une guerre mondiale ? Pétain tente d'abord la neutralité, mais l'entrevue de Montoire avec Hitler (24 octobre 1940) l'incite à prendre position pour la collaboration avec l'Allemagne nationale-socialiste. Dès lors, comment s'opposer aux décisions allemandes qui concernent les territoires occupés ? Et comment empêcher, ensuite, lors du déclenchement de la guerre contre l'Union soviétique, la création d'unités (la Légion des volontaires français, LVF) partant se battre dans la croisade contre le bolchévisme aux côtés d'unités allemandes, puis sous leur uniforme même ?

Pourtant, les principaux auteurs collaborationnistes, installés à Paris, restent réservés, et même critiques, sur le régime du Maréchal. Ils lui reprochent un côté « Ancien Régime », réactionnaire, totalement dépassé. Ils souhaitent, eux, que la France s'engage dans une voie révolutionnaire pour rejoindre les fascismes dans l'Europe nouvelle à laquelle ils aspirent. Des chefs politiques, comme l'ancien communiste Jacques Doriot, peuvent bien se réclamer du Maréchal en public : ce n'est souvent que pour légitimer leur activisme par la popularité du vieil homme.

J'ENTRE DANS LA VOIE DE LA COLLABORATION

Français,

J'ai rencontré, jeudi dernier, le Chancelier du Reich. Cette rencontre a suscité des espérances et provoqué des inquiétudes ; je vous dois, à ce sujet, quelques explications. Une telle entrevue n'a été possible, quatre mois après la défaite de nos armes, que grâce à la dignité des Français devant l'épreuve, grâce à l'immense effort de régénération auquel ils se sont prêtés, grâce aussi à l'héroïsme de nos marins, à l'énergie de nos chefs coloniaux, au loyalisme de nos populations indigènes. La France s'est ressaisie. Cette première rencontre entre le vainqueur et le vaincu marque le premier redressement de notre pays.

C'est librement que je me suis rendu à l'invitation du Führer. Je n'ai subi, de sa part, aucun « Diktat », aucune pression. Une collaboration a été envisagée entre nos deux pays. J'en ai accepté le principe. Les modalités en seront discutées ultérieurement.

À tous ceux qui attendent aujourd'hui le salut de la France, je tiens à dire que ce salut est d'abord entre nos mains. À tous ceux que de nobles scrupules tiendraient éloignés de notre pensée, je tiens à dire que le premier devoir de tout Français est d'avoir confiance. À ceux qui doutent comme à ceux qui s'obstinent, je rappellerai qu'en se raidissant à l'excès, les plus belles attitudes de réserve et de fierté risquent de perdre de leur force.

Celui qui a pris en main les destinées de la France a le devoir de créer l'atmosphère la plus favorable à la sauvegarde des intérêts du pays. C'est dans l'honneur et pour maintenir l'unité française, une unité de dix siècles, dans le cadre d'une activité constructive du nouvel ordre européen, que j'entre aujourd'hui dans la voie de la collaboration. Ainsi, dans un avenir prochain, pourrait être allégé le poids des souffrances de notre pays, amélioré le sort de nos prisonniers, atténuée la charge des frais d'occupation. Ainsi pourrait être assouplie la ligne de démarcation et facilités l'administration et le ravitaillement du territoire.

Cette collaboration doit être sincère. Elle doit être exclusive de toute pensée d'agression, elle doit comporter un effort patient et confiant. L'armistice, au demeurant, n'est pas la paix. La France est tenue par des obligations nombreuses vis-à-vis du vainqueur. Du moins reste-t-elle souveraine. Cette souveraineté lui impose de défendre son sol, d'éteindre les divergences de l'opinion, de réduire les dissidences de ses colonies.

Cette politique est la mienne. Les ministres ne sont responsables que devant moi. C'est moi seul que l'histoire jugera. Je vous ai tenu jusqu'ici le langage d'un père : je vous tiens aujourd'hui le langage du chef. Suivez-moi ! Gardez votre confiance en la France éternelle !

Discours radiodiffusé
du 30 octobre 1940.

14.
JOSEPH STALINE

En 1941, c'est une Armée rouge affaiblie qui reçoit le choc des divisions blindées allemandes. Affaiblie par des purges successives dues, parfois, à l'intoxication des services secrets allemands, mais aussi et surtout à la méfiance de Staline envers tout ce qui pourrait constituer un contre-pouvoir ou contribuer à le renverser.

Après l'élimination de nombre de ses chefs, et même si certains sont rappelés en 1939, à la fin de la Grande Terreur, l'Armée rouge n'est pas en mesure de contrer efficacement l'offensive allemande. Elle doit se contenter de reculer en pratiquant la politique de la terre brûlée, afin que l'ennemi ne puisse vivre sur le pays. De fait, l'étirement des voies logistiques devient rapidement un problème pour l'armée allemande, et ce d'autant plus que la politique menée envers les populations des territoires occupés, politique de vassalisation, voire d'extermination, les dresse contre elle dans une sanglante guerre de partisans.

Dans ce discours, Staline fait appel non seulement aux communistes, mais bien à l'ensemble du peuple russe, retrouvant pour sauver l'Union soviétique les accents du nationalisme le plus classique. Ce n'est pas sans rappeler le film d'Eisenstein, Alexandre Nevski *(1938), qui fait des*

Allemands du XXe siècle les descendants de ces chevaliers teutoniques battus au XIIIe siècle lors de la bataille du lac Peïpous.

UN COMBAT À MORT AVEC LE FASCISME ALLEMAND

Camarades ! Citoyens ! Frères et Sœurs ! Combattants de notre armée et de notre flotte ! Je m'adresse à vous, mes amis !

La perfide agression militaire de l'Allemagne hitlérienne, commencée le 22 juin, se poursuit contre notre patrie. Malgré la résistance héroïque de l'Armée rouge, et bien que les meilleures divisions de l'ennemi et les unités les meilleures de son aviation aient déjà été défaites et aient trouvé la mort sur les champs de bataille, l'ennemi continue à se ruer en avant, jetant sur le front des forces nouvelles.

Les troupes hitlériennes ont pu s'emparer de la Lituanie, d'une grande partie de la Lettonie, de la partie ouest de la Biélorussie, d'une partie de l'Ukraine occidentale. L'aviation fasciste étend l'action de ses bombardiers, en soumettant au bombardement Mourmansk, Orcha, Moguilev, Smolensk, Kiev, Odessa, Sébastopol.

Un grave danger pèse sur notre patrie.

Comment a-t-il pu se faire que notre glorieuse Armée rouge ait abandonné aux troupes fascistes une série de nos villes et régions ? Les troupes fascistes allemandes sont-elles vraiment invincibles comme le proclament sans cesse à cor et à cri les propagandistes fascistes fanfarons ? Non, bien sûr.

L'histoire montre qu'il n'a jamais existé et qu'il n'existe pas d'armées invincibles. On estimait que l'armée de

Napoléon était invincible. Mais elle a été battue successivement par les troupes russes, anglaises, allemandes.

L'armée allemande de Guillaume, au cours de la première guerre impérialiste, était également considérée comme une armée invincible ; mais elle s'est vue infliger maintes défaites par les troupes russes et anglo-françaises, et elle a été finalement battue par les troupes anglo-françaises.

Il faut en dire autant de l'actuelle armée allemande fasciste de Hitler. Elle n'avait pas encore rencontré de sérieuse résistance sur le continent européen. C'est seulement sur notre territoire qu'elle a rencontré une résistance sérieuse.

Et si à la suite de cette résistance les meilleures divisions de l'armée fasciste allemande ont été battues par notre Armée rouge, c'est que l'armée fasciste hitlérienne peut également être battue et le sera comme le furent les armées de Napoléon et de Guillaume.

Qu'une partie de notre territoire se soit néanmoins trouvée envahie par les troupes fascistes allemandes, cela s'explique surtout par le fait que la guerre de l'Allemagne fasciste contre l'URSS a été déclenchée dans des conditions avantageuses pour les troupes allemandes et désavantageuses pour les troupes soviétiques. En effet, les troupes de l'Allemagne, comme pays menant la guerre, avaient été entièrement mobilisées. Cent soixante-dix divisions lancées par l'Allemagne contre l'URSS et amenées aux frontières de ce pays se tenaient entièrement prêtes, n'attendant que le signal pour se mettre en marche. Tandis que, pour les troupes soviétiques, il fallait encore les mobiliser et les amener aux frontières.

Chose très importante encore, c'est que l'Allemagne fasciste a violé perfidement et inopinément le pacte de non-agression conclu, en 1939, entre elle et l'URSS sans vouloir tenir compte du fait qu'elle serait regardée par le monde entier comme l'agresseur. On conçoit que notre pays pacifique, qui ne voulait pas assumer l'initiative de la violation du pacte, ne pouvait s'engager sur ce chemin de la félonie.

On peut nous demander : comment a-t-il pu se faire que le gouvernement soviétique ait accepté de conclure un pacte de non-agression avec des félons de cette espèce et des monstres tels que Hitler et Ribbentrop ? Le gouvernement soviétique n'a-t-il pas en l'occurrence commis une erreur ? Non, bien sûr.

Le pacte de non-agression est un pacte de paix entre deux États. Et c'est un pacte de ce genre que l'Allemagne nous avait proposé en 1939. Le gouvernement soviétique pouvait-il repousser cette proposition ? Je pense qu'aucun État pacifique ne peut refuser un accord de paix avec une puissance voisine, même si à la tête de cette dernière se trouvent des monstres et des cannibales comme Hitler et Ribbentrop.

Cela, bien entendu, à une condition expresse : que l'accord de paix ne porte atteinte, ni directement ni indirectement, à l'intégrité territoriale, à l'indépendance et à l'honneur de l'État pacifique. On sait que le pacte de non-agression entre l'Allemagne et l'URSS était justement un pacte de ce genre.

Qu'avons-nous gagné en concluant avec l'Allemagne un pacte de non-agression ? Nous avons assuré à notre pays la paix pendant un an et demi et la possibilité de préparer nos forces à la riposte au cas où l'Allemagne fasciste se serait hasardée à attaquer notre pays en dépit du pacte. C'est là un gain certain pour nous et une perte pour l'Allemagne fasciste.

Qu'est-ce que l'Allemagne fasciste a gagné et qu'est-ce qu'elle a perdu, en rompant perfidement le pacte et en attaquant l'URSS ? Elle a obtenu ainsi un certain avantage pour ses troupes pendant un court laps de temps, mais elle a perdu au point de vue politique, en se démasquant aux yeux du monde comme un agresseur sanglant.

Il est hors de doute que cet avantage militaire de courte durée n'est pour l'Allemagne qu'un épisode, tandis que l'immense avantage politique de l'URSS est un facteur sérieux et durable, appelé à favoriser les succès militaires décisifs de l'Armée rouge dans la guerre contre l'Allemagne fasciste.

Voilà pourquoi toute notre vaillante armée, toute notre vaillante flotte navale, tous nos aviateurs intrépides, tous les peuples de notre pays, tous les meilleurs hommes d'Europe, d'Amérique et d'Asie, enfin tous les meilleurs hommes de l'Allemagne flétrissent l'action perfide des fascistes allemands et sympathisent avec le gouvernement soviétique, approuvent la conduite du gouvernement soviétique et se rendent compte que notre cause est juste, que l'ennemi sera écrasé, et que nous vaincrons.

La guerre nous ayant été imposée, notre pays est entré dans un combat à mort avec son pire et perfide ennemi, le fascisme allemand. Nos troupes se battent héroïquement contre un ennemi abondamment pourvu de chars et d'aviation. L'Armée et la Flotte rouges, surmontant de nombreuses difficultés, se battent avec abnégation pour chaque pouce de terre soviétique. Les forces principales de l'Armée rouge, pourvues de milliers de chars et d'avions, entrent en action. La vaillance des guerriers de l'Armée rouge est sans exemple. La riposte que nous infligeons à l'ennemi s'accentue et se développe. Aux côtés de l'Armée rouge, le peuple soviétique tout entier se dresse pour la défense de la patrie.

Que faut-il pour supprimer le danger qui pèse sur notre patrie et quelles mesures faut-il prendre pour écraser l'ennemi ?

Il faut tout d'abord que nos hommes, les hommes soviétiques, comprennent toute la gravité du danger qui menace notre pays et renoncent à la quiétude et à l'insouciance, à l'état d'esprit qui est celui du temps de la construction pacifique, état d'esprit parfaitement compréhensible avant la guerre, mais funeste aujourd'hui que la guerre a radicalement changé la situation.

L'ennemi est cruel, inexorable. Il s'assigne pour but de s'emparer de nos terres arrosées de notre sueur, de s'emparer de notre blé et de notre pétrole, fruits de notre labeur. Il s'assigne pour but de rétablir le pouvoir des grands propriétaires fonciers, de restaurer le tsarisme, d'anéantir la culture et l'indépendance nationales des Russes, Ukrainiens, Biélorussiens, Lituaniens, Lettons, Estoniens, Ouzbeks, Tatars, Moldaves, Géorgiens, Arméniens, Azerbaïdjanais et autres peuples libres de l'Union soviétique ; de les germaniser, d'en faire les esclaves des princes et des barons allemands.

Il s'agit ainsi de la vie ou de la mort de l'État soviétique, de la vie ou de la mort des peuples de l'URSS ; il s'agit de la liberté ou de la servitude des peuples de l'Union soviétique.

Il faut que les hommes soviétiques le comprennent et cessent d'être insouciants ; qu'ils se mobilisent et réorganisent tout leur travail selon un mode nouveau, le mode militaire, qui ne ferait pas de quartier à l'ennemi. Il faut aussi qu'il n'y ait point de place dans nos rangs pour les pleurnicheurs et les poltrons, les semeurs de panique et les déserteurs ; que nos hommes soient exempts de peur dans la lutte et marchent avec abnégation dans notre guerre libératrice pour le salut de la patrie, contre les asservisseurs fascistes.

Le grand Lénine, qui a créé notre État, a dit que la qualité essentielle des hommes soviétiques doit être le courage, la vaillance, l'intrépidité dans la lutte, la volonté de se battre aux côtés du peuple contre les ennemis de notre patrie. Il faut que cette excellente qualité bolchévique devienne celle des millions et des millions d'hommes de l'Armée rouge, de notre Flotte rouge et de tous les peuples de l'Union soviétique. Il faut immédiatement réorganiser tout notre travail sur le pied de guerre, en subordonnant toutes choses aux intérêts du front et à l'organisation de l'écrasement de l'ennemi.

Les peuples de l'Union soviétique voient maintenant que le fascisme allemand est inexorable dans sa rage furieuse et dans sa haine contre notre patrie qui assure à tous les travailleurs le travail libre et le bien-être. Les peuples de l'Union soviétique doivent se dresser pour la défense de leurs droits, de leur terre, contre l'ennemi.

L'Armée et la Flotte rouges ainsi que tous les citoyens de l'Union soviétique doivent défendre chaque pouce de la terre soviétique, se battre jusqu'à la dernière goutte de leur sang pour nos villes et nos villages, faire preuve de courage, d'initiative et de présence d'esprit – toutes qualités propres a notre peuple.

Il nous faut organiser une aide multiple à l'Armée rouge, pourvoir a son recrutement intense, lui assurer le ravitaillement nécessaire, organiser le transport rapide des troupes et des matériels de guerre, prêter un large secours aux blessés.

Il nous faut affermir l'arrière de l'Armée rouge, en subordonnant à cette œuvre tout notre travail ; assurer l'intense fonctionnement de toutes les entreprises ; fabriquer en plus grand nombre fusils, mitrailleuses, canons, cartouches, obus, avions ; organiser la protection des usines, des centrales électriques, des communications téléphoniques et télégraphiques ; organiser sur place la défense antiaérienne.

Il nous faut organiser une lutte implacable contre les désorganisateurs de l'arrière, les déserteurs, les semeurs de panique, les propagateurs de bruits de toutes sortes, anéantir les espions, les agents de diversion, les parachutistes ennemis en apportant ainsi un concours rapide à nos bataillons de chasse.

Il ne faut pas oublier que l'ennemi est perfide, rusé, expert en l'art de tromper et de répandre de faux bruits. De tout cela il faut tenir compte et ne pas se laisser prendre à la provocation. Il faut immédiatement traduire devant le Tribunal militaire, sans égard aux personnalités, tous ceux qui, semant la panique et faisant preuve de poltronnerie, entravent l'œuvre de la défense.

En cas de retraite forcée des unités de l'Armée rouge, il faut emmener tout le matériel roulant des chemins de fer, ne pas laisser à l'ennemi une seule locomotive ni un seul wagon ; ne pas laisser à l'ennemi un seul kilogramme de blé, ni un litre de carburant. Les kolkhoziens doivent emmener tout leur bétail, verser leur blé en dépôt aux organismes d'État qui l'achemineront vers les régions de l'arrière. Toutes les matières de valeur, y compris les métaux non ferreux, le blé et le carburant qui ne peuvent être évacués doivent être absolument détruites.

Dans les régions occupées par l'ennemi, il faut former des détachements de partisans à cheval et à pied, des groupes de destruction pour lutter contre les unités de l'armée ennemie, pour attiser la guérilla en tous lieux, pour faire sauter les ponts et les routes, détériorer les communications téléphoniques et télégraphiques, incendier les forêts, les dépôts, les convois. Dans les régions envahies, il faut créer des conditions insupportables pour l'ennemi et tous ses auxiliaires, les poursuivre et les détruire à chaque pas, faire échouer toutes les mesures prises par l'ennemi.

On ne peut considérer la guerre contre l'Allemagne fasciste comme une guerre ordinaire. Ce n'est pas seulement une guerre qui se livre entre deux armées. C'est aussi la grande guerre du peuple soviétique tout entier contre les troupes fascistes allemandes. Cette guerre du peuple pour le salut de la patrie, contre les oppresseurs fascistes, n'a pas seulement pour objet de supprimer le danger qui pèse sur notre pays, mais encore d'aider tous les peuples d'Europe qui gémissent sous le joug du fascisme allemand.

Nous ne serons pas seuls dans cette guerre libératrice. Nos fidèles alliés dans cette grande guerre, ce sont les peuples de l'Europe et de l'Amérique, y compris le peuple allemand qui est asservi par les meneurs hitlériens. Notre guerre pour la liberté de notre patrie se confondra avec la lutte des peuples d'Europe et d'Amérique pour leur indépendance, pour les libertés démocratiques. Ce sera le front unique des peuples qui s'affirment pour la liberté contre l'asservissement et la menace d'asservissement de la part des armées fascistes de Hitler.

Cela étant, le discours historique prononcé par le Premier ministre de Grande-Bretagne, Monsieur Churchill, sur l'aide à prêter a l'Union soviétique et la déclaration du gouvernement des États-Unis se disant prêt à accorder toute assistance à notre pays ne peuvent susciter qu'un sentiment de reconnaissance dans le cœur des peuples de l'Union soviétique ; ce discours et cette déclaration sont parfaitement compréhensibles et significatifs.

Camarades, nos forces sont incalculables. L'ennemi présomptueux s'en convaincra bientôt. Aux côtés de l'Armée rouge se lèvent des milliers d'ouvriers, de kolkhoziens et d'intellectuels pour la guerre contre l'agresseur. On verra se lever les masses innombrables de notre peuple.

Déjà les travailleurs de Moscou et de Leningrad, pour appuyer l'Armée rouge, ont entrepris d'organiser une milice populaire forte de milliers et de milliers d'hommes. Cette milice populaire, il faut la créer dans chaque ville que menace le danger d'une invasion ennemie ; il faut dresser pour la lutte tous les travailleurs qui offriront leurs poitrines pour défendre leur liberté, leur honneur, leur pays, dans notre guerre contre le fascisme allemand, pour le salut de la patrie.

Afin de mobiliser rapidement toutes les forces des peuples de l'URSS, en vue d'organiser la riposte à l'ennemi qui a attaqué perfidement notre patrie, il a été formé un Comité d'État pour la Défense, qui détient maintenant la plénitude du pouvoir dans le pays. Le Comité d'État pour la Défense a commencé son travail, il appelle le peuple entier à se rallier autour du Parti de Lénine et de Staline, autour du gouvernement soviétique, pour soutenir avec abnégation l'Armée et la Flotte rouges, pour écraser l'ennemi, pour remporter la victoire.

Toutes nos forces pour le soutien de notre héroïque Armée rouge, de notre glorieuse Flotte rouge ! Toutes les forces du peuple pour écraser l'ennemi ! En avant vers notre victoire !

Discours radiodiffusé
du 3 juillet 1941.

15.
PHILIPPE PÉTAIN

Un an après la défaite de 1940, le régime de Vichy ne fonctionne pas aussi bien que l'espéraient le chef de l'État français et ses proches. La politique de collaboration, qui déçoit les ultras par ses atermoiements, choque inversement une large partie des Français. La politique d'exclusion des Juifs et des francs-maçons renie, elle, la tradition française. Et même en ce qui concerne la seule réforme de l'État, des Français qui auraient sans doute été favorables à une reprise en main institutionnelle après les errements et les scandales de la IIIe République considèrent que l'on ne peut se diviser alors qu'une partie du territoire est sous occupation de l'ennemi.

Le gouvernement de Pétain, et Pétain lui-même, sentent ces hésitations, et le Maréchal tente de reprendre les choses en main avec le discours qui suit. Juste après, il étend la prestation de serment de la part des fonctionnaires (militaires et magistrats sont concernés en août, le reste des fonctionnaires en octobre), une prestation de serment qui n'avait été instituée, en janvier 1941, que pour les seuls hauts fonctionnaires. Rappelons qu'un seul juge français, Paul Didier, refusera de s'y soumettre…

Ce texte reprend les éléments classiques du discours pétainiste : le culte du chef auquel on doit apporter sa confiance, le mythe de l'unité nationale à refaire derrière lui, les efforts nécessaires et, bien sûr, ce « vent mauvais » des forces occultes, fourriers de l'étranger qui brisent ce bel élan national.

Le vent mauvais

Français,

J'ai des choses graves à vous dire. De plusieurs régions de France, je sens se lever depuis quelques semaines un vent mauvais.

L'inquiétude gagne les esprits, le doute s'empare des âmes. L'autorité de mon gouvernement est discutée ; les ordres sont souvent mal exécutés. […]

Nos difficultés intérieures sont faites surtout du trouble des esprits, de la pénurie des hommes et de la raréfaction des produits.

Le trouble des esprits n'a pas sa seule origine dans les vicissitudes de notre politique étrangère. Il provient surtout de notre lenteur à reconstruire un ordre nouveau, ou plus exactement à l'imposer. La révolution nationale, dont j'ai, dans mon message du 11 octobre, dessiné les grandes lignes, n'est pas encore entrée dans les faits.

Elle n'y a pas pénétré, parce qu'entre le peuple et moi, qui nous comprenons si bien, s'est dressé le double écran des partisans de l'ancien régime et des serviteurs des trusts.

Les troupes de l'ancien régime sont nombreuses ; j'y range sans exception tous ceux qui ont fait passer leurs intérêts personnels avant les intérêts permanents de l'État : maçonnerie, partis politiques dépourvus de clientèle mais assoiffés de revanche, fonctionnaires attachés à un ordre dont ils étaient les bénéficiaires et les maîtres, ou ceux qui ont subordonné les intérêts de la patrie à ceux de l'étranger. Un long délai sera nécessaire pour vaincre la résistance de tous ces adversaires de l'ordre nouveau, mais il nous faut, dès à présent, briser leurs entreprises, en décimant les chefs. Si la France ne comprenait pas qu'elle est condamnée, par la force des choses, à changer de régime, elle verrait s'ouvrir devant elle l'abîme où l'Espagne de 1936 a failli disparaître et dont elle ne s'est sauvée que par la foi, la jeunesse et le sacrifice.

[...]

Le problème du gouvernement dépasse donc en ampleur le cadre d'un simple remaniement ministériel. Il réclame, avant tout, le maintien rigide de certains principes. L'autorité ne vient plus d'en bas ; elle est proprement celle que je confie, ou que je délègue. [...]

Je sais par métier ce qu'est la victoire : je vois aujourd'hui ce qu'est la défaite. J'ai recueilli l'héritage d'une France blessée ; cet héritage, j'ai le devoir de le défendre en maintenant vos aspirations et vos droits.

En 1917, j'ai mis fin aux mutineries.

En 1940, j'ai mis un terme à la déroute. Aujourd'hui, c'est de vous-mêmes que je veux vous sauver.

À mon âge, lorsqu'on fait à son pays le don de sa personne, il n'est plus de sacrifice auquel l'on veuille se dérober ; il n'est plus d'autre règle que celle du salut public.

Rappelez-vous ceci : un pays battu, s'il se divise, est un pays qui meurt.

Un pays battu, s'il sait s'unir, est un pays qui renaît.

Vive la France !

Discours prononcé à Vichy,
le 12 août 1941.

16.
ADOLF HITLER

Adolf Hitler (1889-1945) dirige l'Allemagne nationale-socialiste de 1933, date à laquelle il est nommé chancelier du Reich, à son suicide en 1945 dans un Berlin en ruines.

Dirigeant du NSDAP (Parti national-socialiste des travailleurs allemands), Hitler est arrêté après l'échec de son coup de force de 1923 à Munich (le « putsch de la Brasserie »). C'est en prison qu'il rédige Mein Kampf, *dans lequel il présente son programme : dénonciation des traités de paix de la Première Guerre mondiale (il s'était engagé comme volontaire en 1914 et termina avec le grade de caporal), réunion de tous les peuples de langue allemande dans un grand Reich, expansion à l'est pour que le peuple allemand dispose de son nécessaire « espace vital ».*

En 1938, c'est d'abord l'Anschluss, l'annexion de l'Autriche par le Reich. Puis Hitler se tourne vers la Tchécoslovaquie, création du traité de Versailles. Les démocraties occidentales acceptent de signer les accords de Munich, sacrifiant l'indépendance de la Tchécoslovaquie dans l'espoir d'éviter la guerre. Et en 1939, après la signature du pacte germano-soviétique, c'est l'attaque de la Pologne, qui signe cette fois le début de la Seconde Guerre mondiale.

Mais le caractère essentiel du national-socialisme réside dans sa dimension raciste. Hitler oppose à des Aryens, qui doivent dominer l'humanité, des races inférieures – dont les Slaves – et une race « étrangère » qui s'impose par le complot, celle des Juifs. Sa politique intérieure et extérieure reste toujours tributaire de cette approche raciste qui culmine avec la Shoah, l'élimination physique de millions de Juifs, ainsi que de Tsiganes et d'homosexuels, dans les camps d'extermination.

Dans ce discours, prononcé alors que l'Allemagne s'est lancée dans son offensive à l'est, Hitler fait le bilan de son œuvre. Si nous avons choisi ce texte, c'est pour montrer comment un dictateur peut se présenter comme la simple victime des menées inconséquentes d'autres dirigeants.

LA CAMPAGNE DU SECOURS D'HIVER

Allemands et Allemandes, mes compatriotes !

Si je m'adresse à vous de nouveau aujourd'hui, après de longs mois de silence, ce n'est pas afin de répondre à l'un de ces hommes d'État qui se demandaient récemment avec surprise pourquoi je me taisais depuis si longtemps. Un jour la postérité pourra juger en toute connaissance de cause et décider ce qui a eu le plus de poids durant ces trois mois et demi : les discours tenus par Churchill ou mes actes.

Je suis venu ici aujourd'hui pour prononcer comme de coutume quelques mots d'introduction à la campagne du Secours d'hiver. Il m'a, du reste, été très difficile de venir, cette fois, parce qu'à l'heure où je vous parle s'achève une nouvelle opération entamée sur notre front de l'Est et qui doit constituer un événement formidable. Depuis quarante-huit heures, cette action a pris des proportions gigantesques. Elle contribuera à écraser l'adversaire à l'est. [...] Depuis le 22 juin, une lutte est déchaînée, qui est vraiment d'une importance décisive pour le monde entier. Seule la postérité pourra discerner nettement quels furent l'ampleur et les effets de cet événement. Elle constatera aussi qu'il est la base d'une ère nouvelle.

Mais cette lutte non plus, je ne l'ai pas voulue.

Depuis janvier 1933, date où la Providence m'a confié la conduite et la direction du Reich, j'envisageais un but défini dans ses grandes lignes par le programme du Parti national-socialiste. Je n'ai jamais été infidèle à ce but, jamais je n'ai abandonné mon programme. Je me suis alors efforcé d'opérer le redressement intérieur d'un peuple qui, après une guerre perdue par sa propre faute, avait subi la chute la plus profonde de toute son histoire. C'était déjà, en soi, une tâche gigantesque. J'ai commencé à réaliser cette tâche à un moment où les autres y avaient échoué ou ne croyaient plus à la possibilité de réaliser un tel programme.

Ce que nous avons accompli pendant ces années de pacifique redressement reste unique dans les annales de l'histoire. Aussi est-il vraiment offensant, souvent, pour mes collaborateurs et pour moi, de devoir nous occuper de ces nullités démocratiques qui ne sauraient se référer dans tout leur passé à une seule œuvre vraiment grande et qui fasse date dans leur vie. Mes collaborateurs et moi, nous n'aurions pas eu besoin de cette guerre pour immortaliser notre nom. Les œuvres accomplies en temps de paix y auraient suffi – et même amplement. Du reste, nous n'avions pas encore achevé notre œuvre créatrice ; dans maint domaine, nous ne faisions même que commencer.

Ainsi l'assainissement intérieur du Reich avait donc commencé dans les conditions les plus difficiles. En effet, il faut en Allemagne nourrir cent quarante personnes par kilomètre carré. La tâche est plus facile pour le reste du monde. Et cependant nous avons pu résoudre nos problèmes, alors qu'en grande partie le monde démocratique n'a pas réussi à le faire.

Les buts que nous poursuivions étaient les suivants : premièrement, consolider intérieurement la nation allemande ; deuxièmement, obtenir à l'extérieur l'égalité des droits ; troisièmement, unir le peuple allemand et rétablir ainsi une situation naturelle, artificiellement interrompue pendant des siècles.

Ainsi, mes compatriotes, notre programme extérieur lui-même se trouvait donc fixé dès le principe, les mesures nécessaires pour sa réalisation étaient préalablement définies. Cela n'impliquait nullement que nous eussions jamais l'idée de faire la guerre. Mais une chose était certaine, c'est que nous ne renoncerions en aucun cas ni au rétablissement de la liberté allemande, ni, par suite, aux conditions d'où sortirait le nouvel essor du pays.

En poursuivant la réalisation de ces idées, j'ai soumis au monde un très grand nombre de suggestions. Inutile de les répéter ici, mes collaborateurs les mentionnent chaque jour dans leur activité de publicistes. Si nombreuses qu'aient été ces offres de paix, propositions de désarmement, propositions en vue d'amener par une voie pacifique un nouvel ordre économique national, etc., toutes ces propositions ont été rejetées par ceux auxquels je les avais faites et notamment par ceux qui, manifestement, ne croyaient pas pouvoir accomplir leurs propres tâches en poursuivant une œuvre pacifique – ou, plus exactement, qui ne croyaient pas pouvoir ainsi maintenir leur régime au pouvoir.

Néanmoins, nous avons réussi peu à peu, au cours de longues années de travail pacifique, non seulement à réaliser la grande œuvre de réforme intérieure, mais encore à organiser l'union de la nation allemande, à créer le Reich grand-allemand, à ramener des millions de concitoyens allemands au sein de leur vraie patrie et, par suite, à offrir au peuple allemand le poids de leur nombre comme facteur de puissance politique.

Durant ce temps, j'ai réussi à acquérir un certain nombre d'alliés, en première ligne l'Italie ; une étroite et profonde amitié m'unit personnellement à l'homme d'État qui la dirige. Avec le Japon également nos relations n'ont cessé de s'améliorer. En outre, nous avions en Europe une série de peuples et d'États qui nous avaient toujours conservé une inaltérable et bienveillante sympathie, notamment la Hongrie et quelques États nordiques.

À ces peuples, d'autres se sont joints, mais malheureusement pas ce peuple que j'ai le plus sollicité durant ma vie : le peuple anglais. Non que ce soit le peuple anglais lui-même dans son ensemble qui porte à lui seul la responsabilité de cette situation. Non, ce ne sont que quelques personnes qui, dans leur haine aveugle, dans leur folie obstinée, ont saboté toute tentative d'entente, secondées en cela par cet ennemi international du monde entier, que nous connaissons tous, la juiverie internationale.

Nous n'avons donc malheureusement pas réussi à amener la Grande-Bretagne, et surtout le peuple anglais, à ces relations avec l'Allemagne que j'avais toujours espérées. C'est pourquoi, exactement comme cela s'est passé en 1914, le jour arriva où il fallut prendre une dure décision. Je n'ai certes pas hésité à la prendre car je voyais clairement que si je ne pouvais réussir à obtenir l'amitié anglaise, il valait mieux que l'hostilité de l'Angleterre atteignît l'Allemagne à un moment où je me trouvais encore à la tête du Reich. En effet, si cette amitié n'avait pu être obtenue par mes mesures, par mes avances, c'était donc qu'elle était à jamais perdue ; il ne restait donc plus qu'à combattre, et je suis reconnaissant au Destin du fait que cette lutte ait pu être dirigée par moi. Je suis donc également convaincu qu'il n'y a réellement aucune entente à espérer avec ces gens-là. Ce sont des fous délirants, des gens qui depuis dix ans déjà n'ont qu'un seul mot à la bouche : « Nous voulons de nouveau une guerre contre l'Allemagne ! » […]

Discours prononcé à Berlin
pour l'ouverture du Secours d'hiver de guerre,
le 3 octobre 1941.

17.

FRANKLIN DELANO ROOSEVELT

En quarante ans, de 1870 à 1910, le Japon s'est ouvert aux puissances occidentales et à leur technologie, devenant une puissance militaire capable d'imposer une défaite à l'armée russe à Port-Arthur en 1905. Également lancé dans la bataille économique, le Japon voit sa croissance affectée par la crise des années 1930. Il tente alors une politique impérialiste, notamment dirigée contre la Chine. C'est la politique dite « de la coprospérité » du Premier ministre Tojo, qui recouvre en fait une volonté affirmée de domination japonaise sur le Pacifique jusqu'à l'Australie… Mais l'autre rival dans le Pacifique – et, surtout, le grand rival économique – reste les États-Unis.

Devant les pressions qui font suite à ses menées impérialistes, le Japon quitte la Société des Nations en 1933 et, en 1937, s'associe à l'Italie fasciste et à l'Allemagne nationale-socialiste dans l'Axe. En mai 1941, devant le refus du Japon de se retirer de l'Indochine et de la Chine, les États-Unis, la Grande-Bretagne et les Pays-Bas décrètent un embargo sur le pétrole et l'acier, ainsi que le gel des avoirs japonais aux États-Unis. Mais il faut attendre la fin de l'année 1941 pour que le Japon se décide à mener la guerre aux côtés de ses alliés, et frappe une puissance qui hésite encore sur son engagement.

Le 7 décembre 1941 à l'aube, c'est l'attaque de Pearl Harbor, la grande base américaine des îles Hawaï, située à 3 500 kilomètres des États-Unis mais à 5 500 kilomètres du Japon. L'amiral Yamamoto, qui connaît bien la puissance américaine, et la craint, a décidé de frapper un grand coup et de détruire dès le début l'essentiel de la flotte américaine du Pacifique pour pouvoir continuer la guerre d'expansion vers d'autres territoires. L'attaque est un succès, même si certains navires (et notamment les porte-avions Enterprise, Lexington *et* Saratoga*) manquent dans le port, et fait 2 403 morts et 1 178 blessés.*

Cette offensive surprend les États-Unis : les Japonais avaient fait une déclaration de guerre officielle mais, à cause de divers contretemps dans sa communication, elle ne fut présentée qu'après l'attaque. Le Japon, qui lance aussitôt après une déclaration de guerre à la Grande-Bretagne et aux Pays-Bas (l'Allemagne et l'Italie déclareront la guerre aux États-Unis trois jours plus tard), semble triompher : MacArthur doit abandonner les Philippines ; la Malaisie et la Birmanie sont conquises. En dehors d'un raid aérien symbolique sur Tokyo, deux grandes batailles, aéronavale à Midway (juin 1942) et terrestre à Guadalcanal (août 1942-février 1943), permettront aux États-Unis de compenser leurs pertes initiales. Mais la conquête du Pacifique sera encore longue et sanglante.

Dans le discours qui suit, Roosevelt présente la thèse américaine de l'attaque surprise menée par l'empire du Soleil Levant tandis que des négociations de paix continuaient d'être menées avec les émissaires japonais, oubliant les contraintes énergétiques et économiques lourdes auxquelles les États-Unis soumettaient le Japon. Quoi qu'il en soit, Pearl Harbor allait réveiller la puissance américaine et lui permettre de s'engager dans la guerre avec bonne conscience.

UNE DATE QUI RESTERA MARQUÉE PAR L'INFAMIE

Hier 7 décembre 1941 – une date qui restera marquée par l'infamie –, les États-Unis d'Amérique ont soudain été l'objet d'une attaque délibérée par les forces navales et aériennes du Japon.

Les États-Unis étaient en paix avec cette nation et, à la demande du Japon, des pourparlers avec son gouvernement et son empereur étaient en cours pour maintenir la paix dans la région Pacifique. En vérité, une heure après le début du bombardement d'Oahu par les escadrilles japonaises, l'ambassadeur du Japon aux États-Unis et son adjoint émettaient une réponse officielle au message du Secrétaire d'État. Ils indiquaient qu'il semblait inutile de poursuivre les relations diplomatiques, mais ne proféraient aucune menace ni aucune allusion à une agression armée.

Il faut souligner que la distance géographique entre Hawaï et le Japon sous-entend que cette attaque était préparée depuis plusieurs jours, voire plusieurs semaines. Entre-temps, le Japon a délibérément cherché à tromper le gouvernement des États-Unis par des fausses déclarations et des messages d'espoir sur le maintien de la paix.

L'attaque d'hier sur les îles Hawaï a causé de gros dommages aux forces militaires américaines aériennes et navales. De nombreux Américains ont perdu la vie. En outre, un rapport signale que des navires américains ont été torpillés en haute mer entre San Francisco et Honolulu.

Hier, le gouvernement du Japon a aussi lancé une attaque contre la Malaisie. La nuit dernière, le Japon a attaqué Hong Kong. La nuit dernière, le Japon a attaqué Guam. La nuit dernière, le Japon a attaqué les îles

Philippines. La nuit dernière, le Japon a attaqué l'île de Wake. Ce matin, le Japon a attaqué l'île de Midway.

Le Japon a donc entrepris une attaque surprise à travers toute la zone Pacifique. Les faits parlent d'eux-mêmes. Le peuple des États-Unis a formé son opinion et comprend la menace qui pèse sur la vie et la sécurité de la nation.

En ma qualité de Commandant en chef de l'Armée et de la Marine, j'ai pris toutes les mesures nécessaires à notre défense.

Jamais nous n'oublierons le caractère de cette agression. Quel que soit le temps qu'il faudra pour contrer cette invasion préméditée, le peuple américain, fort de son droit, parviendra à la victoire totale.

Je crois me faire le porte-parole du Congrès et du peuple américain lorsque j'affirme ici que non seulement nous nous défendrons farouchement, mais que nous ferons en sorte que cette forme de traîtrise ne nous mette plus jamais en danger.

Les hostilités sont ouvertes. Il ne faut pas se masquer le fait que notre peuple, notre territoire et nos intérêts sont gravement menacés.

Grâce à la confiance dans nos forces armées, grâce à la ferme détermination de notre peuple, notre triomphe est inévitable, à la grâce de Dieu !

Je demande que le Congrès déclare que depuis l'odieuse – et nullement justifiée – agression japonaise le dimanche 7 décembre, il existe un état de guerre entre les États-Unis et l'Empire du Japon.

Discours prononcé devant le Congrès des États-Unis, le 8 décembre 1941.

18.
CHARLES DE GAULLE

Le 25 août 1944, le général de Gaulle, en France depuis le 20 août, et qui a suivi dans l'Ouest l'avance de la 2e division blindée du général Leclerc vers la capitale, est reçu à la gare Montparnasse par celui-ci, représentant les forces militaires classiques, ainsi que par Chaban-Delmas, qui représente le Gouvernement provisoire de la République française, et par Rol-Tanguy, le chef des Forces françaises de l'intérieur. Le général von Choltitz, qui a renoncé à suivre l'ordre de Hitler de détruire Paris, a signé la reddition de la garnison, et seuls quelques tireurs isolés résistent encore. De Gaulle se dirige ensuite vers l'Hôtel de Ville de la capitale, salué sur son passage par la foule, une foule de plus en plus dense sur le parvis. C'est au balcon de l'Hôtel de Ville qu'il prononce, aux côtés notamment de Georges Bidault, représentant le Conseil national de la Résistance, l'allocution qui suit.

Bien qu'improvisé – ou parce que improvisé –, ce texte est remarquable dans sa concision. Remarquable parce que au-delà de l'émotion, le politique est présent à chaque instant.

Il s'agit d'abord pour de Gaulle, une fois de plus, de rappeler que le régime de l'État français n'était pas la France, que la France se trouvait avec lui à Londres, à Alger, mais qu'elle n'était aucunement présente à Vichy. La « seule France », la « France éternelle », reste « la France qui se bat ».

Il s'agit aussi d'éviter un éventuel protectorat américain, même temporaire, sur les territoires libérés et de jeter immédiatement les bases d'une administration française, comme il le fit en débarquant à Bayeux, instituant immédiatement un préfet. Voici donc pourquoi Paris a été « libéré par son peuple avec le concours des armées de la France ».

Il s'agit enfin d'éviter la mainmise des communistes sur certains territoires, et, sinon de minimiser leur action dans la Résistance, au moins de la relativiser, de l'intégrer, de la fondre dans un ensemble plus vaste, comme il cherchera ensuite à fondre leurs forces dans des forces armées clairement identifiées. Pour cela, la libération de la capitale n'est pas présentée comme étant une fin en soi, et de Gaulle cherche à agréger ces forces différentes, sinon divergentes, autour d'un même « devoir » : libérer le territoire tout entier et vaincre l'Allemagne sur son sol même. Or ce devoir « exige l'unité nationale », une unité que, sentant l'accueil de la population des jours précédents, il pense plus que jamais pouvoir faire sur son nom.

PARIS LIBÉRÉ

Pourquoi voulez-vous que nous dissimulions l'émotion qui nous étreint tous, hommes et femmes, qui sommes ici, chez nous, dans Paris debout pour se libérer et qui a su le faire de ses mains ?

Non ! nous ne dissimulerons pas cette émotion profonde et sacrée. Il y a là des minutes qui dépassent chacune de nos pauvres vies.

Paris ! Paris outragé ! Paris brisé ! Paris martyrisé ! mais Paris libéré ! libéré par lui-même, libéré par son peuple avec le concours des armées de la France, avec l'appui et le concours de la France tout entière, de la France qui se bat, de la seule France, de la vraie France, de la France éternelle.

Eh bien ! puisque l'ennemi qui tenait Paris a capitulé dans nos mains, la France rentre à Paris, chez elle. Elle y rentre sanglante, mais bien résolue. Elle y rentre, éclairée par l'immense leçon, mais plus certaine que jamais, de ses devoirs et de ses droits.

Je dis d'abord de ses devoirs, et je les résumerai tous en disant que, pour le moment, il s'agit de devoirs de guerre. L'ennemi chancelle mais il n'est pas encore battu. Il reste sur notre sol. Il ne suffira même pas que nous l'ayons, avec le concours de nos chers et admirables alliés, chassé de chez nous pour que nous nous tenions pour satisfaits après ce qui s'est passé.

Nous voulons entrer sur son territoire comme il se doit, en vainqueurs. C'est pour cela que l'avant-garde française est entrée à Paris à coups de canon. C'est pour cela que la grande armée française d'Italie a débarqué dans le Midi ! et remonte rapidement la vallée du Rhône. C'est pour cela que nos braves et chères forces de l'intérieur vont s'armer d'armes modernes. C'est pour cette revanche, cette vengeance et cette justice, que nous continuerons de nous battre jusqu'au dernier jour, jusqu'au jour de la victoire totale et complète.

Ce devoir de guerre, tous les hommes qui sont ici et tous ceux qui nous entendent en France savent qu'il exige l'unité nationale. Nous autres, qui aurons vécu les plus grandes heures de notre histoire, nous n'avons pas à vouloir autre chose que de nous montrer, jusqu'à la fin, dignes de la France.

Vive la France !

Discours prononcé
sur le perron de l'Hôtel de Ville de Paris,
le 25 août 1944.

19.

HARRY S. TRUMAN

Harry S. Truman (1884-1972) est élu vice-président des États-Unis en novembre 1944, en « ticket » avec Franklin D. Roosevelt. Il lui succède à sa mort, le 12 avril 1945, et est réélu pour un second mandat en novembre 1948.

Truman va donc devoir terminer la guerre avec le Japon. Il ordonne ainsi les bombardements au napalm sur Tokyo, mais surtout la frappe atomique des villes de Hiroshima puis de Nagasaki, les 6 et 9 août 1945, entraînant la capitulation de l'empire du Soleil Levant – et par la même occasion démontrant à l'Union soviétique la puissance nucléaire militaire des États-Unis, préparant l'entrée dans la guerre froide en même temps que la sortie de la Seconde Guerre mondiale. L'allocution présentée annonce un nouveau monde, celui de l'atome. De l'atome militaire, avec une course au développement et à la dissémination de l'armement nucléaire qui n'est pas terminée aujourd'hui. Mais aussi de l'atome en tant que nouvelle source d'énergie civile, avec, ici encore, des débats sur son innocuité qui sont toujours d'actualité.

Favorable au dialogue international et soutien de la nouvelle Organisation des Nations unies, Truman sait aussi s'opposer, dès 1946, à l'expansion internationale du communisme. Il organise en 1948 le ravitaillement de la ville de

Berlin, qui doit faire face au blocus soviétique, et décide en 1950 d'intervenir militairement en Corée.

UN AVION AMÉRICAIN A LANCÉ UNE BOMBE SUR HIROSHIMA

Il y a seize heures, un avion américain a lancé une bombe sur Hiroshima, importante base militaire nippone. Cette bombe avait une puissance supérieure à celle de 20 000 tonnes de TNT. Son pouvoir de destruction était deux mille fois plus grand que la bombe britannique qui était jusque-là la plus puissante du monde. Les Japonais ont déclenché la guerre en attaquant Pearl Harbor par les airs. Ils ont reçu la monnaie de leur pièce. La bombe atomique permet d'intensifier d'une manière nouvelle et révolutionnaire la destruction du Japon. Sa force relève de la force élémentaire de l'univers, de celle qui alimente le soleil dans sa puissance. Cette force vient d'être lancée contre ceux qui ont déchaîné la guerre en Extrême-Orient.

Nous avons maintenant deux grandes usines et plusieurs établissements se consacrant à la production de la puissance atomique. Le nombre des employés, au plus fort de la construction, a atteint 125 000, et plus de 65 000 personnes sont encore engagées maintenant dans ces usines. Nous avons dépensé deux milliards de dollars et couru le plus grand risque scientifique de l'histoire. Nous avons gagné.

Le fait que nous soyons en mesure de libérer l'énergie atomique inaugure une ère nouvelle dans la compréhension de la nature.

Je vais proposer au Congrès de prendre immédiatement en considération la création d'une commission de contrôle pour la production et l'usage de l'énergie atomique aux États-Unis. D'autre part, je vais recommander au Congrès d'examiner dans quelles conditions l'énergie atomique pourrait devenir un instrument puissant du maintien de la paix mondiale.

Normalement, tout ce qui concerne la production de l'énergie atomique sera rendu public. Mais, dans les circonstances actuelles, on n'a pas l'intention de divulguer les procédés de la production, ni son application militaire, pour nous protéger nous-mêmes, et le reste du monde, contre le danger d'une destruction soudaine.

C'était pour épargner au peuple japonais une destruction complète que l'ultimatum du 28 juillet a été publié à Potsdam. Les chefs japonais ont rejeté rapidement cet ultimatum. S'ils n'acceptent pas maintenant nos conditions, ils peuvent s'attendre à une pluie de destructions venant des airs comme on n'en a jamais vu sur cette terre. Après cette attaque aérienne, les forces navales et terrestres suivront en nombre et en puissance, telles qu'ils n'en ont jamais vu auparavant et avec cette adresse au combat qu'ils connaissent bien.

Dans cette bataille des laboratoires, nous courrions des risques aussi terribles que dans nos batailles dans l'air, sur terre et sur mer. Nous avons gagné les batailles des laboratoires comme nous avons gagné les autres.

Message radiodiffusé
du 7 août 1945.

20.
EMPEREUR HIROHITO

Le 8 mai 1945, l'Allemagne, représentée par le maréchal Keitel, capitule sans conditions. Mais de l'autre côté du globe, le Japon s'est raidi dans une défense désespérée de son sol national, faisant de chaque île à conquérir un cimetière. Les Mariannes, les Philippines, puis Iwo-Jima ou Okinawa causent des pertes énormes aux soldats américains confrontés à des Japonais qui se sacrifient pour leur pays et leur empereur, comme le font aussi les célèbres pilotes kamikazes.

Il faudra les bombes atomiques « Little Boy » et « Fat Man », larguées respectivement sur les villes de Hiroshima et de Nagasaki, les 6 et 9 août 1945, pour que le Japon accepte de capituler. C'est ce que doit faire son empereur sacré, le petit-fils de Meiji, Hirohito. Un souverain qualifié de falot par certains, ambigu en tout cas dans son rapport à des militaires qui lui imposèrent sans doute certains choix, mais dont il accepta volontairement nombre d'autres. Plus que jamais certain de la défaite de son pays depuis les frappes atomiques, il se refuse à voir continuer le sacrifice inutile de sa population. Il choisit alors de parler en personne à son peuple à la radio, avec ce discours lu dans une langue de cour compréhensible pour une minorité. De nombreux Japonais se suicideront en l'entendant annoncer la défaite.

Le 2 septembre 1945, MacArthur, effectivement « revenu » (il avait prononcé son célèbre « Je reviendrai » après la défaite des Philippines), reçoit, à bord du cuirassé Missouri, *au nom de l'empereur, la signature du ministre des Affaires étrangères du Japon sur l'acte de capitulation.*

NOUS AVONS ACCEPTÉ LES TERMES DE LA DÉCLARATION COMMUNE DES PUISSANCES

À nos bons et loyaux sujets,

Après avoir mûrement réfléchi aux tendances générales prévalant dans le monde et aux conditions existant aujourd'hui dans Notre Empire, Nous avons décidé de régler la situation actuelle par mesure d'exception.

Nous avons ordonné à Notre Gouvernement de faire savoir aux Gouvernements des États-Unis, de Grande-Bretagne, de Chine et d'Union soviétique que Notre Empire accepte les termes de leur Déclaration commune.

Nous efforcer d'établir la prospérité et le bonheur de toutes les nations, ainsi que la sécurité et le bien-être de Nos sujets, telle est l'obligation solennelle qui Nous a été transmise par Nos Ancêtres Impériaux et que Nous portons dans Notre Cœur. C'est d'ailleurs en raison de Notre sincère désir d'assurer la sauvegarde du Japon et la stabilisation du Sud-Est asiatique que Nous avons déclaré la guerre à l'Amérique et à la Grande-Bretagne, car la pensée d'empiéter sur la souveraineté d'autres nations ou de chercher à agrandir notre territoire était bien loin de Nous. Mais voici désormais près de quatre années que la guerre se prolonge. Bien que tout le monde ait fait de son mieux – en dépit des vaillants combats livrés par Nos forces militaires et navales, de la diligence et de l'assiduité de Nos serviteurs et du dévouement de

Nos cent millions de sujets –, la guerre a évolué, mais pas nécessairement à l'avantage du Japon, tandis que les tendances générales prévalant dans le monde se sont toutes retournées contre ses intérêts. En outre, l'ennemi a mis en œuvre une bombe nouvelle d'une extrême cruauté, dont la capacité de destruction est incalculable et décime bien des vies innocentes. Si Nous continuions à nous battre, cela entraînerait non seulement l'effondrement et l'anéantissement de la nation japonaise, mais encore l'extinction totale de la civilisation humaine. Cela étant, comment pouvons-Nous sauver les multitudes de Nos sujets ? Comment expier Nous-même devant les esprits de Nos Ancêtres Impériaux ? C'est la raison pour laquelle Nous avons ordonné d'accepter les termes de la Déclaration commune des Puissances.

Nous ne pouvons qu'exprimer le sentiment de notre plus profond regret à Nos Alliés du Sud-Est asiatique qui ont sans faillir coopéré avec Notre Empire pour obtenir l'émancipation des contrées asiatiques. La pensée des officiers et des soldats, ainsi que tous les autres, tombés au champ d'honneur, de ceux qui sont morts à leur poste, de ceux qui ont trépassé avant l'heure et de toutes leurs familles endeuillées Nous serre le cœur nuit et jour. Le bien-être des blessés et des victimes de la guerre, et de tous ceux qui ont perdu leur foyer et leurs moyens d'existence, est l'objet de Notre plus vive sollicitude. Les maux et les souffrances auxquels Notre nation sera soumise à l'avenir vont certainement être immenses. Nous sommes pleinement conscient des sentiments les plus intimes de vous tous, Nos sujets.

Cependant, c'est en conformité avec les décrets du temps et du sort que Nous avons résolu d'ouvrir la voie à une ère de paix grandiose pour toutes les générations à venir en endurant ce qu'on ne saurait endurer et en supportant l'insupportable. Ayant pu sauvegarder et maintenir la structure de l'État impérial, Nous sommes toujours avec vous, Nos bons et loyaux sujets, Nous fiant à votre sincérité et à votre intégrité. Gardez-vous très rigoureusement de tout éclat d'émotion susceptible d'engendrer d'inutiles complications ; de toute querelle et lutte fratricides qui pourraient créer des désordres, vous entraîner hors du droit chemin et vous faire perdre la confiance du monde. Que la nation entière se perpétue comme une seule famille, de génération en génération, toujours ferme dans sa foi dans le caractère éternel de son sol divin, gardant toujours présents à l'esprit le lourd fardeau de ses responsabilités et la pensée du long chemin qu'il lui reste à parcourir. Utilisez vos forces pour les consacrer à bâtir l'avenir. Cultivez les chemins de la droiture ; nourrissez la noblesse d'esprit ; et travaillez avec résolution, de façon à pouvoir rehausser la gloire inhérente de l'État impérial et vous maintenir à la pointe du progrès dans le monde.

Discours radiodiffusé
du 15 août 1945.

21.
WINSTON CHURCHILL

On connaît de ce Premier ministre britannique ses bons mots, ses sarcasmes à l'égard de ses ennemis et, souvent, de ses amis. Winston Churchill (1874-1965) s'est méfié du bolchévisme dès son apparition en Russie, soutenant alors les Russes blancs et les Polonais. Mais ce démocrate à moitié convaincu (on se souvient de sa formule selon laquelle la démocratie serait le pire des régimes à l'exception des autres) s'opposa ensuite, malgré la possibilité de front antibolchévique commun, au fascisme et, surtout, à un national-socialisme auquel était d'ailleurs allié le gouvernement soviétique en 1940.

Pragmatique, Churchill se résigne à traiter avec Staline après l'invasion allemande de la zone polonaise conquise par les Russes et d'une part de la Russie. Et, lors de la fameuse conférence de Yalta, à laquelle s'est décidé le partage du monde, il siège aux côtés du dictateur communiste et du président américain. Il ne se faisait sans doute pas beaucoup d'illusions sur les conséquences de ce partage, et il avait raison : les « pays frères » de l'Europe de l'Est furent mis sous la coupe de gouvernements fantoches, leurs industries pillées par la Russie dès leur « libération ». Pour Staline, ce partage n'était que la légitimation d'un droit de conquête vaguement déguisé sous les arguties du droit international.

Battu aux élections de juillet 1945, Churchill voyage en Italie, en France puis aux États-Unis. C'est là qu'il prononce, invité par le président Truman, ce discours qu'il intitulera « Le nerf de la paix ». À titre privé, comme il le rappelle clairement au début de son intervention, l'ancien homme d'État s'inquiète de l'attitude hostile de l'URSS et de ses satellites, de cette fermeture de la société communiste, de ce dangereux repli sur soi de ce qui forme le bloc de l'Est. Mal compris à l'époque, car il fut considéré par certains comme presque belliciste, ce discours popularisa surtout la célèbre formule du « rideau de fer ».

LE NERF DE LA PAIX

M. le président McCluer, Mesdames et Messieurs, et enfin, mais ce n'est certainement pas le moins important, Monsieur le président des États-Unis d'Amérique,

Je suis heureux d'être à Westminster College cet après-midi, et je suis flatté qu'une institution à la réputation aussi solidement établie souhaite me conférer un doctorat *honoris causa.*

Le nom de « Westminster » m'est quelque peu familier. Il me semble l'avoir déjà entendu. En effet, c'est à Westminster que j'ai reçu une très grande partie de mon éducation en politique, en dialectique, en rhétorique et dans une ou deux autres matières encore. En fait, en matière d'éducation, ce sont deux institutions identiques, ou similaires, ou du moins analogues.

C'est également un honneur, Mesdames et Messieurs, et un honneur peut-être quasiment unique, pour un visiteur privé d'être présenté à une audience académique par le président des États-Unis. [...]

Le président vous a dit que c'est son vœu et je suis sûr que c'est aussi le vôtre, que j'aie toute liberté d'exprimer mon opinion honnête et loyale en ces temps d'anxiété et de déroute. Je vais bien évidemment user de cette liberté, d'autant plus que toutes les ambitions personnelles que j'ai pu caresser dans ma jeunesse ont été satisfaites au-delà de mes rêves les plus audacieux. Permettez-moi toutefois de préciser clairement que je n'ai aucune mission ni aucune habilitation officielles quelles qu'elles soient et que je parle uniquement en mon nom personnel. Il n'y a rien d'autre ici que ce que vous voyez.

[...] Quel est donc notre concept stratégique global aujourd'hui ? Ce n'est rien de moins que la sécurité et le bien-être, la liberté et le progrès pour les foyers et les familles, pour tous les hommes et toutes les femmes dans tous les pays. Je pense tout particulièrement ici à la myriade de petites maisons et d'appartements où les salariés s'efforcent, au milieu des vicissitudes et des difficultés de la vie, de préserver leurs épouses et leurs enfants des privations et d'élever leur famille dans la crainte du Seigneur ou selon des conceptions éthiques dont le rôle est souvent important.

Pour assurer la sécurité de ces innombrables foyers, il faut les protéger contre les deux affreux maraudeurs que sont la guerre et la tyrannie. Nous connaissons tous les effroyables bouleversements qui accablent une famille ordinaire lorsque la malédiction de la guerre frappe le père de famille et ceux pour qui il travaille et peine. [...]

Après avoir proclamé leur « concept stratégique global » et évalué les ressources disponibles, nos collègues militaires américains passent toujours à l'étape suivante, à savoir la méthode. Là encore, nous sommes largement d'accord. Une organisation mondiale a déjà été instaurée, dont la mission première est d'empêcher la guerre. L'ONU, qui succède à la Société des Nations, avec l'adhésion déterminante des États-Unis et tout ce que cela implique, a déjà commencé à travailler. Nous devons faire en sorte que son travail porte des fruits, qu'elle soit une réalité et non une fiction, qu'elle soit une force tournée vers l'action et non seulement un flot de paroles creuses, qu'elle soit un vrai temple de la paix où pourront un jour être suspendus les boucliers de beaucoup de nations, et non seulement un poste de contrôle dans une tour de Babel. Avant de nous défaire de nos armements nationaux, qui constituent une assurance solide pour notre sécurité, nous devons être sûrs que notre temple a été construit non pas sur des sables mouvants ou des bourbiers, mais sur du roc. [...]

Je tiens à faire, à cet égard, une proposition d'action précise et concrète. Nous avons beau instituer des tribunaux et des magistrats, ils ne pourront pas fonctionner sans police. L'Organisation des Nations unies doit être équipée dès le départ d'une force armée internationale. [...]

J'en arrive maintenant au second danger qui menace les maisons, les foyers et les gens humbles, à savoir la tyrannie. Nous ne pouvons fermer les yeux devant le fait que les libertés dont jouit chaque citoyen partout aux États-Unis et partout dans l'Empire britannique n'existent pas dans un nombre considérable de pays, dont certains sont très puissants. Dans ces États, un contrôle est imposé à tout le monde par différentes sortes d'administrations policières toutes-puissantes. Le pouvoir de l'État est exercé sans restriction, soit par des dictateurs, soit par des oligarchies compactes qui agissent par l'entremise d'un parti privilégié et d'une police politique. À un moment où les difficultés sont si nombreuses, notre devoir n'est pas d'intervenir par la force dans les affaires intérieures de pays que nous n'avons pas conquis pendant la guerre. Toutefois, nous ne devons jamais cesser de proclamer sans peur les grands principes de la liberté et les droits de l'homme, qui sont l'héritage commun du monde anglophone et qui, en passant par la Grande Charte, la Déclaration des droits, l'Habeas Corpus, les jugements par un jury et le droit civil anglais, trouvent leur plus célèbre expression dans la Déclaration d'indépendance américaine.

Tout cela signifie que les populations de n'importe quel pays ont le droit et devraient avoir la possibilité, constitutionnellement garantie, de choisir ou de changer le caractère ou la forme du gouvernement sous lequel elles vivent, au scrutin secret, dans des élections libres et sans entraves ; cela signifie qu'il faudrait que règne la liberté de parole et de pensée ; que les tribunaux, indépendants du pouvoir exécutif et impartiaux, devraient appliquer les lois qui ont reçu l'assentiment massif de larges majorités ou qui ont été consacrées par le temps et par l'usage. Voilà les titres de liberté que l'on devrait trouver dans chaque foyer. Voilà le message que les peuples britannique et américain adressent à l'humanité. Prêchons ce que nous pratiquons ; pratiquons ce que nous prêchons.

[...]

Une ombre est tombée sur les scènes qui avaient été si clairement illuminées récemment par la victoire des Alliés. Personne ne sait ce que la Russie soviétique et son organisation communiste internationale ont l'intention de faire dans l'avenir immédiat, ni où sont les limites, s'il en existe, de leurs tendances expansionnistes et de leur prosélytisme. J'éprouve une profonde admiration et un grand respect pour le vaillant peuple russe et pour mon camarade de combat, le maréchal Staline. Il existe en Grande-Bretagne – de même qu'ici, je n'en doute pas – une profonde sympathie et beaucoup de bonne volonté à l'égard des peuples de toutes les Russies et une détermination à persévérer, malgré beaucoup de divergences et de rebuffades, à établir des amitiés durables. Nous comprenons le besoin de la Russie de se sentir en sécurité le long de ses frontières occidentales en éliminant toute possibilité d'une agression allemande. Nous accueillons la Russie à sa place légitime au milieu des nations dirigeantes du monde. Nous accueillons son pavillon sur les mers. Par-dessus tout, nous nous félicitons des contacts fréquents et croissants entre le peuple russe et nos propres populations de part et d'autre de l'Atlantique. Il est toutefois de mon devoir, car je suis sûr que vous souhaitez que je vous expose les faits tels que je les vois, de rappeler devant vous certains faits concernant la situation présente en Europe.

De Stettin dans la Baltique jusqu'à Trieste dans l'Adriatique, un rideau de fer est descendu à travers le continent. Derrière cette ligne se trouvent toutes les capitales des anciens États de l'Europe centrale et orientale. Varsovie, Berlin, Prague, Vienne, Budapest, Belgrade, Bucarest et Sofia, toutes ces villes célèbres et les populations qui les entourent se trouvent dans ce que je dois appeler la sphère soviétique, et toutes sont soumises, sous une forme ou sous une autre, non seulement à l'influence soviétique, mais aussi à un degré très élevé et, dans beaucoup de cas, à un degré croissant, au contrôle de Moscou. Seule Athènes – la Grèce et ses gloires immortelles – est libre de décider de son avenir dans des élections contrôlées par des observateurs britanniques, américains et français. Le gouvernement polonais dominé par la Russie a été encouragé à empiéter largement et de façon illégitime sur l'Allemagne, et nous assistons actuellement à des expulsions massives de millions d'Allemands dans une mesure atroce et inimaginable. Les partis communistes, qui étaient très faibles dans tous ces États de l'Est européen, se sont vus élevés à une prédominance et à un pouvoir bien au-delà de leur importance numérique et cherchent partout à accéder à un contrôle totalitaire. Des gouvernements policiers dominent dans presque tous les cas et, jusqu'à présent, à l'exception de la Tchécoslovaquie, il n'y a pas de vraie démocratie.

[…] Les Russes à Berlin tentent actuellement de mettre sur pied un parti quasi communiste dans leur zone de l'Allemagne occupée en accordant des faveurs spéciales à des groupes de dirigeants allemands de gauche. […]

Dans un grand nombre de pays, loin des frontières russes et partout à travers le monde, les cinquièmes colonnes communistes se sont installées et travaillent en parfaite unité et dans l'obéissance absolue aux directives qu'elles reçoivent du centre communiste. À l'exception du Commonwealth britannique et des États-Unis, où le communisme en est encore à ses débuts, les partis communistes ou les cinquièmes colonnes constituent un défi et un danger croissants pour la civilisation chrétienne. Ce sont là des faits sombres que nous sommes obligés de mentionner au lendemain d'une victoire remportée par une si grande et belle camaraderie sous les armes et pour la cause de la liberté et de la démocratie ; mais il serait très imprudent de ne pas y faire face résolument alors qu'il en est encore temps.

Les perspectives sont effrayantes aussi en Extrême-Orient et surtout en Mandchourie. L'accord conclu à Yalta, avec ma participation, a été extrêmement favorable à la Russie soviétique, mais il a été conclu à un moment où personne ne pouvait dire que la guerre contre l'Allemagne ne risquait pas de se prolonger tout au long de l'été et de l'automne de 1945 et où l'on s'attendait à ce que la guerre contre le Japon se poursuive encore pendant dix-huit mois après la fin de la guerre contre l'Allemagne. [...]

Ce que j'ai pu voir chez nos amis et alliés russes pendant la guerre m'a convaincu qu'il n'y a rien qu'ils admirent autant que la force et rien qu'ils respectent moins que la faiblesse, surtout la faiblesse militaire. C'est pourquoi la vieille doctrine d'un équilibre des forces est hasardeuse. Nous ne pouvons nous permettre, s'il est en notre pouvoir de l'éviter, de nous appuyer sur des marges étroites et d'éveiller ainsi les tentations d'une épreuve de force. Si les démocraties occidentales s'unissent dans le strict respect des principes de la Charte des Nations unies, leur influence dans la propagation de ces principes sera immense et personne ne sera capable de les molester. Mais si elles sont divisées, si elles manquent à leur devoir et qu'elles laissent échapper ces années ô combien importantes, alors une catastrophe risque effectivement de s'abattre sur nous tous.

La dernière fois, j'ai tout vu venir et je l'ai crié à mes propres concitoyens et au monde mais personne n'y a prêté attention. Jusqu'en 1933 ou même jusqu'en 1935, l'Allemagne aurait peut-être pu être sauvée du terrible destin qui s'est abattu sur elle et nous aurions peut-être pu échapper tous aux malheurs que Hitler a lâchés sur l'humanité. Jamais dans toute l'histoire une guerre n'aurait pu être évitée plus facilement par une action engagée au moment opportun que celle qui vient de ravager de si vastes étendues du globe. Cette guerre aurait pu être évitée à mon avis sans coup férir, et l'Allemagne pourrait être puissante, prospère et honorée aujourd'hui ; mais personne ne voulait écouter et l'un après l'autre nous fûmes tous aspirés par l'affreux tourbillon. Nous devons absolument faire en sorte, Mesdames et Messieurs, que cela ne se reproduise plus. Nous n'y parviendrons que si nous réalisons aujourd'hui, en 1946, une bonne entente sur tous les points avec la Russie sous l'autorité générale de l'Organisation des Nations unies et si nous maintenons cette bonne entente pendant de longues années de paix grâce à cet instrument mondial soutenu par toute la force du monde anglophone et de toutes ses connexions. Voilà la solution que je vous offre respectueusement dans ce discours auquel j'ai donné le titre « Le nerf de la paix ». […]

Discours prononcé à Fulton,
le 5 mars 1946.

22.
CHARLES DE GAULLE

De Gaulle revient en 1946 dans cette partie de la Normandie où il a débarqué en 1944. Il revient en un lieu où, très symboliquement, il a rétabli alors le pouvoir administratif français en nommant un préfet, évitant ainsi une administration d'occupation prévue par les Américains pour gérer le territoire. Il le rappelle en introduction.

Mais il ne s'agit pas ici de commémorer. De Gaulle revient à Bayeux alors que le débat sur les nouvelles institutions est arrivé à un tournant majeur, celui des référendums par lesquels le peuple français va devoir choisir.

C'est un homme déçu qui s'exprime à Bayeux, déçu de voir le jeu des partis politiques, qu'il déteste foncièrement, renaître en même temps que la libération du territoire. Lui, qui espérait que l'élan de la Résistance se continuerait dans l'après-guerre et se manifesterait par une autre manière de concevoir la politique, se retrouve rapidement marginalisé.

C'est alors qu'il dresse une première esquisse des institutions qu'il appelle de ses vœux. Et ce sont déjà les éléments de la future Vᵉ République qui sont présentés. Contre l'Assemblée unique, toute-puissante, et ses dérives, un système bicaméral. Avec une seconde chambre qui représenterait les collectivités locales ou, au moins, aurait un lien privilégié avec elles. C'est que pour de Gaulle, comme pour Montesquieu, il faut par-dessus tout éviter la confusion des pouvoirs, synonyme d'excès de pouvoir et d'arbitraire. Les lois seraient donc débattues entre ces deux chambres.

Mais la confusion des pouvoirs se traduirait aussi par un pouvoir exécutif dépendant du pouvoir législatif. Pour l'éviter, de Gaulle propose que le gouvernement ne tire sa légitimité que d'être au service d'un chef de l'État placé « au-dessus des partis ». Une formule que l'on retrouvera souvent par la suite…

VERS DE NOUVELLES INSTITUTIONS

Dans notre Normandie, glorieuse et mutilée, Bayeux et ses environs furent témoins d'un des plus grands événements de l'histoire. Nous attestons qu'ils en furent dignes. C'est ici que, quatre années après le désastre initial de la France et des Alliés, débuta la victoire finale des Alliés et de la France. C'est ici que l'effort de ceux qui n'avaient jamais cédé et autour desquels s'étaient, à partir du 18 juin 1940, rassemblé l'instinct national et reformée la puissance française tira des événements sa décisive justification.

En même temps, c'est ici que sur le sol des ancêtres réapparut l'État ; l'État légitime, parce qu'il reposait sur l'intérêt et le sentiment de la nation ; l'État dont la souveraineté réelle avait été transportée du côté de la guerre, de la liberté et de la victoire, tandis que la certitude n'en conservait que l'apparence ; l'État sauvegardé dans ses droits, sa dignité, son autorité, au milieu des vicissitudes du dénuement et de l'intrigue ; l'État préservé des ingérences de l'étranger ; l'État capable de rétablir autour de lui l'unité nationale et l'unité impériale, d'assembler toutes les forces de la patrie et de l'Union française, de porter la victoire à son terme, en commun avec les Alliés, de traiter d'égal à égal avec les autres grandes nations du monde, de préserver l'ordre public, de faire rendre la justice et de commencer notre reconstruction.

Si cette grande œuvre fut réalisée en dehors du cadre antérieur de nos institutions, c'est parce que celles-ci n'avaient pas répondu aux nécessités nationales et qu'elles avaient, d'elles-mêmes, abdiqué dans la tourmente. Le salut devait venir d'ailleurs. Il vint, d'abord, d'une élite, spontanément jaillie des profondeurs de la nation et qui, bien au-dessus de toute préoccupation de parti ou de classe, se dévoua au combat pour la libération, la grandeur et la rénovation de la France. Sentiment de sa supériorité morale, conscience d'exercer une sorte de sacerdoce du sacrifice et de l'exemple, passion du risque et de l'entreprise, mépris des agitations, prétentions, surenchères, confiance souveraine en la force et en la ruse de sa puissante conjuration aussi bien qu'en la victoire et en l'avenir de la patrie, telle fut la psychologie de cette élite partie de rien et qui, malgré de lourdes pertes, devait entraîner derrière elle tout l'empire et toute la France.

Elle n'y eût point, cependant, réussi sans l'assentiment de l'immense masse française. Celle-ci, en effet, dans sa volonté instinctive de survivre et de triompher, n'avait jamais vu dans le désastre de 1940 qu'une péripétie de la guerre mondiale où la France servait d'avant-garde. Si beaucoup se plièrent, par force, aux circonstances, le nombre de ceux qui les acceptèrent dans leur esprit et dans leur cœur fut littéralement infime. Jamais la France ne crut que l'ennemi ne fût point l'ennemi et que le salut fût ailleurs que du côté des armes de la liberté. À mesure que se déchiraient les voiles, le sentiment profond du pays se faisait jour dans sa réalité. Partout où paraissait la croix de Lorraine s'écroulait l'échafaudage d'une autorité qui n'était que fictive, bien qu'elle fût, en apparence, constitutionnellement fondée. Tant il est vrai que les pouvoirs publics ne valent, en fait et en droit, que s'ils s'accordent avec l'intérêt supérieur du pays, s'ils reposent sur l'adhésion confiante des citoyens. En matière d'institutions, bâtir sur autre chose, ce serait bâtir sur du sable. Ce serait risquer de voir l'édifice crouler une fois de plus à l'occasion d'une de ces crises auxquelles, par la nature des choses, notre pays se trouve si souvent exposé.

Voilà pourquoi, une fois assuré le salut de l'État, dans la victoire remportée et l'unité nationale maintenue, la tâche par-dessus tout urgente et essentielle était l'établissement des nouvelles institutions françaises. Dès que cela fut possible, le peuple français fut donc invité à élire ses constituants, tout en fixant à leur mandat des limites déterminées et en se réservant à lui-même la décision définitive. Puis, une fois le train mis sur les rails, nous-mêmes nous sommes retiré de la scène, non seulement pour ne point engager dans la lutte des partis ce qu'en vertu des événements nous pouvons symboliser et qui appartient à la nation tout entière, mais encore pour qu'aucune considération relative à un homme, tandis qu'il dirigeait l'État, ne pût fausser dans aucun sens l'œuvre des législateurs.

Cependant, la nation et l'Union française attendent encore une Constitution qui soit faite pour elles et qu'elles aient pu joyeusement approuver. À vrai dire, si l'on peut regretter que l'édifice reste à construire, chacun convient certainement qu'une réussite quelque peu différée vaut mieux qu'un achèvement rapide mais fâcheux.

Au cours d'une période de temps qui ne dépasse pas deux fois la vie d'un homme, la France fut envahie sept fois et a pratiqué treize régimes, car tout se tient dans les malheurs d'un peuple. Tant de secousses ont accumulé dans notre vie publique des poisons dont s'intoxique notre vieille propension gauloise aux divisions et aux querelles. Les épreuves inouïes que nous venons de traverser n'ont fait, naturellement, qu'aggraver cet état de choses. La situation actuelle du monde où, derrière des idéologies opposées, se confrontent des Puissances entre lesquelles nous sommes placés, ne laisse pas d'introduire dans nos luttes politiques un facteur de trouble passionné. Bref, la rivalité des partis revêt chez nous un caractère fondamental, qui met toujours tout en question et sous lequel s'estompent trop souvent les intérêts supérieurs du pays. Il y a là un fait patent, qui tient au tempérament national, aux péripéties de l'histoire et aux ébranlements du présent, mais dont il est indispensable à l'avenir du pays et de la démocratie que nos institutions tiennent compte et se gardent, afin de préserver le crédit des lois, la cohésion des gouvernements, l'efficience des administrations, le prestige et l'autorité de l'État.

C'est qu'en effet, le trouble dans l'État a pour conséquence inéluctable la désaffection des citoyens à l'égard des institutions. Il suffit alors d'une occasion pour faire apparaître la menace de la dictature. D'autant plus que l'organisation en quelque sorte mécanique de la société moderne rend chaque jour plus nécessaires et plus désirés le bon ordre dans la direction et le fonctionnement régulier des rouages. Comment et pourquoi donc ont fini chez nous la Ire, la IIe, la IIIe Républiques ? Comment et pourquoi donc la démocratie italienne, la République allemande de Weimar, la République espagnole, firent-elles place aux régimes que l'on sait ? Et pourtant, qu'est la dictature, sinon une grande aventure ? Sans doute, ses débuts semblent avantageux. Au milieu de l'enthousiasme des uns et de la résignation des autres, dans la rigueur de l'ordre qu'elle impose, à la faveur d'un décor éclatant et d'une propagande à sens unique, elle prend d'abord un tour de dynamisme qui fait contraste avec l'anarchie qui l'avait précédée. Mais c'est le destin de la dictature d'exagérer ses entreprises. À mesure que se fait jour parmi les citoyens l'impatience des contraintes et la nostalgie de la liberté, il lui faut à tout prix leur offrir en compensation des réussites sans cesse plus étendues. La nation devient une machine à laquelle le maître imprime une accélération effrénée. Qu'il s'agisse de desseins intérieurs ou extérieurs, les buts, les risques, les efforts, dépassent peu à peu toute mesure. À chaque pas se dressent, au-dehors et au-dedans, des obstacles multipliés. À la fin, le ressort se brise. L'édifice grandiose s'écroule dans le malheur et dans le sang. La nation se retrouve rompue, plus bas qu'elle n'était avant que l'aventure commençât.

Il suffit d'évoquer cela pour comprendre à quel point il est nécessaire que nos institutions démocratiques nouvelles compensent, par elles-mêmes, les effets de notre perpétuelle effervescence politique. Il y a là, au surplus, pour nous une question de vie ou de mort, dans le monde et au siècle où nous sommes, où la position d'indépendance et jusqu'à l'existence de notre pays et de notre Union française se trouvent bel et bien en jeu. Certes, il est de l'essence même de la démocratie que les opinions s'expriment et qu'elles s'efforcent, par le suffrage, d'orienter suivant leurs conceptions l'action publique et la législation. Mais aussi tous les principes et toutes les expériences exigent que les pouvoirs publics : législatif, exécutif, judiciaire, soient nettement séparés et fortement équilibrés, et qu'au-dessus des contingences politiques soit établi un arbitrage national qui fasse valoir la continuité au milieu des combinaisons.

Il est clair et il est entendu que le vote définitif des lois et des budgets revient à une Assemblée élue au suffrage universel et direct. Mais le premier mouvement d'une telle Assemblée ne comporte pas nécessairement une clairvoyance et une sérénité entières. Il faut donc attribuer à une deuxième Assemblée, élue et composée d'une autre manière, la fonction d'examiner publiquement ce que la première a pris en considération, de formuler des amendements, de proposer des projets. Or, si les grands courants de politique générale sont naturellement reproduits dans le sein de la Chambre des députés, la vie locale, elle aussi, a ses tendances et ses droits. Elle les a dans la métropole. Elle les a, au premier chef, dans les territoires d'outre-mer, qui se rattachent à l'Union française par des liens très divers. Elle les a dans cette Sarre à qui la nature des choses, découverte par notre victoire, désigne une fois de plus sa place auprès de nous, les fils des Francs. L'avenir des cent dix millions d'hommes et de femmes qui vivent sous notre drapeau est dans une organisation de forme fédérative, que le temps précisera peu à peu, mais dont notre Constitution nouvelle doit marquer le début et ménager le développement.

Tout nous conduit donc à instituer une deuxième Chambre dont, pour l'essentiel, nos Conseils généraux et municipaux éliront les membres. Cette Chambre complétera la première en l'amenant, s'il y a lieu, soit à réviser ses propres projets, soit à en examiner d'autres, et en faisant valoir dans la confection des lois ce facteur d'ordre administratif qu'un collège purement politique a forcément tendance à négliger. Il sera normal d'y introduire, d'autre part, des représentants, des organisations économiques, familiales, intellectuelles, pour que se fasse entendre, au-dedans même de l'État, la voix des grandes activités du pays. Réunis aux élus des assemblées locales des territoires d'outre-mer, les membres de cette Assemblée formeront le grand Conseil de l'Union française, qualifié pour délibérer des lois et des problèmes intéressant l'Union, budgets, relations extérieures, rapports intérieurs, défense nationale, économie, communications.

Du Parlement, composé de deux Chambres et exerçant le pouvoir législatif, il va de soi que le pouvoir exécutif ne saurait procéder, sous peine d'aboutir à cette confusion des pouvoirs dans laquelle le gouvernement ne serait bientôt plus rien qu'un assemblage de délégations. Sans doute aura-t-il fallu, pendant la période transitoire où nous sommes, faire élire par l'Assemblée nationale constituante le président du Gouvernement provisoire, puisque, sur la table rase, il n'y avait aucun autre procédé acceptable de désignation. Mais il ne peut y avoir là qu'une disposition du moment. En vérité, l'unité, la cohésion, la discipline intérieure du gouvernement de la France doivent être des choses sacrées, sous peine de voir rapidement la direction même du pays impuissante et disqualifiée. Or comment cette unité, cette cohésion, cette discipline seraient-elles maintenues à la longue si le pouvoir exécutif émanait de l'autre pouvoir auquel il doit faire équilibre, et si chacun des membres du gouvernement, lequel est collectivement responsable devant la représentation nationale tout entière, n'était, à son poste, que le mandataire d'un parti ?

C'est donc du chef de l'État, placé au-dessus des partis, élu par un collège qui englobe le Parlement mais beaucoup plus large et composé de manière à faire de lui le président de l'Union française en même temps que celui de la République, que doit procéder le pouvoir exécutif. Au chef de l'État la charge d'accorder l'intérêt général quant au choix des hommes avec l'orientation qui se dégage du Parlement. À lui la mission de nommer les ministres et, d'abord, bien entendu, le Premier, qui devra diriger la politique et le travail du gouvernement. Au chef de l'État la fonction de promulguer les lois et de prendre les décrets, car c'est envers l'État tout entier que ceux-ci et celles-là engagent les citoyens. À lui la tâche de présider les Conseils du gouvernement et d'y exercer cette influence de la continuité dont une nation ne se passe pas. À lui l'attribution de servir d'arbitre au-dessus des contingences politiques, soit normalement par le Conseil, soit, dans les moments de grave confusion, en invitant le pays à faire connaître par des élections sa décision souveraine. À lui, s'il devait arriver que la patrie fût en péril, le devoir d'être le garant de l'indépendance nationale et des traités conclus par la France.

Des Grecs, jadis, demandaient au sage Solon : « Quelle est la meilleure Constitution ? » Il répondait : « Dites-moi, d'abord, pour quel peuple et à quelle époque ? » Aujourd'hui, c'est du peuple français et des peuples de l'Union française qu'il s'agit, et à une époque bien dure et bien dangereuse ! Prenons-nous tels que nous sommes. Prenons le siècle comme il est. Nous avons à mener à bien, malgré d'immenses difficultés, une rénovation profonde qui conduise chaque homme et chaque femme de chez nous à plus d'aisance, de sécurité, de joie, et qui nous fasse plus nombreux, plus puissants, plus fraternels. Nous avons à conserver la liberté sauvée avec tant et tant de peine. Nous avons à assurer le destin de la France au milieu de tous les obstacles qui se dressent sur sa route et sur celle de la paix. Nous avons à déployer, parmi nos frères les hommes, ce dont nous sommes capables, pour aider notre pauvre et vieille mère, la Terre. Soyons assez lucides et assez forts pour nous donner et pour observer des règles de vie nationale qui tendent à nous rassembler quand, sans relâche, nous sommes portés à nous diviser contre nous-mêmes ! Toute notre histoire, c'est l'alternance des immenses douleurs d'un peuple dispersé et des fécondes grandeurs d'une nation libre groupée sous l'égide d'une État fort.

Discours prononcé à Bayeux,
le 16 juin 1946.

23.
LÉON BLUM

S'il s'est dans un premier temps montré favorable aux accords de Munich, Léon Blum s'est ensuite opposé à la voie du pacifisme et a prôné le réarmement de la France. Après la défaite militaire, le 10 juillet 1940, il refuse, comme soixante-dix-neuf autres parlementaires, d'accorder les pleins pouvoirs au maréchal Pétain.

Interné, Blum est jugé par la Cour suprême de justice installée à Riom en juillet 1940, qui doit sanctionner les politiques français considérés, par action ou inaction, comme responsables de la défaite. Il lui est notamment reproché d'avoir désarmé le pays, mais la défense de Blum prouve le contraire. Livré aux Allemands en mars 1943, Léon Blum est déporté à Buchenwald.

Nous présentons ici le discours qu'il prononce au 38e Congrès national de la SFIO, le 1er septembre 1946. Blum y assiste plus comme autorité morale que comme dirigeant, et il sait qu'il part battu. Cela ne l'empêchera pas de prendre la tête de l'éphémère Gouvernement provisoire qui précède la mise en place des institutions de la IVe République, de décembre 1946 à janvier 1947.

Ce discours reprend la question fondamentale de l'identité d'une formation politique, du noyau dur de sa doctrine qu'elle ne peut évacuer sans se renier, et des limites à poser aux politiques opportunistes guidées par l'imitation. Mais il faudra attendre le congrès d'Épinay et François Mitterrand (cf. infra, *p. 235) pour que le Parti socialiste retrouve sa personnalité, à côté et finalement au-dessus d'un Parti communiste qui, comme Léon Blum l'avait bien vu, allait structurer la gauche française, qu'elle se positionne avec lui ou contre lui, pendant encore vingt ans.*

VOUS AVEZ PEUR DES ÉLECTEURS, PEUR DE L'OPINION, PEUR DE L'ÉCHEC

J'ai assisté et participé depuis trente ans à tous nos congrès, sauf une interruption forcée. J'y ai toujours pris la parole. Je ne l'ai jamais fait avec tant de gêne et tant de trouble.

Quelque chose m'échappe dans ce qui se passe. Je ne comprends pas. Je m'épuise en vain depuis des jours et des jours à saisir clairement les causes, et surtout la proportion des causes avec les effets.

[…] J'ai beaucoup entendu dire et j'ai même lu […] que le trouble du Parti, que ses récentes déceptions ont pour origine une déviation, un affaissement de la doctrine.

Je serais pour ma part profondément heureux de penser qu'il existe dans les masses de notre parti un attachement si passionné à la doctrine, un souci si jaloux de sa pureté. Je serais heureux de penser que le vote pour ou contre le rapport moral a été déterminé dans nos sections par des discussions de doctrine sur les rapports de la lutte de classe et de l'action de classe, du matérialisme historique et du matérialisme dialectique. Je serais heureux de le penser, mais j'en doute. Et, à vrai dire, je ne crois pas qu'à aucun moment de notre histoire socialiste la doctrine du parti ait été plus cohérente, plus homogène, moins contestée qu'elle ne l'est à l'heure présente.

La vérité est que, pendant les quinze années qui ont suivi l'unité de 1905, puis pendant les quinze années qui ont suivi la scission de Tours, il s'est élaboré au sein de notre parti un corps de doctrine commune, combinant la pensée de Marx avec celle de Jaurès – qui était devenue celle du socialisme international comme celle du socialisme français –, qui ne faisait et qui ne fait l'objet d'aucune contestation, d'aucune division sérieuse.

[...] Je crois que je pourrais énoncer ici un certain nombre de principes, d'articles de catéchisme, auxquels aucun de vous ne pourra et ne voudra faire objection.

Nous sommes le Parti socialiste et notre objet est la transformation révolutionnaire de la structure sociale, c'est-à-dire du régime de la production et de la propriété.

Nous travaillons à cette transformation dans l'intérêt de l'unité humaine, de l'individu, aussi bien que dans l'intérêt de la collectivité, parce que nous considérons ces deux intérêts comme entièrement solidaires. C'est cette transformation essentielle de la structure sociale, cette « mutation » (pour emprunter une expression commode au vocabulaire de la biologie transformiste) qui constitue pour nous la révolution. C'est en ce sens que j'ai tant de fois répété qu'il n'existe pas deux espèces de socialisme, dont l'un serait révolution et l'autre ne le serait pas.

Nous pensons que cette transformation est révolutionnaire, même si elle est acquise par des moyens légaux et, à l'inverse, un soulèvement populaire victorieux qui n'aboutirait pas à la transformation sociale ne serait pas à nos yeux la révolution.

Si nous luttons pour cette transformation, ce n'est pas seulement parce qu'elle est dans le sens d'une loi de l'histoire, parce qu'elle traduit le progrès des forces de production et des rapports sociaux que ces forces déterminent. C'est aussi parce qu'elle est conforme à la justice – quand nous employons les termes de « classe exploitée » et de « classe exploiteuse », nous introduisons par là même dans notre doctrine une idée de droit –, c'est parce qu'elle mettra un terme à une iniquité séculaire, parce qu'elle mettra fin à la lutte des classes, parce que, selon le mot de Jaurès, elle réconciliera l'humanité avec elle-même, parce qu'elle assurera à l'individu le libre jeu de sa vocation naturelle et le plein développement de sa personne.

Nous croyons que cette transformation ne peut être obtenue que par l'action nationale et internationale des travailleurs groupés en partis de classe pour leur propre libération.

Nous croyons que la mutation révolutionnaire du système social a pour condition la conquête du pouvoir politique par les travailleurs organisés en partis de classe. La conquête du pouvoir n'est pas une fin en soi, mais la condition préalable et indispensable de la transformation révolutionnaire.

[...]

Est-ce que le différend, la division porte sur la tactique générale du Parti ? Je ne le crois pas davantage.

Vous savez que Marx ne s'est pas borné à affirmer que la conquête du pouvoir politique était la condition indispensable de la transformation sociale. Il a toujours affirmé que l'action de classe du prolétariat impliquait nécessairement l'action politique. Cette conception marxiste n'était plus contestée par personne depuis soixante-quinze ans. [...]

Dans un pays qui possède le suffrage universel, l'action politique signifie nécessairement l'action parlementaire et la représentation parlementaire. Et quand un parti politique a suffisamment grandi pour que son groupe parlementaire possède la majorité ou qu'il devienne un élément nécessaire de toute majorité possible, les problèmes de l'action politique deviennent les problèmes du pouvoir. Car nous ne faisons jamais que changer de problème et nous avons eu les problèmes de notre faiblesse comme nous avons aujourd'hui les problèmes de notre force.

Durant de longues années, [...] nous avons essayé d'habituer le Parti et le prolétariat français à prendre claire conscience d'une distinction capitale entre la conquête révolutionnaire du pouvoir et l'exercice du pouvoir dans les cadres de la société capitaliste encore existante.

Toutes les difficultés dont le contrecoup se fait sentir aujourd'hui dans le Parti tiennent aux incidences de l'exercice du pouvoir. [...]

N'imputez pas ces difficultés, que vous connaissez mais que nous avons toujours connues, à telle ou telle alliance de circonstance. [...] Elles tiennent à une conséquence inéluctable de l'exercice du pouvoir. Elles tiennent au fait que le Parti socialiste, par une conséquence de son action politique, peut devenir, en tout ou en partie, le représentant, le gérant de cette même société capitaliste qu'il condamne, qu'il veut détruire et qu'il veut remplacer.

Laissez-moi vous dire, avec toute la discrétion convenable, que ce problème se pose dans des conditions beaucoup plus difficiles pour nous que pour le Parti communiste.

Les communistes trouvent dans l'exercice du pouvoir, quels qu'en soient les embarras, des contreparties naturelles. D'une part, leur présence au pouvoir sert les intérêts de la Russie soviétique. D'autre part, ils pratiquent à l'intérieur du système capitaliste, en usant et abusant du pouvoir qu'ils y détiennent, un travail de destruction méthodique de ce système.

Je ne leur en fais pas un reproche, en ce sens que cette tactique, qualifiée de tactique du « cheval de Troie », est l'application naturelle de leur conception révolutionnaire générale. Mais, pour notre part, nous n'avons jamais admis que nous dussions nous introduire dans le réduit central du pouvoir, pour y placer plus sûrement nos sachets de dynamite. Quand nous exerçons ou partageons le pouvoir, dans le cadre de la société capitaliste, nous le faisons de bonne foi. Nous le faisons dans l'intérêt de la classe ouvrière, mais aussi dans l'intérêt général de la nation. Nous sommes des gérants honnêtes, loyaux. Nous n'essayons pas, assurément, de radouber, de renflouer un régime social que nous condamnons et que nous savons condamné. Nous essayons, au contraire, d'orienter son évolution, de façon à aménager entre lui et le régime socialiste les transitions les plus sûres et les plus promptes. Mais, en même temps, nous nous efforçons de servir le bien public, de faire ressortir toutes les communautés d'intérêt profondes qui lient la classe ouvrière et l'ensemble de la nation. [...]

Mais c'est de là que naissent cependant toutes nos difficultés, car nous sommes ainsi conduits à prendre apparemment à notre charge toutes les contradictions intrinsèques et irréductibles du régime capitaliste. [...] Nous avons à résoudre toutes les contrariétés d'intérêt superficielles, mais constantes en régime capitaliste, entre l'État et la classe ouvrière, entre les diverses catégories de travailleurs et de producteurs, entre les producteurs et les consommateurs. Nous provoquons ainsi des mécontentements et des déceptions inévitables et, si je comprends bien, ce sont ces mécontentements et ces déceptions accumulés qui se font sentir dans notre congrès.

[…]

Tout ce que nous pouvons et devons faire, c'est de procurer à la masse des travailleurs des contreparties et des compensations suffisantes en balance de ces inconvénients inévitables. Tout le problème de l'exercice du pouvoir se réduit à cela. […] Mais nous n'échapperons pas au problème. Nous n'y échapperions qu'en renonçant totalement à l'action politique, ce qui est hors de question. Nous n'y échapperons qu'au lendemain de la victoire complète du socialisme, pour nous trouver alors devant d'autres problèmes.

[…]

Le trouble du Parti, ce malaise dont l'analyse ne découvre pas les causes, ou qui est hors de toutes proportions raisonnables avec ses causes, je crains qu'il ne soit d'essence panique, qu'il ne traduise les formes complexes – excusez le mot – de la peur.

Je crois que, dans son ensemble, le Parti a peur. Il a peur des communistes. Il a peur du qu'en-dira-t-on communiste. C'est avec anxiété que vous vous demandez à tout instant : « Mais que feront les communistes ? Et si les communistes ne votaient pas comme nous ?… » La polémique communiste, le dénigrement communiste, agissent sur vous, vous gagnent à votre insu et vous désagrègent.

Vous avez peur des électeurs, peur des camarades qui vous désigneront ou ne vous désigneront pas comme candidats, peur de l'opinion, peur de l'échec. Et s'il y a eu altération de la doctrine, déviation, affaissement, ils sont là, ils sont dans la façon timorée, hésitante dont notre doctrine a été présentée dans les programmes électoraux, dans la propagande électorale.

[...]

Vous invoquez la nécessité du renouveau. Mais, plus que de tout le reste, vous avez peur de la nouveauté, vous avez la nostalgie de tout ce qui peut vous rapprocher de ce parti tel que vous l'avez autrefois connu et pratiqué. [...]

Vous avez peur de la nouveauté. Vous n'en voulez pas dans la confection des listes, dans le choix des candidats. Vous n'en voulez pas quand elle se présente comme un apport de forces fraîches que vous avez accueillies au lendemain de la Libération avec réticence, avec méfiance. Vous avez cette même nostalgie du passé, cette méfiance, et presque ce dédain, vis-à-vis des femmes et des jeunes. Vous ne faites pas place aux femmes sur les listes électorales. Vous ne considérez les jeunes que comme des recrues. Vous avez peur de la nouveauté jusque dans les alliances politiques.

Du moment où il n'est pas possible au Parti d'exercer seul le pouvoir, du moment où le pouvoir ne peut être détenu que par une coalition de partis, vous êtes obligés d'admettre le principe de cette coalition, mais beaucoup d'entre vous sont incapables d'imaginer une autre combinaison que celles qu'ils connaissent par expérience, dont ils ont la vieille habitude, comme les combinaisons du type Cartel ou Front populaire ; et la nostalgie vous ramène à ce passé, bien qu'il ne réponde plus à rien et que tout se soit renouvelé autour de vous, bien que vous-mêmes ayez senti impérieusement le besoin de ce renouvellement, de ce rajeunissement intérieur, non de notre doctrine, je le répète encore, mais de nos méthodes, de notre langage, de notre comportement. [...]

Je vous remercie d'avoir écouté avec bienveillance ces vérités un peu amères et un peu sévères, mais vous le voyez, si mal il y a, le mal est en vous, le mal c'est le manque d'ardeur, le manque de courage, le manque de foi.

[...]

Le mal est fait. Un discrédit a été jeté par le Parti à une heure importante et difficile. On l'exploite, on l'exploitera sans merci autour de nous, mais de cela nous n'avons pas le droit de nous plaindre. [...] Tout cela est sans remède.

Verrons-nous en retour, comme certains de vous l'espèrent, un choc, une commotion psychologique, un sursaut rendant à notre parti quelque chose de cette foi, de ce courage, de cet esprit d'abnégation qui lui manquent ? Ce serait la seule contrepartie, la seule consolation possibles, et je tâche de l'espérer avec eux. Ce que je sais, quant à moi, c'est que pour le socialisme aucune blessure ne peut être mortelle, qu'il sortira de cette crise comme de tant d'autres, et qu'une fois de plus, il fera surgir des profondeurs de la nation les forces et les hommes nécessaires à sa victoire.

Pas plus que le pays, notre parti n'a encore complètement éliminé les séquelles de la guerre et de l'occupation... Notre époque n'est pas encore celle de la réflexion individuelle, des décisions librement délibérées, des dévouements et des sacrifices volontairement consentis. Il lui faut des mots d'ordre plutôt que des convictions. Les dévouements mêmes veulent être imposés. Il semble que l'individu cherche à se délivrer de sa liberté personnelle comme d'un poids trop lourd. Ce sont des vestiges totalitaires, et le trouble de notre parti marque la contagion de ce trouble général. Mais l'imprégnation cessera et l'on verra revenir les temps qui sont les nôtres, ceux de la démocratie et du socialisme, ceux de la raison et de la justice.

Discours prononcé à Paris,
le 29 août 1946.

24.

CHARLES DE GAULLE

Quelques mois après son discours de Bayeux, Charles de Gaulle revient, à Épinal, sur la question des institutions qu'il faudrait à la France de la reconstruction. Si ces discours sont importants, c'est parce qu'ils dessinent, plus de dix ans avant qu'elles ne se mettent en place, les lignes de force de la Constitution de 1958.

À Épinal, de Gaulle revient sur le rôle structurant de l'État, et rappelle, plus qu'à Bayeux, comment il a invité le peuple français à participer à la mise en place des nouvelles institutions. Il se présente, dans la continuité de la Résistance mais plus largement encore, comme le restaurateur tout ensemble de la nation et de la République, dans une large perspective d'union.

Les règles, nous les connaissons. Pas de confusion des pouvoirs, typique d'un régime dit « d'assemblée » qui n'est, pour l'homme du 18 juin, que le régime des partis : une séparation, donc, des pouvoirs législatif, exécutif et judiciaire – mais pas une séparation stricte, comme aux États-Unis, qui ferait basculer la France dans un régime de type « présidentiel », une séparation stricte qui, en France, n'a jamais fonctionné. Ce qu'il souhaite, c'est un régime de collaboration des pouvoirs exécutif et législatif, sous l'arbitrage non du seul président, comme on l'écrit souvent, mais sous l'arbitrage conjugué du chef de l'État et d'un peuple devant lequel ce dernier est toujours responsable politiquement.

Enfin, plus encore qu'à Bayeux, de Gaulle revient sur la nécessité, en face des nouvelles crises qui s'annoncent et, déjà, de la crispation Est-Ouest, de bénéficier d'un régime capable de réagir rapidement sans s'enfermer dans d'interminables querelles politiciennes.

Si la République est sauvée, il reste à la rebâtir

Après les événements terribles que nous venons de traverser, nous comprenons mieux que jamais quelle importance capitale revêt pour notre pays, comme pour le destin de chacun de nous et de chacun de nos enfants, la manière dont s'organise et s'exerce la direction de la nation. Nous mesurons nettement les conséquences que ne peut manquer d'avoir sur notre liberté, notre labeur, nos ressources, notre puissance, notre vie même, la capacité de l'État. Bref, nous savons ce que signifie et jusqu'où se répercute la valeur ou l'infirmité des institutions. [...]

La République a été sauvée en même temps que la patrie. Tout au long de la guerre, tandis que nous luttions durement – l'histoire dira au milieu de quelles intrigues et de quelles difficultés ! – pour réveiller, rassembler, mettre en œuvre les forces rompues de la France et de l'empire, nous avons pris comme principe politique qu'il n'appartenait qu'au peuple français de décider de ses institutions, et qu'une fois réalisée la libération du pays et remportée la victoire, nous lui rendrions la disposition pleine et entière de lui-même. Le jour même où nous commencions notre mission pour le service de la

France, nous avons assumé et proclamé cet engagement. Il y avait là, d'abord, de notre part, l'effet d'une conviction aussi ferme que raisonnée. En outre, dans un conflit qui, pour la France, était idéologiquement l'opposition entre le totalitarisme et la liberté, c'eût été se renier, c'est-à-dire se détruire soi-même, que de tricher avec son idéal. Enfin, en luttant pour tous les droits de la nation, ses droits intérieurs aussi bien que ses droits extérieurs, nous donnions à notre action et à notre autorité le caractère de la légitimité, nous sauvegardions pour tous les Français le terrain sur lequel ils pourraient retrouver leur unité nationale et nous nous mettions en mesure de dresser contre tous les essais d'empiétements de l'étranger une intransigeance justifiée.

L'engagement que nous avions pris, nous l'avons purement et simplement tenu. Dès que cela fut possible, nous avons appelé à voter tous les Français et toutes les Françaises, afin d'élire d'abord les Conseils municipaux provisoires, puis les Conseils généraux, enfin une Assemblée nationale à laquelle nous avons remis immédiatement et sans réserve, comme nous l'avions toujours promis, les pouvoirs que nous exercions depuis plus de cinq lourdes années.

Entre-temps, nous avons gouverné, en appelant à nos côtés des hommes de toutes origines. Nous l'avons fait, certes, avec autorité, parce que rien ne marche autrement, et nous avons sans rémission, mais non sans peine, brisé ou dissous à mesure toutes les tentatives intérieures ou extérieures d'établir quelque pouvoir que ce fût en dehors de celui du gouvernement de la République. Peu à peu, la nation avait bien voulu nous entendre et nous suivre. Ainsi furent sauvés la maison et même quelques meubles. Ainsi le pays put-il recouvrer le trésor intact de sa souveraineté vis-à-vis de lui-même et vis-à-vis des autres.

C'est pourquoi – soit dit en passant – nous accueillons avec un mépris de fer les dérisoires imputations d'ambitions dictatoriales, que certains, aujourd'hui, prodiguent à notre égard et qui sont exactement les mêmes que celles dont, depuis le 18 juin 1940, nous fûmes comblé, sans en être accablé, par l'ennemi et ses complices, par la tourbe des intrigants mal satisfaits, enfin par certains étrangers qui visaient à travers notre personne l'indépendance de la France et l'intégrité de ses droits.

Mais, si la République est sauvée, il reste à la rebâtir. À cet égard, nous avons toujours fait nettement connaître à la nation quelle était la conception du salut après les terribles leçons que nous venons d'essuyer et devant les durs obstacles que nous avons à franchir. Nous l'avons fait, convaincu que cette conception répondait au sentiment profond du peuple, même si l'embrigadement dans les partis devait en contrarier l'expression. Nous répétons aujourd'hui ce que nous n'avons cessé de dire sous beaucoup de formes et en beaucoup d'occasions.

Il nous paraît nécessaire que l'état démocratique soit l'état démocratique, c'est-à-dire que chacun des trois pouvoirs publics : exécutif, législatif, judiciaire, soit un pouvoir mais un seul pouvoir, que sa tâche se trouve limitée et séparée de celle des autres et qu'il en soit seul, mais pleinement, responsable. Cela afin d'empêcher qu'il règne dans les pouvoirs de l'État cette confusion qui les dégrade et les paralyse ; cela aussi afin de faire en sorte que l'équilibre établi entre eux ne permette à aucun d'en écraser aucun autre, ce qui conduirait à l'anarchie d'abord et, ensuite, à la tyrannie, soit d'un homme, soit d'un groupe d'hommes, soit d'un parti, soit d'un groupement de partis.

Il nous paraît nécessaire que le chef de l'État en soit un, c'est-à-dire qu'il soit élu et choisi pour représenter réellement la France et l'Union française, qu'il lui appartienne, dans notre pays si divisé, si affaibli et si menacé, d'assurer au-dessus des partis le fonctionnement régulier des institutions et de faire valoir, au milieu des contingences politiques, les intérêts permanents de la nation. Pour que le président de la République puisse remplir de tels devoirs, il faut qu'il ait l'attribution d'investir les gouvernements successifs, d'en présider les Conseils et d'en signer les décrets, qu'il ait la possibilité de dissoudre l'Assemblée élue au suffrage direct au cas où nulle majorité cohérente ne permettrait à celle-ci de jouer normalement son rôle législatif ou de soutenir aucun gouvernement, enfin qu'il ait la charge d'être, quoi qu'il arrive, le garant de l'indépendance nationale, de l'intégrité du territoire et des traités signés par la France.

Il nous paraît nécessaire que le gouvernement de la France en soit un, c'est-à-dire une équipe d'hommes unis par des idées et des convictions semblables, rassemblés pour l'action commune autour d'un chef et sous sa direction, collectivement responsables de leurs actes devant l'Assemblée nationale, mais réellement et obligatoirement solidaires dans tous leurs actes, dans tous leurs mérites et dans toutes leurs erreurs, faute de quoi il peut y avoir une figuration exécutive mais non pas de gouvernement.

Il nous paraît nécessaire que le Parlement en soit un, c'est-à-dire qu'il fasse les lois et contrôle le gouvernement sans gouverner lui-même, ni directement, ni par personnes interposées. Ceci est un point essentiel et qui implique, évidemment, que le pouvoir exécutif ne procède pas du législatif, même par une voie détournée qui serait inévitablement celle des empiétements et des marchandages. Le Parlement doit comporter deux Chambres : l'une prépondérante, l'Assemblée nationale, élue au suffrage direct ; la seconde, le Conseil de la République, élue par les Conseils généraux et municipaux, complétant la première, notamment en faisant valoir, dans la confection des lois, les points de vue financier, administratif et local qu'une Assemblée purement politique a fatalement tendance à négliger.

Il nous paraît nécessaire que la justice soit la justice, c'est-à-dire indépendante de toutes influences extérieures, en particulier des influences politiques. Si donc, comme il est raisonnable, la justice s'administre en un Conseil de la magistrature, encore serait-il indispensable que ce Conseil demeurât fermé aux interventions des partis.

Il nous paraît nécessaire que l'Union française soit une union et soit française, c'est-à-dire que les peuples d'outre-mer qui sont liés à notre destin aient la faculté de se développer suivant leur caractère propre et accèdent à la gestion de leurs affaires particulières à mesure de leurs progrès, qu'ils soient associés à la France pour la délibération de leurs intérêts et que la France maintienne sa prééminence pour ce qui est commun à tous : politique étrangère, défense nationale, communications, affaires économiques d'ensemble. Ces conditions impliquent, d'une part, des institutions locales propres à chacun des territoires et, d'autre part, des institutions communes : Conseil des États, Assemblée de l'Union française, président de l'Union française, ministres chargés des affaires communes à tous.

Depuis que le travail constituant a commencé de s'accomplir, la grande voix du peuple a pu se faire entendre directement à deux reprises et chaque fois dans le sens de ce qu'il faut réaliser. Voici que, de nouveau, les constituants viennent de terminer leur travail. Il convient maintenant d'en juger.

Quant à nous, nous déclarons que malgré quelques progrès réalisés par rapport au précédent, le projet de Constitution qui a été adopté la nuit dernière par l'Assemblée nationale ne nous paraît pas satisfaisant. Nous-même, d'ailleurs, serions surpris qu'en fussent aucunement satisfaits beaucoup de ceux qui l'ont voté pour des raisons bien éloignées, sans doute, du problème constitutionnel lui-même. Car c'est une des caractéristiques étranges de la vie politique d'aujourd'hui que les questions s'y traitent, non dans leur fond et telles qu'elles se posent, mais sous l'angle de ce qu'il est convenu d'appeler la « tactique » et qui conduit parfois, semble-t-il, à abandonner les positions qu'on avait juré de défendre. Mais nous, qui ne pratiquons point un art aussi obscur et qui pensons, au contraire, que pour la France rien n'est plus important que de restaurer au plus tôt l'efficience et l'autorité de l'État républicain, nous estimons que le résultat acquis ne peut être approuvé parce qu'il ne répond pas aux conditions nécessaires.

Car enfin, alors qu'il apparaît à tous à quel point l'État est enrayé, à la fois par l'omnipotence et par la division des partis, est-il bon de faire en sorte que ces partis disposent en fait, directement, à leur gré et sans contrepoids, de tous les pouvoirs de la République ?

Alors que tout le monde constate les fâcheux effets qu'entraînent la dépendance des ministres par rapport aux divers partis et le défaut de leur solidarité, est-il bon de faire en sorte que ce système devienne définitif ? Or que sera l'indépendance du gouvernement si c'est de l'investiture de son chef par les partis que procède l'exécutif avant même d'être constitué ? Que sera sa solidarité si chaque ministre est responsable séparément et pour son compte devant l'Assemblée nationale ?

Alors que tout révèle la gravité de la situation financière du pays, est-il bon d'attribuer à l'Assemblée nationale l'initiative des dépenses, de refuser au Conseil de la République la possibilité de s'y opposer et de faire élire celui-ci de telle manière qu'il ne fasse que refléter l'autre Assemblée ?

Alors que n'échappe à personne l'importance que revêt, pour chaque citoyen, l'indépendance de la justice, est-il bon de remettre l'administration de celle-ci à un Conseil dont la moitié serait élue par les partis ?

Alors que les événements soulèvent dans les territoires d'outre-mer tant de courants impétueux et attirent sur eux les intrigues et les désirs des étrangers, est-il bon que les institutions de l'Union française soient accrochées à des organes sans force ?

Alors que nos institutions doivent avoir pour base le libre choix des citoyens, est-il bon que ceux-ci ne soient pas consultés sur la manière générale dont ils voudraient élire leurs mandataires et que, pour l'avenir, on dépouille le peuple du droit qu'il s'était réservé de décider lui-même par référendum en matière constitutionnelle ?

Franchement non ! Un pareil compromis ne nous paraît pas être un cadre qui soit digne de la République. Après d'affreuses blessures physiques et morales, la mort ou l'épuisement des meilleurs, l'engloutissement de la moitié de notre fortune nationale, la ruine de notre budget, les détestables divisions jetées, comme toujours, dans l'esprit public par les malheurs de la nation, la France peut et doit trouver son nouvel équilibre politique, économique, moral et social, mais il lui faut, pour y parvenir, un État équilibré. Dans ce monde dur et dangereux, où le groupement ambitieux des Slaves, réalisé bon gré mal gré sous l'égide d'un pouvoir sans bornes, se dresse automatiquement en face de la jeune Amérique toute débordante de ressources et qui vient de découvrir à son tour les perspectives de la puissance guerrière, alors que l'Occident de l'Europe est, pour un temps, ruiné et déchiré, la France et l'Union française n'ont de chances de sauvegarder leur indépendance, leur sécurité et leurs droits que si l'État est capable de porter, dans un sens déterminé, une responsabilité pesante et continue. Nous ne résoudrons les vastes problèmes du présent et de l'avenir : conditions de la vie des personnes et des familles et, d'abord, des moins avantagées ; activité économique du pays ; restauration financière ; réformes sociales et familiales ; organisation de l'Union française ; défense nationale ; refonte de l'administration ; position et action de la France dans le monde, que sous la conduite d'un État juste et fort.

Ces convictions-là sont les nôtres. Elles n'ont pas de parti. Elles ne sont ni de gauche, ni de droite. Elles n'ont qu'un seul objet, qui est d'être utile au pays. Ils le savent bien et elles le savent bien tous les hommes et toutes les femmes de chez nous, dont nous avons eu souvent l'honneur et le réconfort de toucher le cœur et d'atteindre l'esprit en leur demandant de se joindre à nous pour servir la France. Cette fois encore, nous sommes certain que la clarté et la fermeté, qui sont toujours les habiletés suprêmes, l'emporteront en définitive, et qu'ainsi naîtront pour la France les institutions républicaines de son salut et de son renouveau.

Vive la République ! Vive la France !

Discours prononcé à Épinal,
le 29 septembre 1946.

25.
DAVID BEN GOURION

Le sionisme, cette thèse selon laquelle la diaspora juive doit se regrouper sur la terre de ses ancêtres et y fonder un État indépendant, date politiquement de la fin du XIXe siècle, avec la publication de L'État des Juifs *de Theodor Herzl en 1896, et le premier congrès sioniste l'année suivante. De fait, des communautés juives, confrontées aux pogroms de l'Europe de l'Est, émigrent vers la Palestine dès le début du XXe siècle. Et en 1917, pour la première fois, Lord Balfour, ministre des Affaires étrangères du gouvernement britannique – la Palestine qui appartenait à l'État ottoman étant passée sous mandat britannique à la fin de la Grande Guerre –, évoque, dans une déclaration restée célèbre, la création d'un « foyer national pour le peuple juif ».*

David Ben Gourion (1886-1973), né en Pologne, émigre en Palestine en 1906, et s'occupe de mettre en place des organisations juives d'autodéfense. La tension se renforce en effet entre les deux guerres, car la Palestine connaît de nombreuses émeutes arabes dirigées contre les colons juifs, tandis que les Anglais tentent de limiter l'immigration juive.

À la fin de la Seconde Guerre mondiale, des mouvements juifs extrémistes, comme le groupe Stern ou l'Irgoun, organisent des actions spectaculaires, principalement dirigées contre les Anglais, faisant de nombreux morts. Ben Gourion pour sa part prend en main la Haganah, une force armée qui sera le noyau de la future armée d'Israël et qui organise l'immigration de nombreux Juifs en Palestine, contre la volonté britannique.

*En 1947, l'affaire de l'*Exodus*, un bateau transportant cinq mille Juifs immigrants clandestins (dont beaucoup de rescapés des camps d'extermination) stoppés et renvoyés sans ménagement vers l'Allemagne par les Britanniques, alerte l'opinion publique internationale et bouleverse les choses. Le 29 novembre 1947, sous l'égide de l'Organisation des Nations unies, un plan de partage de la Palestine est adopté, déclenchant aussitôt des affrontements entre civils juifs et arabes. Le 14 mai 1948, l'État d'Israël est créé et déclare son indépendance, tandis que les Britanniques commencent à quitter le territoire le lendemain.*

CRÉATION DE L'ÉTAT D'ISRAËL

La terre d'Israël est le lieu où naquit le peuple juif. C'est là que s'est formée son identité spirituelle, religieuse et nationale. C'est là qu'il a réalisé son indépendance et créé une culture qui a une signification nationale et universelle. C'est là qu'il a écrit la Bible et l'a offerte au monde.

Contraint à l'exil, le peuple juif est resté fidèle à la terre d'Israël dans tous les pays où il s'est trouvé dispersé, ne cessant jamais de prier et d'espérer y revenir pour rétablir sa liberté nationale.

Motivés par ce lien historique, les Juifs ont lutté au cours des siècles, pour revenir sur la terre de leurs ancêtres et retrouver leur État. Au cours des dernières décennies, ils sont revenus en masse. Ils ont mis en valeur les terres incultes, ont fait renaître leur langue, ont construit des villes et des villages, et ont installé une communauté entreprenante et en plein développement qui a sa propre vie économique et culturelle. Ils ont recherché la paix tout en étant prêts à se défendre. Ils ont apporté les bienfaits du progrès à tous les habitants du pays et se sont préparés à l'indépendance souveraine.

En 1897, le premier congrès sioniste, inspiré par la vision de l'État juif de Theodor Herzl, a proclamé le droit du peuple juif au renouveau national dans son propre pays.

Ce droit a été reconnu par la Déclaration Balfour du 2 novembre 1917, et réaffirmé par le mandat de la Société des Nations qui a apporté une reconnaissance internationale formelle au lien historique du peuple juif avec la Palestine et à son droit de rétablir son Foyer national.

Le récent holocauste, qui a anéanti des millions de Juifs en Europe, a de nouveau montré le besoin de résoudre le problème dû au manque de patrie et d'indépendance du peuple juif, par le rétablissement de l'État juif, qui ouvrirait ses portes à tous les Juifs et conférerait au peuple juif un statut d'égalité au sein de la communauté des nations.

Les survivants du terrible massacre en Europe, de même que les Juifs venus des autres pays, n'ont pas abandonné leurs efforts pour rejoindre Israël, en dépit des difficultés, des obstacles et des périls ; et ils n'ont pas cessé de revendiquer leur droit à une vie de dignité, de liberté et de travail honnête sur la terre de leurs ancêtres.

Pendant la Seconde Guerre mondiale, la communauté juive de Palestine a apporté sa pleine contribution au combat des nations éprises de liberté contre le fléau nazi. Les sacrifices de ses soldats et son effort de guerre lui ont valu le droit de figurer parmi les nations qui ont fondé l'Organisation des Nations unies.

Le 29 novembre 1947, l'Assemblée générale des Nations unies a adopté une résolution recommandant la création d'un État juif en Palestine. L'Assemblée générale a demandé aux habitants de ce pays de prendre toutes les mesures nécessaires pour l'application de cette résolution. Cette reconnaissance par les Nations unies du droit du peuple juif à établir son État indépendant est irrévocable.

C'est là le droit naturel du peuple juif de mener, comme le font toutes les autres nations, une existence indépendante dans son État souverain.

En conséquence, nous, membres du Conseil national, représentant la communauté juive de Palestine et le Mouvement sioniste mondial, sommes réunis en assemblée solennelle aujourd'hui, jour de la cessation du mandat britannique en Palestine, et en vertu du droit naturel et historique du peuple juif et conformément à la résolution de l'Assemblée générale des Nations unies.

Nous proclamons la création de l'État juif en Palestine qui portera le nom d'État d'Israël.

Nous déclarons qu'à compter de la fin du mandat, à minuit, dans la nuit du 14 au 15 mai 1948, et jusqu'à ce que les organismes de l'État régulièrement élus conformément à une Constitution qui sera élaborée par une Assemblée constituante d'ici au 1er octobre 1948, le Conseil national agira en qualité de Conseil provisoire de l'État, et l'Administration nationale fera fonction de gouvernement provisoire de l'État juif, qui sera appelé Israël.

L'État d'Israël sera ouvert à l'immigration des Juifs de tous les pays où ils sont dispersés ; il veillera au développement du pays au bénéfice de tous ses habitants ; il sera fondé sur les principes de liberté, de justice et de paix ainsi que cela avait été conçu par les prophètes d'Israël ; il assurera une complète égalité sociale et politique à tous ses citoyens, sans distinction de religion, de race ou de sexe ; il garantira la liberté de culte, de conscience, d'éducation et de culture ; il assurera la protection des Lieux saints de toutes les religions, et respectera les principes de la Charte des Nations unies.

L'État d'Israël est prêt à coopérer avec les organismes et les représentants des Nations unies pour l'application de la résolution adoptée par l'Assemblée générale le 29 novembre 1947 et à prendre toutes les mesures nécessaires pour la mise en place de l'Union économique sur l'ensemble de la Palestine.

Nous demandons aux Nations unies d'aider le peuple juif à édifier son État et d'admettre Israël dans la famille des nations.

Victimes d'une agression caractérisée, nous demandons cependant aux habitants arabes de l'État d'Israël de préserver les voies de la paix et de jouer leur rôle dans le développement de l'État, sur la base d'une citoyenneté pleine et égalitaire et d'une juste représentation dans tous les organismes et les institutions – provisoires et permanents – de l'État.

Nous tendons notre main en signe de paix et de bon voisinage à tous les États qui nous entourent et à leurs peuples, et nous les invitons à coopérer avec la nation juive indépendante pour le bien commun de tous. L'État d'Israël est prêt à apporter sa contribution au progrès du Proche-Orient dans son ensemble.

Nous demandons au peuple juif de par le monde de se tenir à nos côtés dans la tâche d'immigration et de développement et de nous aider dans le grand combat pour la réalisation du rêve des générations passées : la rédemption d'Israël.

Confiants en l'Éternel Tout-Puissant, nous signons cette déclaration en cette séance du Conseil provisoire de l'État, sur le sol de la patrie, dans la ville de Tel-Aviv, cette veille du shabbath, 5 Iyar 5708, 14 mai 1948.

Proclamation de l'État d'Israël,
le 14 mai 1948.

26.

ROBERT SCHUMAN

Robert Schuman (1886-1963), allemand de naissance (une conséquence de la guerre de 1870 puisque son père, habitant dans la partie de la Lorraine annexée par l'Allemagne, était devenu allemand en 1871), fait ses études de droit en Allemagne et devient avocat à Metz en 1912. Pendant le premier conflit mondial, il est officier d'administration territoriale allemande. En 1918, il devient membre du Conseil municipal de Metz, puis député de la Moselle (1919-1940), un territoire pour lequel ce catholique a préconisé le maintien du Concordat.

En mars 1940, Robert Schuman est nommé sous-secrétaire d'État pour les Réfugiés, dans le gouvernement de Paul Reynaud d'abord, puis, après juin, dans celui du maréchal Pétain. Le 10 juillet 1940, avec cinq cent soixante-huit autres parlementaires, il vote d'ailleurs les « pleins pouvoirs » à ce dernier. Mais, de retour en Lorraine, s'opposant à la nouvelle germanisation du territoire, il est emprisonné puis mis en résidence surveillée. Il s'évade et rejoint la zone libre en 1942, passant d'abbaye en abbaye, priant pour la paix.

À la Libération, le général de Gaulle lui évite un procès, ce qui lui permet d'occuper des postes de premier plan sous la IVe République : il retrouve son siège de député de la Moselle de 1946 à 1962, et devient président du Conseil MRP (Mouvement républicain populaire) en 1947. Mais Robert Schuman a surtout été, comme ministre des Affaires étrangères de 1948 à 1952, le négociateur français des traités qui ont dessiné l'Europe de l'Ouest nouvelle, qu'il s'agisse de la création du Conseil de l'Europe, de la signature du traité de l'Atlantique nord donnant naissance à l'OTAN, ou de la mise en place de la CECA (Communauté européenne du charbon et de l'acier), première communauté européenne.

Dans cette déclaration du 9 mai 1950, il propose de faire l'Europe en liant d'abord économiquement les États entre eux, avant une union politique qu'il ne voit pas encore se dessiner, et avec comme premier objectif les domaines alors essentiels du charbon et de l'acier. Les productions française et allemande devaient être soumises à une Haute Autorité commune : ce sera celle de la CECA. Notons que ces deux productions n'existent plus guère dans l'Europe de 2009…

Au fil des accroissements de compétences, des nouveaux traités et des nouvelles adhésions, cette première étape de la construction européenne qu'était la CECA a débouché sur l'actuelle Union européenne. Le Parlement européen a fort logiquement décerné le titre de « Père de l'Europe » à Robert Schuman.

Une Europe pour la paix

La paix mondiale ne saurait être sauvegardée sans des efforts créateurs à la mesure des dangers qui la menacent.

La contribution qu'une Europe organisée et vivante peut apporter à la civilisation est indispensable au maintien des relations pacifiques. En se faisant depuis plus de vingt ans le champion d'une Europe unie, la France a toujours eu pour objet essentiel de servir la paix. L'Europe n'a pas été faite, nous avons eu la guerre.

L'Europe ne se fera pas d'un coup, ni dans une construction d'ensemble : elle se fera par des réalisations concrètes créant d'abord une solidarité de fait. Le rassemblement des nations européennes exige que l'opposition séculaire de la France et de l'Allemagne soit éliminée. L'action entreprise doit toucher au premier chef la France et l'Allemagne.

Dans ce but, le gouvernement français propose immédiatement l'action sur un point limité mais décisif.

Le gouvernement français propose de placer l'ensemble de la production franco-allemande de charbon et d'acier sous une Haute Autorité commune, dans une organisation ouverte à la participation des autres pays d'Europe.

La mise en commun des productions de charbon et d'acier assurera immédiatement l'établissement de bases communes de développement économique, première étape de la Fédération européenne, et changera le destin de ces régions longtemps vouées à la fabrication des armes de guerre dont elles ont été les plus constantes victimes.

La solidarité de production qui sera ainsi nouée manifestera que toute guerre entre la France et l'Allemagne devient non seulement impensable, mais matériellement impossible. L'établissement de cette unité puissante de production ouverte à tous les pays qui voudront y participer, aboutissant à fournir à tous les pays qu'elle rassemblera les éléments fondamentaux de la production industrielle aux mêmes conditions, jettera les fondements réels de leur unification économique.

Cette production sera offerte à l'ensemble du monde sans distinction ni exclusion, pour contribuer au relèvement du niveau de vie et au développement des œuvres de paix. L'Europe pourra, avec des moyens accrus, poursuivre la réalisation de l'une de ses tâches essentielles : le développement du continent africain.

Ainsi sera réalisée simplement et rapidement la fusion d'intérêts indispensable à l'établissement d'une communauté économique qui introduit le ferment d'une communauté plus large et plus profonde entre des pays longtemps opposés par des divisions sanglantes.

Par la mise en commun de productions de base et l'institution d'une Haute Autorité nouvelle, dont les décisions lieront la France, l'Allemagne et les pays qui y adhéreront, cette proposition réalisera les premières assises concrètes d'une Fédération européenne indispensable à la préservation de la paix.

Pour poursuivre la réalisation des objectifs ainsi définis, le gouvernement français est prêt à ouvrir des négociations sur les bases suivantes.

La mission impartie à la Haute Autorité commune sera d'assurer dans les délais les plus rapides : la modernisation de la production et l'amélioration de sa qualité ; la fourniture à des conditions identiques du charbon et de l'acier sur le marché français et sur le marché allemand, ainsi que sur ceux des pays adhérents ; le développement de l'exportation commune vers les autres pays ; l'égalisation dans le progrès des conditions de vie de la main-d'œuvre de ces industries.

Pour atteindre ces objectifs à partir des conditions très disparates dans lesquelles sont placées actuellement les productions des pays adhérents, à titre transitoire, certaines dispositions devront être mises en œuvre, comportant l'application d'un plan de production et d'investissements, l'institution de mécanismes de péréquation des prix, la création d'un fonds de reconversion facilitant la rationalisation de la production. La circulation du charbon et de l'acier entre les pays adhérents sera immédiatement affranchie de tout droit de douane et ne pourra être affectée par des tarifs de transport différentiels. Progressivement se dégageront les conditions assurant spontanément la répartition la plus rationnelle de la production au niveau de productivité le plus élevé.

À l'opposé d'un cartel international tendant à la répartition et à l'exploitation des marchés nationaux par des pratiques restrictives et le maintien de profits élevés, l'organisation projetée assurera la fusion des marchés et l'expansion de la production.

Les principes et les engagements essentiels ci-dessus définis feront l'objet d'un traité signé entre les États et soumis à la ratification des parlements. Les négociations indispensables pour préciser les mesures d'application seront poursuivies avec l'assistance d'un arbitre désigné d'un commun accord ; celui-ci aura charge de veiller à ce que les accords soient conformes aux principes et, en cas d'opposition irréductible, fixera la solution qui sera adoptée.

La Haute Autorité commune chargée du fonctionnement de tout le régime sera composée de personnalités indépendantes désignées sur une base paritaire par les gouvernements ; un président sera choisi d'un commun accord par les gouvernements ; ses décisions seront exécutoires en France, en Allemagne et dans les autres pays adhérents. Des dispositions appropriées assureront les voies de recours nécessaires contre les décisions de la Haute Autorité.

Un représentant des Nations unies auprès de cette autorité sera chargé de faire deux fois par an un rapport public à l'ONU, rendant compte du fonctionnement de l'organisme nouveau, notamment en ce qui concerne la sauvegarde de ses fins pacifiques.

L'institution de la Haute Autorité ne préjuge en rien du régime de propriété des entreprises. Dans l'exercice de sa mission, la Haute Autorité commune tiendra compte des pouvoirs conférés à l'Autorité internationale de la Ruhr et des obligations de toute nature imposées à l'Allemagne, tant que celles-ci subsisteront.

Déclaration du 9 mai 1950.

27.

JEAN MONNET

Jean Monnet (1888-1979), issu d'une famille de négociants en cognac, travaille à l'exportation. À dix-huit ans, il vit pour cela à Londres, et voyage souvent aux États-Unis.

En 1914, réformé, il propose au gouvernement de créer une structure de coordination des flottes marchandes française et anglaise pour faciliter les transports maritimes. En 1919, il aide à la mise sur pied d'une Société des Nations dont il sera Secrétaire général adjoint de 1920 à 1923. Mais il démissionne pour développer le commerce d'alcool… à Saint-Pierre-et-Miquelon, alors que la prohibition américaine oblige à un trafic dominé par la mafia.

Les débuts de la Seconde Guerre mondiale le voient renouer, en France, avec son idée de coopération anglo-française, cette fois autour de la production d'armement. Il essaie ensuite, en 1940, de mettre sur pied une fusion de la France et du Royaume-Uni. En août 1940, il représente le gouvernement anglais aux États-Unis et persuade Roosevelt de relancer son industrie de guerre.

Membre du Comité français de la Libération nationale d'Alger, il négocie auprès du gouvernement américain les premiers prêts. À la Libération, il est logiquement nommé Commissaire au Plan, de décembre 1945 à 1952, devenant le père des plans quinquennaux de la reconstruction.

Jean Monnet travaille aussi sur le projet de Communauté européenne du charbon et de l'acier, et devient, de 1952 à 1955, le premier président de sa Haute Autorité, estimant d'ailleurs avoir pour cela droit à un rang protocolaire de chef d'État. C'est alors qu'il veut aller trop vite dans l'unification européenne, proposant à l'Europe des Six une Communauté européenne de défense (CED). Mais le Parlement français, du fait notamment des votes communistes et gaullistes, rejette le projet en 1954.

Monnet démissionne alors pour créer un Comité d'action pour les États-Unis d'Europe, à vocation ouvertement fédéraliste, espérant créer une Europe qui verrait disparaître à son profit la souveraineté des États. Il repose depuis 1988 au Panthéon : « Aux grands hommes, la Patrie reconnaissante »…

UNE EUROPE FÉDÉRÉE

Nous nous trouvons à un moment opportun pour parler de la création de l'Europe. Dans peu de mois, la Communauté européenne du charbon et de l'acier sera une réalité. Le plan Pleven pour la création d'une armée européenne passe, à son tour, par les étapes que le plan Schuman a déjà franchies. Après un an de travail, le traité établissant la Communauté européenne de défense sera bientôt signé par les gouvernements qui participent déjà au plan Schuman. L'application du plan Schuman va entraîner la suppression, en ce qui concerne le charbon et l'acier, des droits de douane, des contingents entre les pays participants ainsi que de toutes les pratiques discriminatoires et restrictives.

[…] Les institutions créées par le plan Schuman et le plan Pleven ouvriront une brèche dans la citadelle de la souveraineté nationale qui barre la route à l'unité de l'Europe et qui n'a été menacée par aucun des accords internationaux de coopération que nous connaissons bien. Depuis mille ans, la souveraineté nationale s'est manifestée en Europe par le développement du nationalisme, et par de vaines et sanglantes tentatives d'hégémonie d'un pays sur les autres. Dans le système des accords internationaux, les intérêts nationaux restent souverains, les gouvernements retiennent tous leurs pouvoirs, les décisions ne peuvent être prises qu'à l'unanimité. Finalement, les Européens restent divisés entre eux. Dans ce cadre, la coopération s'arrête quand les intérêts nationaux divergent et la guerre demeure leur ultime recours. L'établissement d'institutions et de règles communes assurant la fusion des souverainetés nationales unira les Européens sous une autorité commune et éliminera les causes fondamentales des conflits.

[...] La Grande-Bretagne, en raison surtout de sa position particulière comme centre du Commonwealth, n'a pas jugé pouvoir apporter sa pleine participation lorsque le plan Schuman, puis l'armée européenne ont été proposés. Nous comprenons ses raisons. Nous serons toujours heureux de l'accueillir parmi nous. Nous avons l'assurance d'ailleurs que les Anglais s'associeront à nous de la manière la plus étroite. Avec leur appui ainsi que celui des États-Unis, dans le cadre de la Communauté atlantique, nous sommes convaincus que nous pourrons ensemble faire de grands progrès dans la réalisation complète de nos projets. [...]

Nous sommes résolus à agir. Nous sommes résolus à faire l'unité de l'Europe et à la faire rapidement. Avec le plan Schuman et avec l'armée européenne, nous avons posé les fondations sur lesquelles nous pourrons construire les États-Unis d'Europe, libres, vigoureux, pacifiques et prospères.

Discours prononcé devant le National Press Club,
à Washington,
le 30 avril 1952.

28.

ABBÉ PIERRE

Henri Grouès, dit l'abbé Pierre (1912-2007), prêtre catholique, s'est engagé dans la Résistance avant d'être élu député du Mouvement républicain populaire (MRP) aux Assemblées nationales constituantes de 1945 et 1946 puis à l'Assemblée nationale de 1946 à 1950. De 1950 à 1951, il préfère rejoindre les rangs de la Ligue de la jeune République, un mouvement de chrétiens de gauche, proche du socialisme.

Mais c'est en marge de son action politique que l'abbé Pierre va tenter d'influer sur les conditions de vie des plus pauvres, tandis que la France se reconstruit. Il fonde en 1949 le mouvement Emmaüs, centré autour de communautés qui construisent pour eux ces logements si nécessaires dans l'après-guerre. Ces communautés reçoivent des dons mais ont aussi vocation à s'autofinancer grâce à la revente d'objets de récupération, d'où le terme de chiffonniers qui leur est rapidement accolé.

N'hésitant pas à utiliser les médias modernes, l'abbé Pierre participe en 1952 au jeu « Quitte ou double », sur Radio Monte-Carlo, pour gagner de quoi financer les communautés qui se créent. Mais c'est en 1954 qu'il devient célèbre en lançant, pour aider les sans-abri qui risquent de mourir de froid tant les conditions climatiques sont rigoureuses cet hiver-là, un appel à la solidarité française sur Radio-Luxembourg.

Cet appel sera un immense succès. Il rapporte d'une part la somme stupéfiante de cinq cents millions de francs en numéraire, et, d'autre part, des dons en nature d'un tel volume que l'on est obligé de les stocker dans des dépôts. L'élan était donné, et de nombreux bénévoles se présentent pour aider le mouvement.

L'abbé Pierre structure alors les Compagnons d'Emmaüs, lieux d'accueil pour les sans-abri, mais, surtout, lieu où l'on veille à leur permettre de retrouver leur dignité en leur trouvant un travail. Les chiffonniers d'Emmaüs existent encore, perpétuant l'idéal d'entraide de leur fondateur qui, sondage après sondage, est resté jusqu'à sa mort l'une des personnalités préférées des Français.

APPEL DE L'HIVER 1954

Mes amis, au secours… Une femme vient de mourir gelée, cette nuit à trois heures, sur le trottoir du boulevard Sébastopol, serrant sur elle le papier par lequel, avant-hier, on l'avait expulsée… Chaque nuit, ils sont plus de deux mille recroquevillés sous le gel, sans toit, sans pain, plus d'un presque nu. Devant l'horreur, les cités d'urgence, ce n'est même plus assez urgent !

Écoutez-moi : en trois heures, deux premiers centres de dépannage viennent de se créer : l'un sous la tente au pied du Panthéon, rue de la Montagne-Sainte-Geneviève ; l'autre à Courbevoie. Ils regorgent déjà, il faut en ouvrir partout. Il faut que ce soir même, dans toutes les villes de France, dans chaque quartier de Paris, des pancartes s'accrochent sous une lumière dans la nuit, à la porte de lieux où il y ait couvertures, paille, soupe, et où l'on lise sous ce titre « Centre fraternel de dépannage », ces simples mots : « Toi qui souffres, qui que tu sois, entre, dors, mange, reprends espoir, ici on t'aime. »

La météo annonce un mois de gelées terribles. Tant que dure l'hiver, que ces centres subsistent, devant leurs frères mourant de misère, une seule opinion doit exister entre hommes : la volonté de rendre impossible que cela dure. Je vous prie, aimons-nous assez tout de suite pour faire cela. Que tant de douleur nous ait rendu cette chose merveilleuse : l'âme commune de la France. Merci ! Chacun de nous peut venir en aide aux « sans-abri ». Il nous faut pour ce soir, et au plus tard pour demain : cinq mille couvertures, trois cents grandes tentes américaines, deux cents poêles catalytiques.

Déposez-les vite à l'hôtel Rochester, 92, rue de La Boétie. Rendez-vous des volontaires et des camions pour le ramassage, ce soir à 23 heures, devant la tente de la montagne Sainte-Geneviève. Grâce à vous, aucun homme, aucun gosse ne couchera ce soir sur l'asphalte ou sur les quais de Paris.

Merci !

Appel radiodiffusé
du 1er février 1954.

29.

NIKITA KHROUCHTCHEV

Nikita Sergeïevitch Khrouchtchev (1894-1971), surnommé « Monsieur K », dirige l'URSS de la mort de Staline, le 5 mars 1953, à son éviction, le 14 octobre 1964, d'abord en tant que Premier secrétaire du Parti communiste de l'Union soviétique et, à partir de 1958, en tant que chef du gouvernement.

Celui qui devait devenir le représentant par excellence de la déstalinisation était pourtant un protégé et un intime du dictateur. De 1938 à 1949, il organise la politique de purges politiques, de pillage économique et de « dékoulakisation », cette expropriation-élimination des paysans propriétaires, en Ukraine. Membre du Politburo en 1939, il met en œuvre la politique d'annexion de la Pologne orientale. C'est lui aussi qui, en 1952, prépare les nouveaux statuts qui, en remplaçant le Politburo par le Præsidium, renforcent le pouvoir personnel du Premier secrétaire.

À la mort de Staline, les staliniens sont écartés – sans être exécutés –, et en 1956, le XXe Congrès du Parti communiste renoue avec un léninisme qui aurait été abandonné par l'ancien dirigeant. C'est à la fin de ce congrès que Khrouchtchev lit, aux seuls délégués soviétiques, son fameux « rapport secret » dont suivent des extraits. Staline y est décrit comme ayant gouverné par la terreur, pour son seul profit, à rebours d'un Lénine qui se serait méfié et aurait tenté de l'écarter du pouvoir à la fin de sa vie. Le « rapport secret » sera largement diffusé, et conduira, par exemple, à la rupture avec une Chine qui continue alors à honorer Staline.

La diffusion internationale du rapport permet de donner une nouvelle image de l'URSS. Khrouchtchev veut mener une politique internationale de « coexistence pacifique », qui toutefois ne s'étend pas aux pays frères, comme le prouve la manière dont fut matée la révolte hongroise de 1956, et n'empêche pas de tenter une épreuve de force avec le grand rival américain, comme lors de la crise des missiles de Cuba en 1962.

Cette crise, et le renoncement de l'URSS à installer ses missiles dans l'île sud-américaine, sont d'ailleurs le point de départ d'une critique interne qui conduit à la chute de Khrouchtchev. Menés par Léonid Brejnev, soutenus par le KGB, les opposants parviennent à obtenir un vote du Præsidium du Comité central qui retire à Khrouchtchev ses fonctions dans le Parti et dans le gouvernement. Il présente le lendemain sa démission. Une autre URSS est cependant née grâce à lui : il continue à vivre discrètement à Moscou jusqu'à sa mort, et reste même membre du Comité central jusqu'en 1966…

Abolir le culte de Staline

Camarades,

Dans le rapport du Comité central du Parti au XXe Congrès, dans un certain nombre de discours prononcés par des délégués au Congrès, ainsi que lors de réunions plénières du Comité central du Parti communiste de l'Union soviétique, pas mal de choses ont été dites au sujet du culte de la personnalité et de ses conséquences néfastes.

Après la mort de Staline, le Comité central du Parti a commencé à appliquer une politique tendant à expliquer brièvement, mais d'une façon positive, qu'il était intolérable et étranger à l'esprit du marxisme-léninisme d'exalter une personne et d'en faire un surhomme doté de qualités surnaturelles à l'égal d'un dieu. Un tel homme est supposé tout savoir, penser pour tout le monde, tout faire et être infaillible.

Ce sentiment à l'égard d'un homme, et singulièrement à l'égard de Staline, a été entretenu parmi nous pendant de nombreuses années.

Le but du présent rapport n'est pas de procéder à une critique approfondie de la vie de Staline et de ses activités. Sur les mérites de Staline suffisamment de livres, d'opuscules et d'études ont été écrits durant sa vie. Le rôle de Staline dans la préparation et l'exécution de la révolution socialiste, lors de la guerre civile, ainsi que dans la lutte pour l'édification du socialisme dans notre pays est universellement connu. Chacun connaît cela parfaitement.

Ce qui nous intéresse aujourd'hui, c'est une question qui a une importance pour le Parti actuellement et dans l'avenir. Ce qui nous intéresse, c'est de savoir comment le culte de la personne de Staline n'a cessé de croître, comment ce culte devint, à un moment précis, la source de toute une série de perversions graves et sans cesse plus sérieuses des principes du Parti, de la démocratie du Parti, de la légalité révolutionnaire.

En raison du fait que tout le monde ne semble pas encore bien comprendre les conséquences pratiques résultant du culte de l'individu, le grave préjudice causé par la violation du principe de la direction collective du

Parti du fait de l'accumulation entre les mains d'une personne d'un pouvoir immense et illimité, le Comité central du Parti considère qu'il est absolument nécessaire de remettre au XXe Congrès du Parti communiste de l'Union soviétique tout le dossier de cette question.

Permettez-moi tout d'abord de vous rappeler que les classiques du marxisme-léninisme dénonçaient très sévèrement toute manifestation du culte de l'individu. [...]

La grande modestie du génie de la révolution, Vladimir Ilitch Lénine, est connue. Lénine a toujours souligné le rôle du peuple en tant que créateur de l'histoire, le rôle directeur et organisateur du Parti en tant qu'organisme vivant et créateur, ainsi que le rôle du Comité central.

Le marxisme ne nie pas le rôle des chefs de la classe laborieuse dans la direction du mouvement de libération révolutionnaire.

Tout en attachant une grande importance au rôle des dirigeants et organisateurs des masses, Lénine stigmatisa sans merci toute manifestation du culte de l'individu, combattit inexorablement les idées étrangères au marxisme sur le « héros » et la « foule », ainsi que tous les efforts tendant à opposer le « héros » aux masses et au peuple.

Lénine nous a enseigné que la force du Parti dépendait de son indissoluble unité avec les masses. Il nous a appris que derrière le Parti se trouvaient les ouvriers, les paysans et les intellectuels. « Seul prendra et conservera le pouvoir, disait Lénine, celui qui croit dans le peuple, celui qui se baigne dans la fontaine de la vivante puissance créatrice du peuple. » Lénine parlait avec fierté du Parti communiste bolchevik en tant que dirigeant et éducateur du peuple. Il demandait que les questions les plus importantes soient soumises au jugement des ouvriers compétents, au jugement de leur Parti. Il disait : « Nous croyons en ce jugement, nous voyons en lui la sagesse, l'honneur et la conscience de notre époque. »

Lénine s'opposa énergiquement à toute tentative ayant pour but de minimiser ou d'affaiblir le rôle dirigeant du Parti dans la structure de l'État soviétique. Il élabora les principes bolcheviks de la direction du Parti ainsi que les normes de la vie du Parti, soulignant que les principes fondamentaux de la direction du Parti résidaient dans son caractère collégial. [...]

Durant la vie de Lénine, le Comité central du Parti fut la réelle expression de la direction collective du Parti et de la nation. Étant un militant marxiste-révolutionnaire, toujours inflexible sur les questions de principe, Lénine n'imposa jamais par la force ses opinions à ses collaborateurs. Il essayait de les convaincre. Patiemment, il expliquait ses opinions aux autres. Lénine veilla toujours avec diligence à ce que les normes de la vie du Parti fussent réalisées, à ce que le statut du Parti fût observé, à ce que les Congrès du Parti et les sessions plénières du Comité central eussent lieu à intervalles appropriés.

Vladimir Ilitch Lénine ne se contenta pas de contribuer grandement à la victoire de la classe laborieuse et des paysans, à la victoire de notre Parti et à l'application des idées du communisme scientifique à la vie. Son esprit perspicace se manifesta dans le fait qu'il détecta à temps en Staline les caractéristiques négatives qui eurent plus tard de graves conséquences. Craignant pour l'avenir du Parti et de l'Union soviétique, Vladimir Ilitch Lénine jugea parfaitement Staline. Il souligna qu'il était nécessaire d'envisager d'enlever à Staline son poste de Secrétaire général parce qu'il était excessivement brutal, qu'il n'avait pas une attitude convenable à l'égard de ses camarades, qu'il était capricieux et abusait de ses pouvoirs.

En décembre 1922, dans une lettre au Congrès du Parti, Vladimir Ilitch écrivait : « Après avoir assumé les fonctions de Secrétaire général, le camarade Staline a accumulé entre ses mains un pouvoir démesuré, et je ne suis pas certain qu'il soit toujours capable d'en faire usage avec la prudence nécessaire. » Cette lettre – document politique d'une extraordinaire importance, connu dans l'histoire du Parti comme le « Testament de Lénine » – a été distribuée aux délégués du XXe Congrès du Parti. Vous l'avez lue, et sans aucun doute vous la relirez souvent. Vous réfléchirez sur ses mots clairs qui expriment l'inquiétude de Vladimir Ilitch concernant le Parti, le peuple, l'État et la gestion future de la politique du Parti. Vladimir Ilitch disait : « Staline est excessivement brutal, et ce travers, qui peut être toléré entre nous et dans les contacts entre communistes, devient un défaut intolérable pour celui qui occupe les fonctions de Secrétaire général. De ce fait, je propose que les camarades étudient la possibilité de priver Staline de ce poste et de le remplacer par un autre homme qui, avant tout, se différencierait de Staline par une seule qualité, à savoir une plus grande patience, une plus grande loyauté, une plus grande politesse, une attitude plus correcte à l'égard des camarades, un tempérament moins capricieux, etc. » Ce document de Lénine avait été communiqué aux délégués du XIIIe Congrès du Parti, qui examinèrent la question d'éloigner Staline de son poste de Secrétaire général. Les délégués se déclarèrent en faveur du maintien de Staline à son poste, espérant qu'il tiendrait compte des remarques critiques de Vladimir Ilitch et corrigerait les défauts qui motivaient la sérieuse inquiétude de Lénine.

Camarades ! Le Congrès du Parti doit être informé de deux nouveaux documents qui confirment le caractère de Staline tel que l'avait décrit Vladimir Ilitch Lénine dans son « Testament ». Ces documents sont une lettre de Nadejda Konstantinovna Kroupskaïa à Kamenev qui était à cette époque à la tête du Politburo et une lettre personnelle de Vladimir Ilitch à Staline. [...] Vladimir Ilitch Lénine adressait à Staline la lettre suivante en en envoyant des copies à Kamenev et à Zinoviev : « Cher camarade Staline, vous vous êtes permis d'appeler cavalièrement ma femme au téléphone et de la réprimander d'une façon grossière. En dépit du fait qu'elle vous ait dit qu'elle acceptait d'oublier les propos qui avaient été échangés, elle a néanmoins mis Zinoviev et Kamenev au courant. Je n'ai pas l'intention d'oublier si facilement ce qui a été fait contre moi, et il est inutile que j'insiste sur le fait que je considère comme dirigé contre moi ce qui a été fait contre ma femme. Par conséquent, je vous demande d'examiner attentivement si vous êtes d'accord pour vous rétracter et vous excuser ou si vous préférez que nos relations soient rompues. Sincèrement, Lénine, 5 mars 1923. »

Camarades, je ne commenterai pas ces documents. Ils parlent éloquemment d'eux-mêmes. Staline ayant pu agir de cette façon du vivant de Lénine, ayant pu agir à l'égard de Nadejda Konstantinovna Kroupskaïa, que le Parti connaît bien et apprécie hautement en tant que compagne fidèle de Lénine et comme combattante active pour la cause du Parti depuis sa création, on peut facilement imaginer comment Staline traitait les autres gens. Ce côté négatif n'a cessé de se développer et dans les dernières années avait pris un caractère absolument insupportable.

Ainsi que l'ont prouvé les événements ultérieurs, l'inquiétude de Lénine était justifiée : dans la première période qui a suivi la mort de Lénine, Staline prêtait encore attention à ses conseils, mais plus tard il commença à ignorer les graves avertissements de Vladimir Ilitch.

Quand on analyse la façon d'agir de Staline à l'égard de la direction du Parti et du pays, quand on s'arrête à considérer tout ce que Staline a commis, il faut bien se convaincre que les craintes de Lénine étaient justifiées. Le côté négatif de Staline, qui, du temps de Lénine, n'était encore que naissant, s'était transformé dans les dernières années en un grave abus de pouvoir par Staline, qui a causé un tort indicible à notre Parti.

Nous devons étudier sérieusement et analyser correctement cette question afin d'être à même de prévenir toute possibilité d'un retour, sous quelque forme que ce soit, de ce qui s'est produit du vivant de Staline, qui ne tolérait absolument pas la direction et le travail collectifs et qui pratiquait la violence brutale, non seulement contre tout ce qui s'opposait à lui, mais aussi contre tout ce qui paraissait, à son esprit capricieux et despotique, contraire à ses conceptions.

Staline n'agissait pas par persuasion au moyen d'explications et de patiente collaboration avec des gens, mais en imposant ses conceptions et en exigeant une soumission absolue à son opinion. Quiconque s'opposait à sa conception ou essayait d'expliquer son point de vue et l'exactitude de sa position était destiné à être retranché de la collectivité dirigeante et voué par la suite à l'annihilation morale et physique. Cela fut particulièrement vrai pendant la période qui a suivi le XVIIe Congrès, au moment où d'éminents dirigeants du Parti et des militants honnêtes et dévoués à la cause du communisme sont tombés, victimes du despotisme de Staline.

Nous devons affirmer que le Parti a mené un dur combat contre les trotskistes, les droitiers et les nationalistes bourgeois et qu'il a désarmé idéologiquement tous les ennemis du léninisme. Ce combat idéologique a été conduit avec succès, ce qui a eu pour résultat de renforcer et de tremper le Parti. Là, Staline a joué un rôle positif. [...] Il est intéressant de noter le fait que, même pendant que se déroulait la furieuse lutte idéologique contre les trotskistes, les zinoviévistes, les boukhariniens et les autres, on n'a jamais pris contre eux des mesures de répression extrêmes. La lutte se situait sur le terrain idéologique. Mais quelques années plus tard, alors que le socialisme était fondamentalement édifié dans notre pays, alors que les classes exploitantes étaient généralement liquidées, alors que la structure sociale soviétique avait radicalement changé, alors que la base sociale pour les mouvements et les groupes politiques hostiles au Parti s'était extrêmement rétrécie, alors que les adversaires idéologiques du Parti étaient depuis longtemps vaincus politiquement, c'est alors que commença la répression contre eux.

C'est exactement pendant cette période (1936-1937-1938) qu'est née la pratique de la répression massive au moyen de l'appareil gouvernemental, d'abord contre les ennemis du léninisme – trotskistes, zinoviévistes, boukhariniens – depuis longtemps vaincus politiquement par le Parti, et également ensuite contre de nombreux communistes honnêtes, contre les cadres du Parti qui avaient porté le lourd fardeau de la guerre civile et des premières et très difficiles années de l'industrialisation et de la collectivisation, qui avaient activement lutté contre les trotskistes et les droitiers pour le triomphe de la ligne du parti léniniste. […]

Rapport secret de Nikita Khrouchtchev
présenté au XXe Congrès du Parti communiste
de l'Union soviétique,
le 25 février 1956.

30.
MAO ZEDONG

Mao Zedong (ou Mao Tsé-toung, 1893-1976) fut l'un des cofondateurs du Parti communiste chinois en 1921. Il le mènera au pouvoir, non sans heurts : défaite face aux nationalistes de Tchang Kaï-chek et « Longue Marche » en 1934-1935 ; lutte épuisante et sanglante contre les Japonais, avant la victoire et l'accession au pouvoir en 1949. Le « Grand Timonier » restera, à des titres divers, au pouvoir effectif de 1949 quasiment jusqu'à sa mort en 1976.

Ayant adapté la doctrine marxiste-léniniste à une société largement paysanne, Mao impose à la Chine une économie collectiviste sous la dictature du parti unique. Il s'inspire d'abord de la révolution soviétique puis, après une rupture lorsque Khrouchtchev arrive au pouvoir et que la référence à Staline est moins louangeuse en URSS, avec des méthodes plus personnelles. Ce sera le « Grand Bond en avant » (1958-1960), qui aboutit à une famine extrêmement meurtrière. Menacé politiquement, il impose ensuite, pour reprendre le pouvoir, la « Révolution culturelle » (1966-1969), au cours de laquelle les Gardes rouges traquent – et éliminent – les relents contre-révolutionnaires au sein même des anciens cadres du Parti. Comme pour Staline, le culte de la personnalité peut alors s'exprimer pleinement jusqu'à la mort de Mao.

Pour autant, dans les années 1970, Mao entame une politique d'intégration de la Chine dans le concert des nations, s'ouvrant à la diplomatie occidentale (la Chine communiste entre à l'ONU en 1971), et permettant de libéraliser un peu l'économie.

Il reste que le bilan de ce que l'on présente parfois comme la difficile mais remarquable accession de la Chine au monde moderne est accablant : régressions économiques avec les famines qui s'ensuivent, désastres écologiques, invasion du Tibet, mise au pas des minorités ethniques chinoises – on évalue à plusieurs dizaines de millions de morts les conséquences des politiques du Grand Timonier.

Dans ce discours de 1957, dont nous ne donnons qu'une partie, Mao ne cache d'ailleurs pas les limites du débat qui peut s'instaurer en Chine au sujet des thèses présentées par le Parti !

De la juste solution des contradictions

Pour apprécier à leur juste valeur les résultats de notre travail d'élimination des contre-révolutionnaires, examinons les répercussions des événements de Hongrie dans notre pays. Ces événements ont provoqué un certain remous parmi une partie de nos intellectuels, sans pourtant entraîner de troubles. Comment expliquer cela ? L'une des raisons en est, il faut le dire, que nous avons réussi à liquider la contre-révolution de façon fort radicale.

Certes, la solidité de notre État n'est pas due en premier lieu à l'élimination des contre-révolutionnaires. Elle est due avant tout à ceci : nous avons un Parti communiste et une Armée de Libération aguerris par une lutte révolutionnaire de plusieurs dizaines d'années, et un peuple travailleur également aguerri par cette lutte. Notre Parti et notre Armée se sont profondément enracinés dans les masses ; ils se sont forgés au feu d'une longue lutte révolutionnaire ; ils sont aptes au combat. Notre république populaire n'a pas été créée du jour au lendemain, elle s'est développée progressivement à partir des bases révolutionnaires. La lutte a aussi trempé à des degrés divers un certain nombre de personnalités démocratiques, qui ont traversé la période d'épreuves avec nous. La lutte contre l'impérialisme et la réaction a trempé un certain nombre de nos intellectuels, et beaucoup d'entre eux, après la Libération, sont passés par l'école de la rééducation idéologique, destinée à leur apprendre à faire une distinction nette entre nous et nos ennemis. En outre, la solidité de notre État est due aussi à nos mesures économiques foncièrement justes, à la stabilité et à l'amélioration progressive des conditions de vie du peuple, à la justesse de notre politique à l'égard de la bourgeoisie nationale et des autres classes, ainsi qu'à d'autres raisons encore. Cependant, nos succès dans la liquidation de la contre-révolution sont incontestablement une des causes importantes de la consolidation de notre État. [...]

Après la Libération, nous avons éliminé un certain nombre de contre-révolutionnaires. Certains d'entre eux, qui avaient commis de grands crimes, furent condamnés à mort. C'était tout à fait indispensable, le peuple l'exigeait et on l'a fait pour le libérer de l'oppression que faisaient peser sur lui depuis de longues années les éléments contre-révolutionnaires et toutes sortes de tyrans locaux, autrement dit, pour libérer les forces productives. Si nous n'avions pas agi ainsi, les masses populaires n'auraient pu relever la tête. À partir de 1956, toutefois, la situation a radicalement changé. À considérer l'ensemble du pays, la plupart des contre-révolutionnaires ont été éliminés. Notre tâche fondamentale n'est plus de libérer les forces productives, mais de les protéger et de les développer dans le cadre des nouveaux rapports de production. Ne comprenant pas que notre politique actuelle correspond à la situation actuelle et que la politique appliquée dans le passé correspondait à la situation du passé, certains veulent se servir de notre politique actuelle pour remettre en question les décisions antérieures et cherchent à nier nos immenses succès dans l'élimination des contre-révolutionnaires. Cela est complètement erroné, et les masses populaires ne le toléreront pas.

Notre travail d'élimination des contre-révolutionnaires est marqué essentiellement par des succès, mais des erreurs ont aussi été commises. Dans certains cas, il y a eu des excès, et dans d'autres, des contre-révolutionnaires ont échappé au châtiment. Notre politique en cette matière est la suivante : « S'il y a des contre-révolutionnaires, il faut les éliminer ; s'il y a des erreurs, il faut les corriger. » Notre ligne de conduite dans le travail d'élimination des contre-révolutionnaires, c'est la liquidation de la contre-révolution par les masses. [...] Les masses acquièrent leur expérience dans la lutte. Si elles agissent correctement, elles acquièrent l'expérience des actions correctes ; si elles commettent des erreurs, elles tirent la leçon des erreurs commises.

[...] Je propose qu'on procède cette année ou l'année prochaine à une vérification générale du travail d'élimination des contre-révolutionnaires, afin de dresser le bilan de l'expérience acquise, d'encourager l'esprit de justice et de combattre les tendances malsaines. [...] Durant cette vérification, nous devons aider les nombreux cadres et éléments actifs ayant pris part au travail d'élimination, et non refroidir leur zèle. Il serait faux de les décourager. Il n'en demeure pas moins que les erreurs, une fois découvertes, doivent être corrigées. Telle doit être l'attitude de tous les services de sécurité publique, parquets, départements judiciaires, prisons et établissements de rééducation par le travail. [...]

Actuellement, en ce qui concerne les contre-révolutionnaires, la situation peut se résumer en ces mots : des contre-révolutionnaires existent encore, mais en petit nombre. Ce qu'il faut voir d'abord, c'est qu'il en existe encore. Certains disent qu'il n'y en a plus, que le calme règne partout, qu'on peut dormir sur les deux oreilles. Cela ne correspond pas à la réalité. En fait, il existe encore des contre-révolutionnaires (naturellement pas partout ni dans chaque organisation) et il est encore nécessaire de poursuivre la lutte contre eux. Il faut comprendre que les contre-révolutionnaires cachés, donc non éliminés, ne renonceront pas à leurs desseins, qu'ils chercheront toutes les occasions pour créer des troubles, que les impérialistes américains et la clique de Tchang Kaï-chek ne cesseront d'envoyer chez nous leurs agents se livrer à des activités de sabotage. Même après l'élimination de tous les contre-révolutionnaires existants, il peut encore en surgir de nouveaux. Si nous laissons dormir notre vigilance, nous tomberons dans de graves erreurs qui nous coûteront cher. Partout où les contre-révolutionnaires font leur sale besogne, il faut les éliminer énergiquement. Mais, bien entendu, si nous considérons l'ensemble du pays, il n'y a plus beaucoup de contre-révolutionnaires. Il serait faux de dire qu'ils sont encore très nombreux en Chine. Admettre une telle appréciation, ce serait également créer de la confusion.

[...]

Les contradictions au sein de notre peuple se manifestent aussi parmi les intellectuels. Plusieurs millions d'intellectuels, qui servaient autrefois l'ancienne société, sont maintenant passés au service de la société nouvelle. La question qui se pose est celle-ci : de quelle façon peuvent-ils s'adapter aux besoins de la société nouvelle et comment les aiderons-nous à y parvenir ? C'est là également une des contradictions au sein du peuple.

Au cours des sept dernières années, la plupart de nos intellectuels ont fait des progrès notables. Ils se prononcent pour le régime socialiste. Nombre d'entre eux s'appliquent à bien étudier le marxisme, et certains sont devenus des communistes. Le nombre de ces derniers, quoique encore peu élevé, ne cesse d'augmenter. Évidemment, il y a encore des intellectuels qui continuent à douter du socialisme ou qui ne l'approuvent pas, mais ce n'est qu'une minorité.

La Chine a besoin que le plus grand nombre possible d'intellectuels se mettent au service de l'œuvre gigantesque et ardue de son édification socialiste. Nous devons faire confiance à tous les intellectuels qui sont vraiment désireux de servir la cause du socialisme, améliorer radicalement nos rapports avec eux et les aider à résoudre tous les problèmes qui réclament une solution, afin de leur donner la possibilité de faire valoir pleinement leurs talents. Nombre de nos camarades ne savent pas rallier à eux les intellectuels, ils se montrent rigides à leur égard, ils ne respectent pas leur travail et, dans le domaine scientifique et culturel, ils se permettent une ingérence déplacée dans les affaires dont ils n'ont pas à se mêler. Nous devons en finir avec tous ces défauts.

Bien que la masse de nos intellectuels ait déjà fait des progrès, elle ne doit pas pour autant s'abandonner à la suffisance. Pour être pleinement au niveau des exigences de la société nouvelle et faire corps avec les ouvriers et les paysans, les intellectuels doivent poursuivre leur rééducation, se débarrasser progressivement de leur conception bourgeoise du monde et adopter la conception prolétarienne, communiste, du monde. Le changement de conception du monde est un changement radical, et on ne peut pas dire que la plupart de nos intellectuels l'ont déjà accompli. Nous espérons que nos intellectuels continueront d'avancer et que, progressivement, dans le cours de leur travail et de leur étude, ils acquerront une conception communiste du monde, s'assimileront le marxisme-léninisme et se fondront en un tout avec les ouvriers et les paysans. Nous espérons qu'ils ne s'arrêteront pas à mi-chemin et qu'à plus forte raison ils ne feront pas marche arrière, car cela les conduirait à une impasse. Les changements intervenus dans notre régime social et la suppression, pour l'essentiel, de la base économique de l'idéologie bourgeoise font qu'il existe pour la masse de nos intellectuels non seulement la nécessité mais aussi la possibilité de modifier leur conception du monde. Toutefois, un changement complet de la conception du monde exige un temps très long. Nous devons y aller patiemment et éviter toute précipitation. En fait, il y aura nécessairement des gens qui, intérieurement, ne voudront jamais accepter le marxisme-léninisme et le communisme. Nous ne devons pas trop exiger d'eux ; tant qu'ils se soumettent aux exigences de l'État et poursuivent des activités honnêtes, nous devons leur donner la possibilité de se livrer à un travail approprié.

Ces derniers temps, on a constaté un fléchissement dans le travail idéologique et politique parmi les étudiants et les intellectuels, et certaines déviations sont apparues. Il en est qui pensent apparemment qu'ils n'ont pas besoin de se soucier de la politique, de l'avenir de leur pays et des idéaux de l'humanité. À leurs yeux, le marxisme aurait été à la mode un certain temps et ne le serait plus tellement maintenant. Étant donné cette situation, il est à présent nécessaire de renforcer notre travail idéologique et politique. Étudiants et intellectuels doivent s'appliquer à l'étude. Tout en travaillant à leur spécialité, ils doivent faire des progrès sur le plan idéologique et sur le plan politique, et pour cela étudier le marxisme, les questions politiques et les problèmes d'actualité. Sans vue politique juste, on est comme sans âme. La rééducation idéologique était nécessaire et elle a donné des résultats positifs. Toutefois, les méthodes employées étaient un peu rudes et ont blessé certains. Cela n'est pas bien. À l'avenir, nous devons éviter ce défaut. Tous les organismes et toutes les organisations doivent assumer la responsabilité du travail idéologique et politique. Cette tâche incombe au Parti communiste, à la Ligue de la Jeunesse, aux organismes gouvernementaux directement intéressés, et à plus forte raison aux directeurs et aux enseignants des établissements scolaires. Notre politique dans le domaine de l'éducation doit permettre à ceux qui la reçoivent de se former sur le plan moral, intellectuel et physique pour devenir des travailleurs cultivés, ayant une conscience socialiste. Il faut mettre en honneur l'idée de construire notre pays avec diligence et économie. Nous devons faire comprendre à toute la jeunesse que notre pays est encore très pauvre, qu'il n'est pas possible de modifier radicalement cette situation en peu de temps, que c'est seulement par leurs efforts unis que la jeunesse et tout le peuple pourront créer, de leurs propres mains, un État prospère et puissant en l'espace de quelques dizaines d'années. Le régime socialiste nous a ouvert la voie vers la société idéale de demain, mais pour que celle-ci devienne une réalité, il nous faut travailler dur. Certains de nos jeunes gens pensent que, la société étant devenue socialiste, tout doit être bien, qu'on peut y jouir d'une vie de bonheur toute faite, sans avoir à fournir d'efforts. Cette façon de voir les choses n'est pas réaliste.

Nos minorités nationales forment une population de plus de trente millions d'habitants. Bien qu'elles ne constituent que les six pour cent de la population totale du pays, elles vivent dans de vastes régions et occupent environ cinquante à soixante pour cent de tout le territoire. C'est pourquoi il est absolument nécessaire que de bons rapports s'établissent entre les Hans et les minorités nationales. La clé du problème est de surmonter le chauvinisme grand-han. Il faut en même temps surmonter le nationalisme local partout où il existe chez les minorités nationales. Le chauvinisme grand-han comme le nationalisme local sont préjudiciables à l'union de toutes les nationalités. Il s'agit là d'une des contradictions au sein du peuple qu'il faut surmonter. Nous avons déjà accompli un certain travail dans ce domaine et, dans la plupart des régions où vivent les minorités nationales, les relations entre nationalités se sont bien améliorées par rapport au passé ; pourtant, un certain nombre de problèmes restent à résoudre. Dans certaines régions, le chauvinisme grand-han et le nationalisme local existent l'un et l'autre à un degré sérieux, et cela appelle notre pleine attention. Grâce aux efforts du peuple des diverses nationalités au cours des dernières années, les réformes démocratiques et les transformations socialistes sont déjà achevées pour l'essentiel dans la plus grande partie de nos régions de minorités nationales. Au Tibet, les réformes démocratiques n'ont pas encore commencé parce que les conditions n'y sont pas mûres. Conformément à l'accord en dix-sept points conclu entre le Gouvernement populaire central et le Gouvernement local du Tibet, la réforme du régime social y sera réalisée ; cependant, il ne faut pas se montrer impatient, la décision sur le moment où il convient de procéder à cette réforme ne pourra être prise que lorsque la grande majorité des masses tibétaines et des chefs du Tibet le jugeront possible.

[…]

Comment les mots d'ordre « Que cent fleurs s'épanouissent », « Que cent écoles rivalisent » et « Coexistence à long terme et contrôle mutuel » ont-ils été formulés ? Ils l'ont été d'après les conditions concrètes de la Chine, sur la base de la reconnaissance des différentes contradictions qui existent toujours dans la société socialiste et en raison du besoin urgent du pays d'accélérer son développement économique et culturel. La politique : « Que cent fleurs s'épanouissent, que cent écoles rivalisent » vise à stimuler le développement de l'art et le progrès de la science, ainsi que l'épanouissement de la culture socialiste dans notre pays. Dans les arts, formes différentes et styles différents peuvent se développer librement, et dans les sciences, les écoles différentes s'affronter librement. Il serait, à notre avis, préjudiciable au développement de l'art et de la science de recourir aux mesures administratives pour imposer tel style ou telle école et interdire tel autre style ou telle autre école. Le vrai et le faux en art et en science est une question qui doit être résolue par la libre discussion dans les milieux artistiques et scientifiques, par la pratique de l'art et de la science et non par des méthodes simplistes. Pour déterminer ce qui est juste et ce qui est erroné, l'épreuve du temps est souvent nécessaire. Au cours de l'histoire, ce qui est nouveau et juste n'est souvent pas reconnu par la majorité des hommes au moment de son apparition et ne peut se développer que dans la lutte, à travers des vicissitudes. Il arrive souvent qu'au début ce qui est juste et bon ne soit pas reconnu pour une « fleur odorante », mais considéré comme une « herbe vénéneuse ». En leur temps, la théorie de Copernic sur le système solaire et la théorie de l'évolution de Darwin furent considérées comme erronées et elles ne s'imposèrent qu'après une lutte âpre et difficile. L'histoire de notre pays offre aussi nombre d'exemples semblables. Dans la société socialiste, les conditions nécessaires pour assurer la croissance des choses nouvelles sont foncièrement différentes et bien meilleures que dans l'ancienne société. Cependant, il est encore fréquent que les forces naissantes soient refoulées et des opinions raisonnables étouffées. Il arrive aussi qu'on entrave la croissance des choses nouvelles non par volonté délibérée de les étouffer, mais par manque de discernement. C'est pourquoi, pour déterminer ce qui est juste et ce qui est erroné en science et en art, il faut adopter une attitude prudente, encourager la libre discussion et se garder de tirer des conclusions hâtives. Nous estimons que c'est une telle attitude qui permettra d'assurer au mieux le développement de la science et de l'art.

[...]

On demandera : étant donné que dans notre pays le marxisme est déjà reconnu comme idéologie directrice par la majorité des gens, peut-on le critiquer ? Bien sûr que oui. Le marxisme est une vérité scientifique, il ne craint pas la critique. Si le marxisme craignait la critique, s'il pouvait être battu en brèche par la critique, il ne serait plus bon à rien. De fait, les idéalistes ne critiquent-ils pas le marxisme tous les jours et de toutes les façons possibles ? Les gens qui s'en tiennent à des points de vue bourgeois et petits-bourgeois sans vouloir en démordre ne critiquent-ils pas le marxisme de toutes les façons possibles ? Les marxistes ne doivent pas craindre la critique, d'où qu'elle vienne. Au contraire, ils doivent s'aguerrir, progresser et gagner de nouvelles positions dans le feu de la critique, dans la tempête de la lutte. Lutter contre les idées erronées, c'est en quelque sorte se faire vacciner ; grâce à l'action du vaccin, l'immunité de l'organisme se trouve renforcée. Les plantes élevées dans une serre ne sauraient être robustes. L'application de la politique « Que cent fleurs s'épanouissent, que cent écoles rivalisent », loin d'affaiblir la position dirigeante du marxisme dans le domaine idéologique, la renforcera au contraire.

Quelle politique devons-nous adopter à l'égard des idées non marxistes ? Quand il s'agit de contre-révolutionnaires avérés et d'éléments qui sapent la cause du socialisme, la question est aisée à résoudre : on les prive tout simplement de la liberté de parole. Mais quand nous avons affaire aux idées erronées existant au sein du peuple, c'est une autre question. Peut-on bannir ces idées et ne leur laisser aucune possibilité de s'exprimer ? Naturellement non. Il serait non seulement inefficace, mais encore extrêmement nuisible d'adopter des méthodes simplistes pour résoudre les questions idéologiques au sein du peuple, les questions relatives à l'esprit de l'homme. On peut interdire l'expression des idées erronées, mais ces idées n'en seront pas moins là. Et les idées justes, si elles sont cultivées en serre, si elles ne sont pas exposées au vent et à la pluie, si elles ne se sont pas immunisées, ne pourront triompher des idées erronées lorsqu'elles les affronteront. Aussi est-ce seulement par la méthode de la discussion, de la critique et de l'argumentation qu'on peut véritablement développer les idées justes, éliminer les idées erronées et résoudre les problèmes.

[...]

Pris au pied de la lettre, les deux mots d'ordre « Que cent fleurs s'épanouissent » et « Que cent écoles rivalisent » n'ont pas un caractère de classe : ils peuvent être utilisés par le prolétariat aussi bien que par la bourgeoisie et d'autres gens. Chaque classe, chaque couche sociale et chaque groupe social a sa notion propre des fleurs odorantes et des herbes vénéneuses. Mais alors, du point de vue des larges masses populaires, quels doivent être aujourd'hui les critères nous permettant de distinguer les fleurs odorantes et les herbes vénéneuses ? Comment déterminer, dans le cadre de la vie politique de notre peuple, si nos paroles et nos actes sont justes ou erronés ? Nous estimons que, d'après les principes de notre Constitution et conformément à la volonté de l'immense majorité de notre peuple et aux positions politiques communes proclamées à diverses occasions par nos partis politiques, il est possible de formuler, dans leurs traits généraux, les critères que voici :

Est juste :

1. ce qui favorise l'union du peuple de toutes les nationalités de notre pays et non ce qui provoque la division en son sein ;

2. ce qui favorise la transformation et l'édification socialistes et non ce qui nuit à cette transformation et à cette édification ;

3. ce qui favorise le renforcement de la dictature démocratique populaire et non ce qui sape ou affaiblit cette dictature ;

4. ce qui favorise le renforcement du centralisme démocratique et non ce qui le sape ou l'affaiblit ;

5. ce qui favorise le renforcement de la direction exercée par le Parti communiste et non ce qui rejette ou affaiblit cette direction ;

6. ce qui favorise la solidarité internationale socialiste et la solidarité internationale de tous les peuples pacifiques et non ce qui porte préjudice à ces deux formes de solidarité.

[...]

Discours à la 11e session
de la Conférence suprême d'État,
le 27 février 1957.

31.
CHARLES DE GAULLE

Le 3 juin 1958, Charles de Gaulle est appelé par le président René Coty pour former un nouveau gouvernement. En Algérie, la situation de guerre larvée, de guerre qui n'ose pas dire son nom, dure depuis la Toussaint 1954. Le 13 mai, la foule a envahi le siège du Gouvernement général, portant à la tête d'un Comité de salut public le général Massu. Celui-ci a aussitôt demandé que l'on fasse appel à l'homme du 18 juin pour sauver la patrie en danger. Les militaires sont las des tergiversations de politiques qui subissent les « poisons et délices » de la IVe République, de cette IVe que de Gaulle n'a jamais acceptée et dont il va accélérer la fin en décidant de changer de régime plutôt que de réformer l'ancien.

Le 4 juin, il arrive à Alger pour prendre sur place la mesure de ces événements qui viennent de mettre fin à son exil politique. Massu et Salan représentent l'armée, Jacques Soustelle le politique, membre du nouveau gouvernement et favorable à l'Algérie française, Ortiz et Lagaillarde la population algéroise. L'accueil est triomphal, et de Gaulle se rend à son tour sur le balcon du Gouvernement général. C'est là qu'il débute son discours par cette célèbre formule : « Je vous ai compris ! » Pour tous ceux qui l'écoutent ou presque, l'Algérie française est sauvée.

Mais ce discours comporte aussi des éléments qui feront grincer des dents : si certains acceptent à la rigueur de considérer les populations indigènes comme des « Français à part entière », c'est à la condition d'éviter de donner à cette majorité démographique une majorité politique. Or de Gaulle évoque bien, il le dit et le répète, l'instauration d'un « collège unique » qui va dans ce sens. Et il a conscience que la grande question sera la légitimité que donnera à la future consultation la participation effective des populations indigènes.

Reste que cette fameuse formule initiale laissera beaucoup de rancœurs chez nombre d'Européens d'Algérie, lorsque les départements français s'achemineront vers l'indépendance et que le Front de libération nationale (FLN) arrivera au pouvoir.

JE VOUS AI COMPRIS !

Je vous ai compris !

Je sais ce qui s'est passé ici. Je vois ce que vous avez voulu faire. Je vois que la route que vous avez ouverte en Algérie, c'est celle de la rénovation et de la fraternité.

Je dis la rénovation à tous égards. Mais très justement vous avez voulu que celle-ci commence par le commencement, c'est à dire par nos institutions, et c'est pourquoi me voilà. Et je dis la fraternité parce que vous offrez ce spectacle magnifique d'hommes qui, d'un bout à l'autre, quelles que soient leurs communautés, communient dans la même ardeur et se tiennent par la main.

Eh bien ! de tout cela, je prends acte au nom de la France et je déclare qu'à partir d'aujourd'hui, la France considère que, dans toute l'Algérie, il n'y a qu'une seule catégorie d'habitants : il n'y a que des Français à part entière, des Français à part entière, avec les mêmes droits et les mêmes devoirs.

Cela signifie qu'il faut ouvrir des voies qui, jusqu'à présent, étaient fermées devant beaucoup.

Cela signifie qu'il faut donner les moyens de vivre à ceux qui ne les avaient pas.

Cela signifie qu'il faut reconnaître la dignité de ceux à qui on la contestait.

Cela veut dire qu'il faut assurer une patrie à ceux qui pouvaient douter d'en avoir une.

L'armée, l'armée française, cohérente, ardente, disciplinée, sous les ordres de ses chefs, l'armée éprouvée en tant de circonstances et qui n'en a pas moins accompli ici une œuvre magnifique de compréhension et de pacification, l'armée française a été sur cette terre le ferment, le témoin, et elle est le garant, du mouvement qui s'y est développé.

Elle a su endiguer le torrent pour en capter l'énergie, je lui rends hommage. Je lui exprime ma confiance. Je compte sur elle pour aujourd'hui et pour demain.

Français à part entière, dans un seul et même collège ! Nous allons le montrer, pas plus tard que dans trois mois, dans l'occasion solennelle où tous les Français, y compris les dix millions de Français d'Algérie, auront à décider de leur propre destin.

Pour ces dix millions de Français, leurs suffrages compteront autant que les suffrages de tous les autres.

Ils auront à désigner, à élire, je le répète, en un seul collège leurs représentants pour les pouvoirs publics, comme le feront tous les autres Français.

Avec ces représentants élus, nous verrons comment faire le reste.

Ah ! puissent-ils participer en masse à cette immense démonstration tous ceux de vos villes, de vos douars, de vos plaines, de vos djebels ! Puissent-ils même y participer ceux qui, par désespoir, ont cru devoir mener sur ce sol un combat dont je reconnais, moi, qu'il est courageux… car le courage ne manque pas sur la terre d'Algérie, qu'il est courageux mais qu'il n'en est pas moins cruel et fratricide !

Oui, moi, de Gaulle, à ceux-là, j'ouvre les portes de la réconciliation.

Jamais plus qu'ici et jamais plus que ce soir, je n'ai compris combien c'est beau, combien c'est grand, combien c'est généreux, la France !

Vive la République !

Vive la France !

Discours prononcé à Alger,
le 4 juin 1958.

32.
JOHN FITZGERALD KENNEDY

John Fitzgerald Kennedy (1917-1963), a été élu président des États-Unis à l'âge de quarante-trois ans.

Après un passage à Princeton et des études à Harvard, il participe au second conflit mondial comme commandant d'un patrouilleur dans le Pacifique, et sera notamment décoré de la fameuse médaille « Purple Heart ». Après la guerre, il se fait élire sous l'étiquette démocrate, d'abord à la Chambre des représentants, puis au Sénat en 1952.

En 1960, il annonce sa candidature à l'investiture démocrate pour la présidence. Kennedy, ayant remporté les primaires dans les États décisifs, est nommé candidat officiel et prend comme vice-président potentiel son ancien rival à l'investiture, le sénateur Lyndon B. Johnson. Face à un Kennedy jeune et charismatique, le candidat républicain, Richard Nixon, ne réussit pas à s'affirmer dans le premier débat télévisé organisé entre des candidats à la magistrature suprême.

Les projets exposés par Kennedy lors de sa campagne, souvent présentés sous la formule symbolique de « nouvelle frontière », envisagent certes de relancer le dialogue avec l'Union soviétique, mais se montrent aussi fermes face à la diffusion mondiale du communisme, notamment sur le continent américain. Symboliquement, pour contrebalancer la politique spatiale soviétique qui a pris une avance trop visible avec le vol de Youri Gagarine, Kennedy développera les vols habités et lancera la planification des missions lunaires.

Le 8 novembre 1960, Kennedy bat Nixon de très peu. Le 20 janvier, il prononce le discours d'investiture dont nous présentons des extraits, centré sur l'idée de responsabilité personnelle des individus et des États dans la marche du monde.

Kennedy est assassiné à Dallas le 22 novembre 1963.

LE FLAMBEAU EST PASSÉ ENTRE LES MAINS D'UNE NOUVELLE GÉNÉRATION

Qu'il soit dit, à nos amis comme à nos ennemis, que le flambeau est passé entre les mains d'une nouvelle génération d'Américains, nés dans le siècle présent, aguerris par les combats, disciplinés par une paix difficile et amère, fiers de leur héritage, qui refusent d'assister à la décomposition des droits de l'homme pour lesquels notre nation s'est toujours engagée, pour lesquels elle est engagée aujourd'hui encore chez nous et à l'étranger.

Que chaque nation qui nous veut du bien ou qui nous veut du mal sache bien que nous paierons n'importe quel prix, que nous supporterons n'importe quel fardeau, que nous affronterons n'importe quelle épreuve, que nous soutiendrons n'importe quel ami et combattrons n'importe quel ennemi pour assurer la survie et le succès de la liberté.

Nous nous y engageons. [...]

Aux jeunes États que nous accueillons parmi les États libres, nous promettons que l'ordre colonial ne sera pas remplacé par une tyrannie plus forte. Nous ne pensons pas qu'ils soutiendront toujours nos points de vue. Mais nous espérerons toujours qu'ils défendront avec force leur propre liberté et qu'ils se rappelleront que dans le passé, ceux qui ont cherché à atteindre la puissance en chevauchant le tigre ont fini par être avalés par lui.

Aux hommes qui habitent les cabanes et les villages de la moitié du globe, qui luttent pour briser les liens de la misère, nous promettons que nous ferons tous nos efforts pour les aider à s'aider eux-mêmes, non pas parce que les communistes le feraient, non pas parce que nous sollicitons leurs suffrages, mais parce que là est la justice. Si une société libre ne peut pas aider tous ceux, et ils sont nombreux, qui vivent dans la pauvreté, elle ne pourra pas sauver la minorité des riches.

Aux républiques sœurs au sud de nos frontières, nous faisons une promesse spéciale, celle de transformer nos bonnes paroles en bonnes actions, dans une nouvelle alliance pour le progrès, pour aider les hommes libres et les gouvernements libres à repousser les chaînes de la pauvreté. Mais cette révolution pacifique fondée sur l'espoir ne peut pas devenir la proie des puissances hostiles. Que nos voisins sachent bien que nous nous unirons à eux pour faire front à l'agression ou à la subversion partout dans les Amériques. Que les autres puissances sachent bien que notre continent entend rester maître en sa demeure. [...]

En fin de compte, aux nations qui voudraient se muer en adversaires, nous ne faisons pas de promesses, mais nous leur adressons une requête : que les deux parties en présence entreprennent de nouveau la recherche de la paix, avant que les sombres puissances de destruction engendrées par la science n'entraînent l'humanité dans une destruction organisée ou accidentelle.

Nous ne les tenterons pas par notre faiblesse. Ce n'est que lorsque nos armes seront indubitablement suffisantes que nous serons indubitablement certains qu'on ne les emploiera pas.

Mais aucun des deux puissants camps ne peut se satisfaire de la situation présente, alors que les deux camps sont écrasés par le prix des armements modernes, qu'ils sont l'un et l'autre alarmés à juste titre par la dissémination atomique et pourtant l'un et l'autre lancés dans la course pour modifier l'équilibre incertain de la terreur qui empêche la guerre ultime de l'humanité.

Alors, essayons encore. Rappelons-nous qu'une attitude civilisée n'est pas un signe de faiblesse, qu'il faut toujours faire preuve de sincérité. Ne négocions pas sous l'empire de la peur. Mais n'ayons jamais peur de négocier.

Que chaque camp mette en relief les problèmes qui nous unissent au lieu d'aggraver les problèmes qui nous divisent.

Que chaque camp, pour la première fois, fasse des propositions sérieuses et précises pour assurer l'inspection et le contrôle des armements, pour placer le pouvoir absolu de détruire sous le contrôle absolu de toutes les nations.

Que chaque camp tâche d'évoquer les merveilles de la science au lieu d'évoquer les craintes qu'elle suscite. Explorons ensemble les étoiles, conquérons les déserts, faisons disparaître les maladies, exploitons les fonds océaniques, encourageons les arts et le commerce. [...]

Discours d'investiture
du 20 janvier 1961.

33.
CHARLES DE GAULLE

La politique menée en Algérie par le général de Gaulle de 1958 à 1961 se tourne de manière de plus en plus évidente vers l'indépendance de ce pays, au grand dam de ceux qui veulent maintenir une Algérie française. Les colons « pieds-noirs », bien sûr, qui continuent de subir attaques et massacres et craignent de devoir quitter une terre sur laquelle ils sont nés. Mais aussi l'armée. Cette dernière s'est en effet largement investie dans la pacification du territoire, non seulement par des opérations militaires qui, lorsque l'on s'en est donné les moyens, se sont révélées efficaces, mais aussi en développant les affaires indigènes et l'aide aux populations, ou en mettant en place des unités composées d'Algériens ralliés à la France, les harkis.

Par le référendum du 8 janvier 1961, le peuple français approuve la politique menée par de Gaulle en Algérie, et les négociations commencent avec le « Gouvernement provisoire de la République algérienne » dont dépend le Front de libération nationale. On s'achemine donc vers les accords d'Évian qui seront signés le 18 mars 1962.

Mais, le 22 avril 1961, quatre généraux, Challe, Salan, Jouhaud et Zeller, font un coup de force à Alger avec l'appui d'unités militaires, dont le fameux 1er régiment étranger de parachutistes. Les représentants de l'État et les commandants légitimes des forces militaires sont arrêtés.

Le lendemain, le général de Gaulle, en uniforme, intervient à la télévision et sur les ondes pour annoncer qu'il a décidé de la mise en œuvre des pouvoirs exceptionnels de l'article 16 de la Constitution, et qu'il interdit aux hommes des unités stationnées en Algérie, visant notamment les appelés, d'obéir aux rebelles. Le contingent refuse en effet de suivre le mouvement et le putsch s'effondre en trois jours. Cela n'empêche pas de Gaulle de maintenir l'application de l'article 16... jusqu'au 1er octobre 1961 !

Ce discours, avec ses formules qui font mouche (celle, si fameuse, du « quarteron de généraux en retraite »), est un exemple de tactique oratoire, même si le chef de l'État de 1961 semble avoir un peu perdu de vue les arguments... de l'insurgé de 1940.

UN POUVOIR INSURRECTIONNEL S'EST ÉTABLI EN ALGÉRIE

Un pouvoir insurrectionnel s'est établi en Algérie par un pronunciamiento militaire.

Les coupables de l'usurpation ont exploité la passion des cadres de certaines unités spécialisées, l'adhésion enflammée d'une partie de la population de souche européenne qu'égarent les craintes et les mythes, l'impuissance des responsables submergés par la conjuration militaire.

Ce pouvoir a une apparence : un quarteron de généraux en retraite. Il a une réalité : un groupe d'officiers, partisans, ambitieux et fanatiques. Ce groupe et ce quarteron possèdent un savoir-faire expéditif et limité. Mais ils ne voient et ne comprennent la nation et le monde que déformés à travers leur frénésie. Leur entreprise conduit tout droit à un désastre national.

Car l'immense effort de redressement de la France, entamé depuis le fond de l'abîme, le 18 juin 1940, mené ensuite jusqu'à ce qu'en dépit de tout la victoire fût remportée, l'indépendance assurée, la République restaurée ; repris depuis trois ans, afin de refaire l'État, de maintenir l'unité nationale, de reconstituer notre puissance, de rétablir notre rang au-dehors, de poursuivre notre œuvre outre-mer à travers une nécessaire décolonisation, tout cela risque d'être rendu vain, à la veille même de la réussite, par l'aventure odieuse et stupide des insurgés en Algérie. Voici l'État bafoué, la nation défiée, notre puissance ébranlée, notre prestige international abaissé, notre place et notre rôle en Afrique compromis. Et par qui ? Hélas ! hélas ! par des hommes dont c'était le devoir, l'honneur, la raison d'être, de servir et d'obéir.

Au nom de la France, j'ordonne que tous les moyens, je dis tous les moyens, soient employés pour barrer partout la route à ces hommes-là, en attendant de les réduire. J'interdis à tout Français et, d'abord, à tout soldat d'exécuter aucun de leurs ordres. L'argument suivant lequel il pourrait être localement nécessaire d'accepter leur commandement sous prétexte d'obligations opérationnelles ou administratives ne saurait tromper personne. Les seuls chefs, civils et militaires, qui aient le droit d'assumer les responsabilités sont ceux qui ont été régulièrement nommés pour cela et que, précisément, les insurgés empêchent de le faire. L'avenir des usurpateurs ne doit être que celui que leur destine la rigueur des lois.

Devant le malheur qui plane sur la patrie et la menace qui pèse sur la République, ayant pris l'avis officiel du Conseil constitutionnel, du Premier ministre, du président du Sénat, du président de l'Assemblée nationale, j'ai décidé de mettre en œuvre l'article 16 de notre Constitution. À partir d'aujourd'hui, je prendrai, au besoin directement, les mesures qui paraîtront exigées par les circonstances. Par là même, je m'affirme, pour aujourd'hui et pour demain, en la légitimité française républicaine que la nation m'a conférée, que je maintiens quoi qu'il arrive, jusqu'au terme de mon mandat ou jusqu'à ce que me manquent, soit les forces, soit la vie, et dont je prendrai les moyens d'assurer qu'elle demeure après moi.

Françaises, Français ! voyez où risque d'aller la France, par rapport à ce qu'elle était en train de redevenir.

Françaises, Français ! aidez-moi !

Intervention télévisée et radiodiffusée
du 23 avril 1961.

34.
JOHN FITZGERALD KENNEDY

Même s'il lance une politique de dialogue avec le nouveau dirigeant de l'Union soviétique Nikita Khrouchtchev, ou peut-être parce qu'il lance ce dialogue, John F. Kennedy veut aussi montrer sa fermeté. L'année de son élection, il engage plus encore son pays dans la course à l'espace et dans celle aux armements, dont les missiles nucléaires à longue portée. Mais il veut surtout s'opposer à la diffusion du communisme dans le monde, et notamment dans les Amériques.

En avril 1961, il laisse faire la tentative de débarquement d'exilés cubains sur leur île, dans la « baie des Cochons ». C'est un échec, que Kennedy doit assumer devant l'opinion publique. L'une des conséquences sera l'embargo américain sur Cuba qui débute le 7 février 1962. Mais, en mai, Khrouchtchev décide d'envoyer des hommes et des missiles nucléaires sur l'île.

Le 14 octobre 1962, Kennedy est averti que les Soviétiques sont en train de construire des sites de stockage et de lancement de missiles nucléaires sur Cuba, et que des navires soviétiques porteurs d'ogives font route vers l'île. C'est dans ce cadre qu'il prononce cette mise en garde à l'Union soviétique, montrant ce que les États-Unis sont prêts à ne pas accepter. Il présente les données au peuple américain et demande à l'URSS de stopper ses opérations, décidant cette fois du blocus de l'île.

Khrouchtchev renonce d'abord à rompre ce dernier, alors pourtant que ses cargos sont escortés de sous-marins. Le 29 octobre, il donne l'ordre de démanteler les sites cubains. Les États-Unis, en contrepartie, retirent leurs fusées installées en Turquie, et s'engagent à ne pas tenter d'action armée contre Cuba. C'est de cette crise que date l'idée du fameux « téléphone rouge » pouvant relier directement les deux chefs d'État.

Une fois la crise cubaine passée, Kennedy continue à négocier avec les Soviétiques et signe avec eux le traité qui interdit les essais dans l'atmosphère. Il gagne avec cette crise une image de fermeté sur la scène internationale, quand Khrouchtchev, qui semble avoir fait les plus grandes concessions, en sort personnellement affaibli.

La crise des missiles

Bonsoir mes compatriotes,

Fidèle à sa promesse, le gouvernement a continué de surveiller de très près les préparatifs militaires soviétiques à Cuba. Au cours de la dernière semaine, nous avons eu des preuves incontestables de la construction de plusieurs bases de fusées dans cette île opprimée. Ces sites de lancement ne peuvent avoir qu'un but : la constitution d'un potentiel nucléaire dirigé contre l'hémisphère occidental. [...]

Cette transformation précipitée de Cuba en importante base stratégique, par suite de la présence de ces puissantes armes offensives à long rayon d'action et qui ont des effets de destruction massive, constitue une menace précise pour la paix et pour la sécurité de toutes les Amériques. Elles font délibérément fi, et d'une façon flagrante, du pacte de Rio de 1947, des traditions de cette nation et de cet hémisphère, de la résolution conjointe prise par le 87e Congrès, de la Charte des Nations unies et de mes propres mises en garde publiques aux Soviétiques les 4 et 13 septembre.

Cette action est également en contradiction avec les assurances réitérées données par les porte-parole soviétiques, tant en public qu'en privé, selon lesquelles l'installation d'armements à Cuba ne revêtirait que le caractère défensif prévu à l'origine, et que l'Union soviétique n'a aucun besoin, ni aucun désir d'installer des missiles stratégiques sur le sol d'une autre nation.

[...]

Ni les États-Unis d'Amérique ni la communauté mondiale des nations ne peuvent tolérer une duperie délibérée et des menaces offensives de la part d'une quelconque puissance, petite ou grande. Nous ne vivons plus dans un monde où seule la mise à feu d'armes constitue une provocation suffisante envers la sécurité d'une nation et constitue un péril maximum. Les armes nucléaires sont tellement destructrices, et les engins balistiques sont tellement rapides, que tout accroissement substantiel dans les moyens de les utiliser, ou que tout changement subit de leur emplacement peut parfaitement être considéré comme une menace précise pour la paix.

Durant plusieurs années, l'Union soviétique, de même que les États-Unis – conscients de ce fait –, ont installé leurs armements nucléaires stratégiques avec grand soin, de façon à ne jamais mettre en danger le *statu quo* précaire qui garantissait que ces armements ne seraient pas utilisés autrement qu'en cas de provocation mettant notre vie en jeu. Nos propres missiles stratégiques n'ont jamais été transférés sur le sol d'aucune autre nation sous un voile de mystère et de tromperie, et notre histoire – contrairement à celle des Soviétiques depuis la Seconde Guerre mondiale – a bien prouvé que nous n'avons aucun désir de dominer ou de conquérir aucune autre nation ou d'imposer un système à son peuple. Il n'empêche que les citoyens américains se sont habitués à vivre quotidiennement sous la menace des missiles soviétiques installés sur le territoire de l'URSS ou bien embarqués à bord de sous-marins.

Dans ce contexte, les armes qui sont à Cuba ne font qu'aggraver un danger évident et actuel – bien qu'il faille prendre note du fait que les nations d'Amérique latine n'ont jamais jusqu'à présent été soumises à une menace nucléaire en puissance.

Mais cette implantation secrète, rapide et extraordinaire de missiles communistes dans une région bien connue comme ayant un lien particulier et historique avec les États-Unis et les pays de l'hémisphère occidental, en violation des assurances soviétiques et au mépris de la politique américaine et de celle de l'hémisphère – cette décision soudaine et clandestine d'implanter pour la première fois des armes stratégiques hors du sol soviétique –, constitue une modification délibérément provocatrice et injustifiée du *statu quo*, qui ne peut être acceptée par notre pays si nous voulons que notre courage et nos engagements soient reconnus comme valables par nos amis comme par nos ennemis.

Les années 1930 nous ont enseigné une leçon claire : les menées agressives, si on leur permet de s'intensifier sans contrôle et sans contestation, mènent finalement à la guerre. Notre pays est contre la guerre. Nous sommes également fidèles à notre parole. Notre détermination inébranlable doit donc être d'empêcher l'utilisation de ces missiles contre notre pays ou n'importe quel autre, et d'obtenir leur retrait de l'hémisphère occidental.

Notre politique a été marquée par la patience et la réserve. Nous avons fait en sorte de ne pas nous laisser distraire de nos objectifs principaux par de simples causes d'irritation ou des actions de fanatiques. Mais aujourd'hui il nous faut prendre de nouvelles initiatives – c'est ce que nous faisons et celles-ci ne constitueront peut-être qu'un début. Nous ne risquerons pas prématurément ou sans nécessité le coût d'une guerre nucléaire mondiale dans laquelle même les fruits de la victoire n'auraient dans notre bouche qu'un goût de cendre, mais nous ne nous déroberons pas devant ce risque, à quelque moment que nous ayons à y faire face. [...]

Premièrement : Pour empêcher la mise en place d'un dispositif offensif, une stricte « quarantaine » sera appliquée sur tout équipement militaire offensif à destination de Cuba. Tous les bateaux à destination de Cuba, quels que soient leur pavillon ou leur provenance, seront interceptés et seront obligés de faire demi-tour s'ils transportent des armes offensives. Si besoin est, cette quarantaine sera appliquée également à d'autres types de marchandises et de navires. Pour le moment, cependant, nous ne cherchons pas à priver la population cubaine des produits dont elle a besoin pour vivre, comme les Soviétiques tentèrent de le faire durant le blocus de Berlin en 1948.

Deuxièmement : J'ai donné des ordres pour que soient poursuivies et accrues la surveillance étroite de Cuba et la mise en place d'un dispositif militaire. [...]

Troisièmement : Toute fusée nucléaire lancée à partir de Cuba, contre l'une quelconque des nations de l'hémisphère occidental, sera considérée comme l'équivalent d'une attaque soviétique contre les États-Unis, attaque qui entraînerait des représailles massives contre l'Union soviétique.

Quatrièmement : Comme précaution militaire impérieuse, j'ai renforcé notre base à Guantanamo [...].

Cinquièmement : Nous avons demandé ce soir la convocation immédiate de l'organisme de consultation des États américains, afin de prendre en considération cette menace pour la sécurité du continent [...]. Nos autres alliés de par le monde ont également été prévenus.

Sixièmement : Conformément à la Charte des Nations unies, nous demandons ce soir une réunion d'urgence du Conseil de sécurité afin de répondre à cette récente menace soviétique pour la paix du monde. La résolution que nous nous proposons de soumettre consiste à prévoir le démantèlement rapide et le retrait de toutes les armes offensives de Cuba, sous le contrôle d'observateurs de l'ONU, avant que l'embargo ne puisse être levé.

Septièmement et finalement : Je fais appel à M. Khrouchtchev afin qu'il mette fin à cette menace clandestine, irresponsable et provocatrice pour la paix du monde et le maintien de relations stables entre nos deux nations. Je lui demande d'abandonner cette politique de domination mondiale et de participer à un effort historique en vue de mettre fin à une périlleuse course aux armements et de transformer l'histoire de l'homme. [...]

Le prix de la liberté est toujours élevé, mais l'Amérique a toujours payé ce prix. Et il est un seul chemin que nous ne suivrons jamais : celui de la capitulation et de la soumission. [...]

Notre but n'est pas la victoire de la force mais la défense du droit. Il n'est pas la paix aux dépens de la liberté, mais la paix et la liberté dans cet hémisphère et, nous l'espérons, dans le monde entier. Avec l'aide de Dieu, nous atteindrons ce but.

Intervention télévisée et radiodiffusée
22 octobre 1962.

35.
JOHN FITZGERALD KENNEDY

Lorsque le président des États-Unis se rend à Berlin, en juin 1963, il y a déjà deux ans que le fameux Mur de Berlin sépare les secteurs alliés (ceux de la France, des États-Unis et de la Grande-Bretagne) du secteur soviétique. Depuis la conférence de Yalta du 6 février 1945, l'Allemagne est divisée entre ces puissances, et la ville de Berlin, isolée sans la zone soviétique, est reliée aux autres secteurs par un couloir routier et ferroviaire et par son aéroport. C'est grâce à celui-ci qu'elle est ravitaillée pendant un an, lorsque, en 1948, les Soviétiques décident de son blocus. À la fin de cette crise, le 4 mai 1949, l'entente née de la guerre a fait place à la guerre froide, et Berlin fait figure de symbole.

Les deux blocs s'opposent ensuite presque frontalement en Asie (Corée, Chine) ou en Amérique latine (Cuba). Au début des années 1960, les choses semblent changer avec l'arrivée au pouvoir de deux hommes neufs, Nikita Khrouchtchev en URSS et John Fitzgerald Kennedy aux États-Unis. Mais Khrouchtchev ne peut espérer engager la déstalinisation sans donner de gages à son propre camp, et Berlin en fait les frais, par Parti communiste frère interposé.

À partir du 13 août 1961, pour empêcher les habitats de la zone Est de gagner la zone Ouest, la ville va être physiquement séparée, par des barbelés d'abord, puis par un mur de près de cinquante kilomètres de long. Miradors, clôtures électrifiées, policiers (les « Vopos ») qui n'hésitent pas à tirer sur ceux qui tentent de passer, « check points » entre zones ultra-surveillées : Berlin-Est va ressembler à une prison pendant des années, sans que les États-Unis ou quiconque ait beaucoup manifesté alors.

La visite de Kennedy à Berlin se situe à un moment clé de la recherche d'un nouvel équilibre entre les blocs, notamment dans le domaine du nucléaire : la crise des fusées de Cuba est passée, des accords sont en vue quant à la limitation puis à l'interdiction des essais atomiques dans l'atmosphère. Mais pour l'Américain aussi il faut marquer le terrain de manière offensive. Se rendre à Berlin comme il le fait, affirmer face au Mur l'opposition entre monde libre et monde communiste, user de la langue allemande et, plusieurs fois, rappeler la bonne foi, la bonne volonté des Allemands de l'après-guerre, sont autant de symboles forts, qui se résumeront dans la phrase célèbre : « Ich bin ein Berliner »…

ICH BIN EIN BERLINER

Je suis fier d'être venu dans votre ville, invité par votre bourgmestre régnant. Votre bourgmestre symbolise aux yeux du monde entier l'esprit combattant de Berlin-Ouest. Je suis fier d'avoir visité la République fédérale avec le chancelier Adenauer qui durant de si longues années a construit la démocratie et la liberté en Allemagne. […]

Il ne manque pas de personnes au monde qui ne veulent pas comprendre ou qui prétendent ne pas vouloir comprendre quel est le litige entre le communisme et le monde libre. Qu'elles viennent donc à Berlin. D'autres prétendent que le communisme est l'arme de l'avenir. Qu'ils viennent eux aussi à Berlin. Certains, enfin, en Europe et ailleurs, prétendent qu'on peut travailler avec les communistes. Qu'ils viennent donc ceux-là aussi à Berlin.

Notre liberté éprouve certes beaucoup de difficultés et notre démocratie n'est pas parfaite. Cependant nous n'avons jamais eu besoin, nous, d'ériger un mur pour empêcher notre peuple de s'enfuir. Je ne connais aucune ville qui ait connu dix-huit ans de régime d'occupation et qui soit restée aussi vitale et forte et qui vive avec l'espoir et la détermination qui est celle de Berlin-Ouest.

Le mur fournit la démonstration éclatante de la faillite du système communiste. Cette faillite est visible aux yeux du monde entier. Nous n'éprouvons aucune satisfaction en voyant ce mur, car il constitue à nos yeux une offense non seulement à l'histoire mais encore une offense à l'humanité.

La paix en Europe ne peut pas être assurée tant qu'un Allemand sur quatre sera privé du droit élémentaire des hommes libres à l'autodétermination. Après dix-huit ans de paix et de confiance, la présente génération allemande a mérité le droit d'être libre, ainsi que le droit à la réunification de ses familles et de sa nation pacifiquement et durablement. Vous vivez sur un îlot de liberté mais votre vie est liée au sort du continent.

Je vous demande donc de regarder par-dessus les dangers d'aujourd'hui vers les espoirs de demain, de ne pas penser seulement à votre ville et à votre patrie allemande, mais d'axer votre pensée sur le progrès de la liberté dans le monde entier.

Ne voyez pas le mur, envisagez le jour où éclatera la paix, une paix juste. La liberté est indivisible et, tant qu'un seul homme se trouvera en esclavage, tous les autres ne peuvent être considérés comme libres.

Mais quand tous les hommes seront libres, nous pourrons attendre en toute confiance le jour où cette ville de Berlin sera réunifiée et où le grand continent européen rayonnera pacifiquement.

La population de Berlin-Ouest peut être certaine qu'elle a tenu bon pour la bonne cause sur le front de la liberté pendant une vingtaine d'années. Tous les hommes libres, où qu'ils vivent, sont citoyens de cette ville de Berlin-Ouest, et pour cette raison, en ma qualité d'homme libre, je dis : *ich bin ein Berliner* [je suis un Berlinois].

Discours prononcé à Berlin-Ouest,
le 26 juin 1963.

36.

MARTIN LUTHER KING

Les États-Unis des années 1960 connaissent leurs émeutes centrées autour de la question raciale. Les lois anti-ségrégation mises en place ne permettent en effet pas à la communauté noire d'obtenir une reconnaissance suffisante et de briser le racisme latent – ou ouvert – de certains. Si, par exemple, la Cour suprême cherche à en finir avec la ségrégation scolaire qui enferme un peu plus les jeunes Afro-Américains dans leurs ghettos, l'administration peine à mettre en place des mesures effectives.

Le pasteur Martin Luther King (1929-1968) crée, dans cette ambiance de lutte, la Southern Christian Leadership Conference, pour promouvoir la non-violence au sein du mouvement de revendication. Nous sommes loin ici des textes d'ultra-violence de certains mouvements issus des ghettos comme les Black Panthers ou les Black Muslims.

Fils de pasteur, ayant reçu une éducation soignée, Martin Luther King n'est pas un représentant des ghettos mais plutôt de cette bourgeoisie noire qui cherche à prendre toute sa place dans la société démocratique américaine. Il obtient, par une campagne de boycott des bus de Montgomery, en Alabama, le respect de la mixité raciale. Il continue sur la même voie, organisant des conférences, de grands rassemblements, des marches, dont cette marche de la liberté qui réunit deux cent mille personnes à Washington.

On trouve dans le discours qu'il y prononce la référence au mythe de Lincoln – que l'on retrouvera dans les discours de Barack Obama en 2009. On y trouve encore l'appel à la lutte non violente en même temps que la réaffirmation de sa volonté d'aller jusqu'au bout. On y trouve aussi les références bibliques du pasteur.

Prix Nobel de la paix en 1964, Martin Luther King doit faire face à de nombreuses provocations lors de marches ultérieures, tandis qu'au fil du temps, au sein des groupes politiques afro-américains, les radicaux du Nord semblent dépasser les non-violents du Sud.

Il est assassiné à Memphis le 4 avril 1968.

I HAVE A DREAM

Je suis heureux de participer avec vous aujourd'hui à ce rassemblement qui restera dans l'histoire comme la plus grande manifestation que notre pays ait connue en faveur de la liberté.

Il y a un siècle de cela, un grand Américain qui nous couvre aujourd'hui de son ombre symbolique signait notre acte d'émancipation. Cette proclamation historique faisait, comme un grand phare, briller la lumière de l'espérance aux yeux de millions d'esclaves noirs marqués au feu d'une brûlante injustice. Ce fut comme l'aube joyeuse qui mettrait fin à la longue nuit de leur captivité.

Mais cent ans ont passé et le Noir n'est pas encore libre. Cent ans ont passé et l'existence du Noir est toujours tristement entravée par les liens de la ségrégation, les chaînes de la discrimination ; cent ans ont passé et le

Noir vit encore sur l'île solitaire de la pauvreté, dans un vaste océan de prospérité matérielle ; cent ans ont passé et le Noir languit toujours dans les marches de la société américaine et se trouve en exil dans son propre pays.

C'est pourquoi nous sommes accourus aujourd'hui en ce lieu pour rendre manifeste cette honteuse situation. En ce sens, nous sommes montés à la capitale de notre pays pour toucher un chèque. En traçant les mots magnifiques qui forment notre Constitution et notre Déclaration d'indépendance, les architectes de notre république signaient une promesse dont héritait chaque Américain. Aux termes de cet engagement, tous les hommes, les Noirs, oui, aussi bien que les Blancs, se verraient garantir leurs droits inaliénables à la vie, à la liberté et à la recherche du bonheur.

Il est aujourd'hui évident que l'Amérique a failli à sa promesse en ce qui concerne ses citoyens de couleur. Au lieu d'honorer son obligation sacrée, l'Amérique a délivré au peuple noir un chèque sans valeur ; un chèque qui est revenu avec la mention « Provisions insuffisantes ». Nous ne pouvons croire qu'il n'y ait pas de quoi honorer ce chèque dans les vastes coffres de la chance en notre pays. Aussi sommes-nous venus encaisser ce chèque, un chèque qui nous fournira sur simple présentation les richesses de la liberté et la sécurité de la justice.

Nous sommes également venus en ce lieu sanctifié pour rappeler à l'Amérique les exigeantes urgences de l'heure présente. Il n'est plus temps de se laisser aller au luxe d'attendre ni de prendre les tranquillisants des demi-mesures. Le moment est maintenant venu de réaliser les promesses de la démocratie ; le moment est venu d'émerger des vallées obscures et désolées de la ségrégation pour fouler le sentier ensoleillé de la justice raciale ;

le moment est venu de tirer notre nation des sables mouvants de l'injustice raciale pour la hisser sur le roc solide de la fraternité ; le moment est venu de réaliser la justice pour tous les enfants du Bon Dieu. Il serait fatal à notre nation d'ignorer qu'il y a péril en la demeure. Cet étouffant été du légitime mécontentement des Noirs ne se terminera pas sans qu'advienne un automne vivifiant de liberté et d'égalité.

1963 n'est pas une fin mais un commencement. Ceux qui espèrent que le Noir avait seulement besoin de laisser fuser la vapeur et se montrera désormais satisfait se préparent à un rude réveil si le pays retourne à ses affaires comme devant.

Il n'y aura plus ni repos ni tranquillité en Amérique tant que le Noir n'aura pas obtenu ses droits de citoyen.

Les tourbillons de la révolte continueront d'ébranler les fondations de notre nation jusqu'au jour où naîtra l'aube brillante de la justice.

Mais il est une chose que je dois dire à mon peuple, debout sur le seuil accueillant qui mène au palais de la justice : en nous assurant notre juste place, ne nous rendons pas coupables d'agissements répréhensibles.

Ne cherchons pas à étancher notre soif de liberté en buvant à la coupe de l'amertume et de la haine. Livrons toujours notre bataille sur les hauts plateaux de la dignité et de la discipline. Il ne faut pas que notre revendication créatrice dégénère en violence physique. Encore et encore, il faut nous dresser sur les hauteurs majestueuses où nous opposerons les forces de l'âme à la force matérielle.

Le merveilleux militantisme qui s'est nouvellement emparé de la communauté noire ne doit pas nous conduire à nous méfier de tous les Blancs. Comme l'atteste leur présence aujourd'hui en ce lieu, nombre de nos frères de race blanche ont compris que leur destinée est liée à notre destinée. Ils ont compris que leur liberté est inextricablement liée à notre liberté. L'assaut que nous avons monté ensemble pour emporter les remparts de l'injustice doit être mené par une armée biraciale. Nous ne pouvons marcher tout seuls au combat. Et au cours de notre progression, il faut nous engager à continuer d'aller de l'avant ensemble. Nous ne pouvons pas revenir en arrière. Il en est qui demandent aux tenants des droits civiques : « Quand serez-vous enfin satisfaits ? » Nous ne pourrons jamais être satisfaits tant que le Noir sera victime des indicibles horreurs de la brutalité policière.

Nous ne pourrons jamais être satisfaits tant que nos corps recrus de la fatigue du voyage ne trouveront pas un abri dans les motels des grandes routes ou les hôtels des villes. Nous ne pourrons jamais être satisfaits tant que la liberté de mouvement du Noir ne lui permettra guère que d'aller d'un petit ghetto à un ghetto plus grand.

Nous ne pourrons jamais être satisfaits tant que nos enfants seront dépouillés de leur identité et privés de leur dignité par des pancartes qui indiquent : « Seuls les Blancs sont admis. » Nous ne pourrons être satisfaits tant qu'un Noir du Mississippi ne pourra pas voter et qu'un Noir de New York croira qu'il n'a aucune raison de voter. Non, nous ne sommes pas satisfaits, et nous ne serons pas satisfaits tant que le droit ne jaillira pas comme les eaux et la justice comme un torrent intarissable.

Je n'ignore pas que certains d'entre vous ont été conduits ici par un excès d'épreuves et de tribulations. D'aucuns sortent à peine de l'étroite cellule d'une prison. D'autres viennent de régions où leur quête de liberté leur a valu d'être battus par les tempêtes de la persécution, secoués par les vents de la brutalité policière. Vous êtes les pionniers de la souffrance créatrice. Poursuivez votre tache, convaincus que cette souffrance imméritée vous sera rédemption.

Retournez au Mississippi ; retournez en Alabama ; retournez en Caroline du Sud ; retournez en Géorgie ; retournez en Louisiane, retournez à vos taudis et à vos ghettos dans les villes du Nord, en sachant que, d'une façon ou d'une autre, cette situation peut changer et changera. Ne nous vautrons pas dans les vallées du désespoir.

Je vous le dis ici et maintenant, mes amis : même si nous devons affronter des difficultés aujourd'hui et demain, j'ai pourtant un rêve. C'est un rêve profondément ancré dans le rêve américain. Je rêve que, un jour, notre pays se lèvera et vivra pleinement la véritable réalité de son credo : « Nous tenons ces vérités pour évidentes par elles-mêmes que tous les hommes sont créés égaux. »

Je rêve que, un jour, sur les rouges collines de Géorgie, les fils des anciens esclaves et les fils des anciens propriétaires d'esclaves pourront s'asseoir ensemble à la table de la fraternité.

Je rêve que, un jour, l'État du Mississippi lui-même, tout brûlant des feux de l'injustice, tout brûlant des feux de l'oppression, se transformera en oasis de liberté et de justice. Je rêve que mes quatre petits enfants vivront un jour dans un pays où on ne les jugera pas à la couleur de leur peau mais à la nature de leur caractère. J'ai aujourd'hui un rêve !

Je rêve que, un jour, même en Alabama où le racisme est vicieux, où le gouverneur a la bouche pleine des mots « interposition » et « nullification », un jour, justement en Alabama, les petits garçons et petites filles noirs, les petits garçons et petites filles blancs, pourront tous se prendre par la main comme frères et sœurs. J'ai aujourd'hui un rêve !

Je rêve que, un jour, tout vallon sera relevé, toute montagne et toute colline seront rabaissés, tout éperon deviendra une plaine, tout mamelon une trouée, et la gloire du Seigneur sera révélée à tous les êtres faits de chair tous à la fois.

Telle est mon espérance. Telle est la foi que je remporterai dans le Sud.

Avec une telle foi nous serons capables de distinguer, dans les montagnes de désespoir, un caillou d'espérance. Avec une telle foi, nous serons capables de transformer la cacophonie de notre nation discordante en une merveilleuse symphonie de fraternité. Avec une telle foi, nous serons capables de travailler ensemble, de prier ensemble, de lutter ensemble, d'aller en prison ensemble, de nous dresser ensemble pour la liberté, en sachant que nous serons libres un jour. Ce sera le jour où les enfants du Bon Dieu pourront chanter ensemble cet hymne auquel ils donneront une signification nouvelle – « Mon pays c'est toi, douce terre de liberté, c'est toi que je chante, pays où reposent nos pères, orgueil du pèlerin, au flanc de chaque montagne que sonne la cloche de la liberté » –, et si l'Amérique doit être une grande nation, il faut qu'il en soit ainsi.

Aussi, faites sonner la cloche de la liberté sur les prodigieux sommets du New Hampshire.

Faites-la sonner sur les puissantes montagnes de l'État de New York. Faites-la sonner sur les hauteurs des Alleghanys en Pennsylvanie. Faites-la sonner sur les neiges des Rocheuses, au Colorado. Faites-la sonner sur les collines ondulantes de la Californie. Mais cela ne suffit pas.

Faites-la sonner sur la Stone Mountain de Géorgie. Faites-la sonner sur la Lookout Mountain du Tennessee. Faites-la sonner sur chaque colline et chaque butte du Mississippi, faites-la sonner au flanc de chaque montagne.

Quand nous ferons en sorte que la cloche de la liberté puisse sonner, quand nous la laisserons carillonner dans chaque village et chaque hameau, dans chaque État et dans chaque cité, nous pourrons hâter la venue du jour où tous les enfants du Bon Dieu, les Noirs et les Blancs, les juifs et les gentils, les catholiques et les protestants, pourront se tenir par la main et chanter les paroles du vieux « spiritual » noir : « Libres enfin. Libres enfin. Merci Dieu tout-puissant, nous voilà libres enfin. »

Discours prononcé à Washington,
le 28 août 1963.

37.

ANDRÉ MALRAUX

Qu'un écrivain célèbre soit choisi par le général de Gaulle pour devenir son ministre de la Culture, qu'il existât même un ministère de la Culture – ou plus exactement à l'époque un ministère des Affaires culturelles –, voilà qui n'allait pas de soi. L'antifascisme d'André Malraux (1901-1976) l'avait conduit à s'engager aux côtés des républicains durant la guerre d'Espagne, de manière peut-être plus symbolique qu'efficace. Il s'est naturellement tourné vers la Résistance dès la fin 1943, et se présente volontiers alors, avec ce grade de colonel qu'il s'était attribué lors de la guerre d'Espagne, comme fédérateur des mouvements dans le Sud-Ouest.

À partir de 1945, Malraux, clairement sensible au charisme du général de Gaulle, entame derrière lui une carrière politique : ministre de l'Information dans les gouvernements de 1945, il sera aussi, de 1959 à 1969, le ministre des Affaires culturelles du gaullisme. C'est à ce titre, en même temps que comme ancien résistant, qu'il écrit et prononce le discours qui suit, place du Panthéon, en 1964.

Jean Moulin (1899-1943) est entre-temps devenu une figure de martyr de la Résistance. Préfet au moment de la Seconde Guerre mondiale, il est mis en disponibilité par Vichy et rejoint de Gaulle à Londres. Sa mission, délicate, sera de tenter d'unifier les divers mouvements de résistance sous la tutelle du général. Il est pour cela parachuté en France en janvier 1942 et fonde en 1943 le Conseil national de la Résistance, qu'il préside. À la suite d'une trahison, il est fait prisonnier le 21 juin 1943 à Caluire. Torturé sous les ordres de Klaus Barbie, il meurt au cours de son transfert en Allemagne.

Ce discours, qu'il faudrait pouvoir écouter autant que lire, présente, mythe plus que réalité, une Résistance unifiée autour du gaullisme à une France déchirée par la guerre d'Algérie et ses conséquences.

ENTRE ICI, JEAN MOULIN...

Monsieur le président de la République,

Voilà donc plus de vingt ans que Jean Moulin partit, par un temps de décembre sans doute semblable à celui-ci, pour être parachuté sur la terre de Provence, et devenir le chef d'un peuple de la nuit. Sans la cérémonie d'aujourd'hui, combien d'enfants de France sauraient son nom ? Il ne le retrouva lui-même que pour être tué ; et depuis sont nés seize millions d'enfants...

Puissent les commémorations des deux guerres s'achever aujourd'hui par la résurrection du peuple d'ombres que cet homme anima, qu'il symbolise, et qu'il fait entrer ici comme une humble garde solennelle autour de son corps de mort. Après vingt ans, la Résistance est devenue un monde de limbes où la légende se mêle à l'organisation. Le sentiment profond, organique, millénaire, qui a pris depuis son action légendaire, voici comment je l'ai rencontré. Dans un village de Corrèze, les Allemands avaient tué des combattants du maquis, et donné ordre au maire de les faire enterrer en secret, à l'aube. Il est d'usage, dans cette région, que chaque femme assiste aux obsèques de tout mort de son village en se tenant sur la tombe de sa propre famille. Nul ne connaissait ces morts, qui étaient des Alsaciens. Quand ils atteignirent le cimetière, portés par nos paysans sous la garde menaçante des mitraillettes allemandes, la nuit qui se retirait comme la mer laissa paraître les femmes noires de Corrèze, immobiles du haut en bas de la montagne, et attendant en silence, chacune sur la tombe des siens, l'ensevelissement des morts français. Ce sentiment qui appelle la légende, sans lequel la résistance n'eût jamais existé et qui nous réunit aujourd'hui, c'est peut-être simplement l'accent invincible de la fraternité.

Comment organiser cette fraternité pour en faire un combat ? […] Lorsque, le 1er janvier 1942, Jean Moulin fut parachuté en France, la Résistance n'était encore qu'un désordre de courage : une presse clandestine, une source d'informations, une conspiration pour rassembler ces troupes qui n'existaient pas encore. Or ces informations étaient destinées à tel ou tel allié, ces troupes se lèveraient lorsque les Alliés débarqueraient. Certes, les résistants étaient des combattants fidèles aux Alliés. Mais ils voulaient cesser d'être des Français résistants, et devenir la Résistance française.

C'est pourquoi Jean Moulin est allé à Londres. Pas seulement parce que s'y trouvaient des combattants français (qui eussent pu n'être qu'une légion), pas seulement parce qu'une partie de l'empire avait rallié la France libre. S'il venait demander au général de Gaulle de l'argent et des armes, il venait aussi lui demander « une approbation morale, des liaisons fréquentes, rapides et sûres avec lui ». Le Général assumait alors le Non du premier jour ; le maintien du combat, quel qu'en fût le lieu, quelle qu'en fût la forme ; enfin, le destin de la France. La force des appels de juin 40 tenait moins aux « forces immenses qui n'avaient pas encore donné », qu'à : « Il faut que la France soit présente à la victoire. Alors, elle retrouvera sa liberté et sa grandeur. » La France, et non telle légion de combattants français. C'était par la France libre que les résistants de Bir Hakeim se conjuguaient, formaient une France combattante restée au combat. Chaque groupe de résistants pouvait se légitimer par l'allié qui l'armait et le soutenait, voire par son seul courage ; le général de Gaulle seul pouvait appeler les mouvements de Résistance à l'union entre eux et avec tous les autres combats, car c'était à travers lui seul que la France livrait un seul combat. C'est pourquoi – même lorsque le président Roosevelt croira assister à une rivalité de généraux ou de partis – l'armée d'Afrique, depuis la Provence jusqu'aux Vosges, combattra au nom du gaullisme comme feront les troupes du Parti communiste. C'est pourquoi Jean Moulin avait emporté, dans le double fond d'une boîte d'allumettes, la microphoto du très simple ordre suivant : « M. Moulin a pour mission de réaliser, dans la zone non directement occupée de la métropole, l'unité d'action de tous les éléments qui résistent à l'ennemi et à ses collaborateurs. » Inépuisablement, il montre aux chefs des groupements le danger qu'entraîne le déchirement de la Résistance entre des tuteurs différents. [...] Il faut que sur toutes les routes, sur toutes les voies ferrées de France, les combattants clandestins désorganisent méthodiquement la concentration des divisions cuirassées allemandes. Et un tel plan d'ensemble ne peut être conçu, et exécuté, que par l'unité de la Résistance.

C'est à quoi Jean Moulin s'emploie jour après jour, peine après peine, un mouvement de Résistance après l'autre : « Et maintenant, essayons de calmer les colères d'en face... » Il y a, inévitablement, des problèmes de personnes ; et bien davantage, la misère de la France combattante, l'exaspérante certitude pour chaque maquis ou chaque groupe franc, d'être spolié au bénéfice d'un autre maquis ou d'un autre groupe, qu'indignent, au même moment, les mêmes illusions… Qui donc sait encore ce qu'il fallut d'acharnement pour parler le même langage à des instituteurs radicaux ou réactionnaires, des officiers réactionnaires ou libéraux, des trotskistes ou communistes retour de Moscou, tous promis à la même délivrance ou à la même prison ; ce qu'il fallut de rigueur à un ami de la République espagnole, à un ancien « préfet radical », chassé par Vichy, pour exiger d'accueillir dans le combat commun tels rescapés de la Cagoule !

Jean Moulin n'a nul besoin d'une gloire usurpée : ce n'est pas lui qui a créé *Combat*, *Libération*, *Franc-Tireur*, c'est Frenay, d'Astier, Jean-Pierre Lévy. Ce n'est pas lui qui a créé les nombreux mouvements de la zone Nord dont l'histoire recueillera tous les noms. Ce n'est pas lui qui a fait les régiments mais c'est lui qui a fait l'armée. Il a été le Carnot de la Résistance.

Attribuer peu d'importance aux opinions dites politiques, lorsque la nation est en péril de mort – la nation, non pas un nationalisme alors écrasé sous les chars hitlériens, mais la donnée invincible et mystérieuse qui allait emplir le siècle ; penser qu'elle dominerait bientôt les doctrines totalitaires dont retentissait l'Europe ; voir dans l'unité de la Résistance le moyen capital du combat pour l'unité de la nation, c'était peut-être affirmer ce qu'on a, depuis, appelé le gaullisme. C'était certainement proclamer la survie de la France.

[…] Enfin, le général de Gaulle décidait la création d'un Comité de coordination que présiderait Jean Moulin, assisté du chef de l'Armée secrète unifiée. La préhistoire avait pris fin. Coordonnateur de la Résistance en zone Sud, Jean Moulin en devenait le chef. [...] En mars [1943], chargé de constituer et de présider le Conseil national de la Résistance, Jean Moulin monte dans l'avion qui va le parachuter au nord de Roanne.

Ce Conseil national de la Résistance, qui groupe les mouvements, les partis et les syndicats de toute la France, c'est l'unité précairement conquise, mais aussi la certitude qu'au jour du débarquement, l'armée en haillons de la Résistance attendra les divisions blindées de la Libération.

Jean Moulin en retrouve les membres, qu'il rassemblera si difficilement. Il retrouve aussi une Résistance tragiquement transformée. Celle-là, elle avait combattu comme une armée, en face de la victoire, de la mort ou de la captivité. Elle commence à découvrir l'univers concentrationnaire, la certitude de la torture. Désormais elle va combattre en face de l'enfer. Ayant reçu un rapport sur les camps de concentration, il dit : « J'espère qu'ils nous fusillerons avant. » Ils ne devaient pas avoir besoin de le fusiller.

La Résistance grandit, les réfractaires du travail obligatoire vont bientôt emplir nos maquis ; la Gestapo grandit aussi, la Milice est partout. C'est le temps où, dans la campagne, nous interrogeons les aboiements des chiens au fond de la nuit ; le temps où les parachutes multicolores, chargés d'armes et de cigarettes, tombent du ciel dans la lueur des feux des clairières ou des causses ; c'est le temps des caves, et de ces cris désespérés que poussent les torturés avec des voix d'enfants... La grande lutte des ténèbres a commencé.

[...] Le 9 juin, le général Delestraint, chef de l'Armée secrète enfin unifiée, est pris à Paris.

Aucun successeur ne s'impose. Ce qui est fréquent dans la clandestinité : Jean Moulin aura dit maintes fois avant l'arrivée de Serreules : « Si j'étais pris, je n'aurais pas même eu le temps de mettre un adjoint au courant... » Il veut donc désigner ce successeur avec l'accord des mouvements, notamment de ceux de la zone Sud. Il rencontrera leurs délégués le 21, à Caluire.

Ils l'y attendent, en effet.

La Gestapo aussi.

La trahison joue son rôle – et le destin, qui veut qu'aux trois quarts d'heure de retard de Jean Moulin, presque toujours ponctuel, corresponde un long retard de la police allemande. Assez vite, celle-ci apprend qu'elle tient le chef de la Résistance.

En vain. Le jour où, au fort Montluc à Lyon, après l'avoir fait torturer, l'agent de la Gestapo lui tend de quoi écrire puisqu'il ne peut plus parler, Jean Moulin dessine la caricature de son bourreau. Pour la terrible suite, écoutons seulement les mots si simples de sa sœur : « Son rôle est joué, et son calvaire commence. Bafoué, sauvagement frappé, la tête en sang, les organes éclatés, il atteint les limites de la souffrance humaine sans jamais trahir un seul secret, lui qui les savait tous. »

Comprenons bien que, pendant les quelques jours où il pourrait encore parler ou écrire, le destin de la Résistance est suspendu au courage de cet homme. Comme le dit Mlle Moulin, il savait tout.

Georges Bidault prendra sa succession. Mais voici la victoire de ce silence atrocement payé : le destin bascule. Chef de la Résistance martyrisé dans des caves hideuses, regarde de tes yeux disparus toutes ces femmes noires qui veillent nos compagnons : elles portent le deuil de la France, et le tien. Regarde glisser sous les chênes nains du Quercy, avec un drapeau fait de mousselines nouées, les maquis que la Gestapo ne trouvera jamais parce qu'elle ne croit qu'aux grands arbres. Regarde le prisonnier qui entre dans une villa luxueuse et se demande pourquoi on lui donne une salle de bains – il n'a pas encore entendu parler de la baignoire. Pauvre roi supplicié des ombres, regarde ton peuple d'ombres se lever dans la nuit de juin constellée de tortures.

Voici le fracas des chars allemands qui remontent vers la Normandie à travers les longues plaintes des bestiaux réveillés : grâce à toi, les chars n'arriveront pas à temps. Et quand la trouée des Alliés commence, regarde, préfet, surgir dans toutes les villes de France les commissaires de la République – sauf lorsqu'on les a tués. Tu as envié, comme nous, les clochards épiques de Leclerc : regarde, combattant, tes clochards sortir à quatre pattes de leurs maquis de chênes, et arrêter avec leurs mains paysannes formées aux bazookas l'une des premières divisions cuirassées de l'empire hitlérien, la division Das Reich.

Comme Leclerc entra aux Invalides, avec son cortège d'exaltation dans le soleil d'Afrique, entre ici, Jean Moulin, avec ton terrible cortège. Avec ceux qui sont morts dans les caves sans avoir parlé, comme toi ; et même, ce qui est peut-être plus atroce, en ayant parlé ; avec tous les rayés et tous les tondus des camps de concentration, avec le dernier corps trébuchant des affreuses files de Nuit et Brouillard, enfin tombé sous les crosses ; avec les huit mille Françaises qui ne sont pas revenues des bagnes, avec la dernière femme morte à Ravensbrück pour avoir donné asile à l'un des nôtres. Entre, avec le peuple né de l'ombre et disparu avec elle – nos frères dans l'ordre de la Nuit… Commémorant l'anniversaire de la Libération de Paris, je disais : « Écoute ce soir, jeunesse de mon pays, ces cloches d'anniversaire qui sonneront comme celles d'il y a quatorze ans. Puisses-tu, cette fois, les entendre : elles vont sonner pour toi. »

L'hommage d'aujourd'hui n'appelle que le chant qui va s'élever maintenant, ce Chant des partisans que j'ai entendu murmurer comme un chant de complicité, puis psalmodier dans le brouillard des Vosges et les bois d'Alsace, mêlé au cri perdu des moutons des tabors, quand les bazookas de Corrèze avançaient à la rencontre des chars de Rundstedt lancés de nouveau contre Strasbourg. Écoute aujourd'hui, jeunesse de France, ce qui fut pour nous le Chant du Malheur. C'est la marche funèbre des cendres que voici. À côté de celles de Carnot avec les soldats de l'an II, de celles de Victor Hugo avec *Les Misérables*, de celles de Jaurès veillées par la Justice, qu'elles reposent avec leur long cortège d'ombres défigurées. Aujourd'hui, jeunesse, puisses-tu penser à cet homme comme tu aurais approché tes mains de sa pauvre face informe du dernier jour, de ses lèvres qui n'avaient pas parlé ; ce jour-là, elle était le visage de la France…

Discours prononcé devant le Panthéon,
à Paris,
le 19 décembre 1964.

38.
CHARLES DE GAULLE

Le général de Gaulle se rend en visite officielle au Canada en 1967, pour l'inauguration de l'Exposition internationale, et reçoit un accueil triomphal sur son trajet de Québec à Montréal. C'est dans cette dernière ville qu'il est invité par le maire, M. Drapeau, à prononcer quelques mots au balcon de l'Hôtel de Ville, devant une foule de plus de cent mille personnes.

C'est à la fin de cette allocution improvisée qu'il lance son « Vive le Québec libre ! », qui déchaîne la foule… et la colère du gouvernement fédéral canadien. Le Premier ministre canadien déclare ces propos « inacceptables », de Gaulle fait répondre que le mot inacceptable est lui-même inacceptable et, annulant sa visite à Ottawa, repart pour la France.

La presse française se montra largement critique, considérant qu'il s'agissait d'une déclaration incontrôlée qui ne rendait pas justice au soutien apporté à la France libre par le Canada anglophone lors du second conflit mondial.

Mais le Général justifie ensuite ses propos lors de la conférence de presse du 27 novembre 1967. Il salue alors la lutte des Québécois pour la sauvegarde de leur culture francophone et, au-delà, parle de leur sentiment « national » et des conditions de leur éventuelle émancipation de l'État fédéral canadien. Sans doute avait-il saisi combien son mot, certes improvisé, avait réveillé d'espoirs au Québec.

VIVE LE QUÉBEC LIBRE !

C'est une immense émotion qui remplit mon cœur en voyant devant moi la ville de Montréal… française !

Au nom du vieux pays, au nom de la France, je vous salue ! Je vous salue de tout mon cœur !

Je vais vous confier un secret que vous ne répéterez pas. Ce soir ici, et tout le long de ma route, je me trouvais dans une atmosphère du même genre que celle de la Libération ! Et tout le long de ma route, outre cela, j'ai constaté quel immense effort de progrès, de développement, et par conséquent d'affranchissement vous accomplissez ici et c'est à Montréal qu'il faut que je le dise, parce que, s'il y a au monde une ville exemplaire par ses réussites modernes, c'est la vôtre ! Je dis c'est la vôtre et je me permets d'ajouter, c'est la nôtre !

Si vous saviez quelle confiance la France, réveillée après d'immenses épreuves, porte maintenant vers vous, si vous saviez quelle affection elle recommence à ressentir pour les Français du Canada et si vous saviez à quel point elle se sent obligée de concourir à votre marche en avant, à votre progrès. C'est pourquoi elle a conclu avec le gouvernement du Québec, avec celui de mon ami Johnson, des accords, pour que les Français de part et d'autre de l'Atlantique travaillent ensemble à une même œuvre française. Et, d'ailleurs, le concours que la France va, tous les jours un peu plus, prêter ici, elle sait bien que vous le lui rendrez, parce que vous êtes en train de vous constituer des élites, des usines, des entreprises, des laboratoires, qui feront l'étonnement de tous et qui, un jour, j'en suis sûr, vous permettront d'aider la France.

Voilà ce que je suis venu vous dire ce soir en ajoutant que j'emporte de cette réunion inouïe de Montréal un souvenir inoubliable ! La France entière sait, voit, entend ce qui se passe ici, et je puis vous dire qu'elle en vaudra mieux !

Vive Montréal !
Vive le Québec !
Vive le Québec libre !
Vive, vive… Vive le Canada français !
Et vive la France !

Discours prononcé à Montréal,
le 24 juillet 1967.

39.
CHARLES DE GAULLE

Alors que sont en train de se dérouler les événements de mai 1968, la même question se pose pour certains qu'en 1789 : s'agit-il d'une émeute ou d'une révolution ? De Gaulle a proposé aux Français, dans une allocution du 24 mai, un référendum sur la « rénovation » de l'État, notamment dans les dimensions universitaire et sociale. Une fois de plus, il se voit accusé d'utiliser le référendum comme un plébiscite et de faire passer des réformes en engageant sa responsabilité politique. C'est pourtant cette responsabilité politique du président devant le peuple qui constitue un élément essentiel de l'esprit des institutions de la Ve République.

Le 26 mai, les accords de Grenelle sont signés mais, pour certains chefs de la gauche, le temps est venu de mettre à bas le régime. Le 27 mai, c'est la manifestation du stade Charléty. Les 27 et 28 mai, François Mitterrand annonce sa candidature à la présidence de la République et demande la formation d'un gouvernement provisoire de dix membres, dirigé par Pierre Mendès France. Le 29 mai, ce dernier se dit prêt à accepter, tandis que des manifestations, à Paris et en province, réunissent étudiants et syndicalistes.

Ce même jour, de Gaulle disparaît, et même les membres du gouvernement ne savent pas où il se trouve. Il est en fait parti en hélicoptère à Baden-Baden pour y rencontrer le général Massu qui commande les forces françaises stationnées en Allemagne.

À son retour, il choisit d'agir en demandant l'arbitrage du peuple souverain non sur un référendum, comme il l'avait initialement pensé, mais au travers de la dissolution de l'Assemblée nationale et des nouvelles élections législatives qui doivent suivre. Il fait en ce sens cette déclaration du 30 mai, concise, décidée, restaurant en quelques minutes une image de chef d'État un peu estompée lors des événements. Elle sera suivie d'une immense manifestation gaulliste de soutien sur les Champs-Élysées.

Lors des élections de juin 1968, la droite obtient la majorité écrasante de 354 sièges sur 487. Mais de Gaulle veut tenter l'année suivante, par voie référendaire, une réforme institutionnelle concernant notamment la composition et le rôle du Sénat. Le 27 avril 1969, en partie à la suite de la défection de certains membres de la majorité – dont Valéry Giscard d'Estaing –, le « non » l'emporte par 52,41 % des voix. Et le 28 avril 1969 tombe le dernier communiqué du président de Gaulle : « Je cesse d'exercer mes fonctions de président de la République. Cette décision prend effet aujourd'hui à midi. »

JE DISSOUS AUJOURD'HUI L'ASSEMBLÉE NATIONALE

Françaises, Français,

Étant le détenteur de la légitimité nationale et républicaine, j'ai envisagé depuis vingt-quatre heures toutes les éventualités sans exception qui me permettraient de la maintenir. J'ai pris mes résolutions. Dans les circonstances présentes, je ne me retirerai pas. J'ai un mandat du peuple, je le remplirai.

Je ne changerai pas le Premier ministre dont la valeur, la solidité, la capacité méritent l'hommage de tous. Il me proposera les changements qui lui paraîtront utiles dans la composition du gouvernement. Je dissous aujourd'hui l'Assemblée nationale. J'ai proposé au pays un référendum qui donnait aux citoyens l'occasion de prescrire une réforme profonde de notre économie et de notre université et en même temps de dire s'ils me gardaient leur confiance ou non par la seule voie acceptable, celle de la démocratie. Je constate que la situation actuelle empêche matériellement qu'il y soit procédé. C'est pourquoi j'en diffère la date.

Quant aux élections législatives, elles auront lieu dans les délais prévus par la Constitution, à moins qu'on entende bâillonner le peuple français tout entier en l'empêchant de s'exprimer en même temps qu'on l'empêche de vivre par les mêmes moyens qu'on empêche les étudiants d'étudier, les enseignants d'enseigner, les travailleurs de travailler. Ces moyens, ce sont l'intimidation, l'intoxication et la tyrannie exercées par des groupes organisés de longue main en conséquence, et par un parti qui est une entreprise totalitaire même s'il a déjà des rivaux à cet égard.

Si donc cette situation de force se maintient, je devrai, pour maintenir la République, prendre, conformément à la Constitution, d'autres voies que le scrutin immédiat du pays. En tout cas, partout et tout de suite, il faut que s'organise l'action civique. Cela doit se faire pour aider le gouvernement d'abord, puis localement les préfets devenus ou redevenus Commissaires de la République, dans leur tâche qui consiste à assurer autant que possible l'existence de la population et à empêcher la subversion à tout moment et en tout lieu.

La France en effet est menacée de dictature. On veut la contraindre à se résigner à un pouvoir qui s'imposerait dans le désespoir national, lequel pouvoir serait alors évidemment essentiellement celui du vainqueur, c'est-à-dire celui du communisme totalitaire. Naturellement, on le colorerait pour commencer d'une apparence trompeuse en utilisant l'ambition et la haine de politiciens au rancart. Après quoi ces personnages ne pèseraient pas plus que leur poids, qui ne serait pas lourd. Eh bien non, la République n'abdiquera pas, le peuple se ressaisira, le progrès, l'indépendance et la paix l'emporteront avec la liberté.

Vive la République.

Vive la France !

Discours radiodiffusé
du 30 mai 1968.

40.
FRANÇOIS MITTERRAND

François Mitterrand (1916-1996) a été quatorze années président de la République française (1981-1995). Pourtant, cet homme politique de la IVe République, plusieurs fois ministre de 1947 à 1956, semble peu en phase avec le « coup d'État permanent » que représentent selon lui les institutions de la Ve République.

Plusieurs fois déclaré mort politiquement, que ce soit après l'affaire des jardins de l'Observatoire (un « attentat » fabriqué de toutes pièces en 1959, à la suite duquel il sera inculpé d'outrage à magistrat) ou à la suite de son fiasco de 1968 (cf. supra, *p. 231), cet avocat allait se révéler un redoutable manœuvrier. Son surnom de « Florentin » ne semble en effet pas usurpé lorsque l'on suit l'évolution de sa carrière, les rebondissements qu'il sait lui donner, ou les alliances parfois contre-nature qu'il sait se ménager.*

Le discours qui suit est en ce sens un modèle du genre, puisque François Mitterrand va, lors du congrès d'Épinay où il le prononce, s'emparer d'un parti politique dont il n'est pas encore membre. La Convention des institutions républicaines (CIR) qu'il préside y fusionne en effet avec un Parti socialiste (PS) issu en 1969 de la SFIO, et Mitterrand est élu Premier secrétaire du PS. Il a pour cela, d'une part, l'appui de l'aile gauche, le CERES de Jean-Pierre Chevènement, mais surtout le soutien de deux barons du socialisme, à la tête de deux fédérations de poids, Pierre Mauroy pour le Nord et Gaston Defferre pour les Bouches-du-Rhône. Ce seront trois de ses futurs ministres.

C'est sans nul doute le plus « politicien » des discours retenus : courant contre courant, homme contre homme, avec la part d'ironie assassine et de compromis nécessaire, mais aussi avec sa part de définition d'une politique. « La » politique et « le » politique sont ici finement entremêlés, et la « politique politicienne » si souvent décriée atteint son meilleur niveau.

François Mitterrand signe en juin 1972 le Programme commun de gouvernement qui fédère la gauche autour des trois pôles du Parti socialiste, du Parti communiste et du Mouvement des radicaux de gauche. Et, en 1973, le PS, bénéficiant et de cette alliance et de sa nouvelle image, commence à remonter son éternel concurrent.

QU'ALLONS-NOUS FAIRE DE L'UNITÉ ?

Mes chers camarades,

J'organiserai mon intervention autour de trois points : d'abord, pourquoi sommes-nous là ? ensuite, qu'allons-nous faire de l'unité ? enfin, comment le faire ?

Pourquoi sommes-nous là ?

Parce que nous sommes des socialistes. C'est vite dit ! Je ne vous apprendrai pas les définitions.

Cela suppose pour le moins, quel que soit le choix de chacun, le refus instinctif ou raisonné – instinctif et raisonné, les lois de la raison sont aussi les lois du socialisme –, l'explication de la société autour de toutes les formes de libération dont il est bien sûr que la première, qui commande toutes les autres, est la libération de l'exploitation de l'homme par l'homme dans les structures économiques, et que cette libération s'épanouit par la libération culturelle.

Mais nous ne sommes pas ici pour faire des cours, et il y aurait meilleur professeur que moi. Je cherche simplement à savoir pourquoi il y a tant de femmes et tant d'hommes dans cette salle aujourd'hui.

Si c'est une fête, moi cela me plaît ! Si c'est une cérémonie, c'est déjà plus ennuyeux mais enfin je veux bien. Si c'est un rite, cela se gâte. Si c'est avec le sentiment que nous sommes des pionniers, les premiers, le petit nombre de beaucoup, si nous avons le sentiment que pour la première fois après soixante-cinq ans, enfin nous allons d'abord rassembler – c'est fait –, unifier – je le crois – au-delà de nos personnes et de nos groupes et de nos tendances tous les courants du socialisme, alors cela vaut la peine !

Les courants, je ne veux pas non plus en faire la liste. Je constate pour le moins que les marxistes sont nombreux, les vrais et les faux, qu'il y a une tradition proudhonienne débordante, que les personnalistes d'Emmanuel Mounier sont, c'est l'occasion de le dire, Dieu soit loué, parmi nous… et que peut-être pour la première fois ce qui se passe au sein du monde chrétien, et particulièrement de l'Église catholique, peut signifier sans qu'on s'illusionne encore sur les grandes masses le rendez-vous qu'ont espéré tous ceux qui depuis au moins vingt-cinq ans, et ils l'ont dit, sont allés dans ce sens. Ceux que j'approuve, ceux que je désapprouve, ceux qui considèrent même sans savoir, ou qui se demandent toujours, en l'ignorant, si je suis leur ami ou leur adversaire, tous ont souhaité ce moment-là.

Eh bien, si nous sommes réunis ce matin, c'est notre fête à tous, nous tous qui sommes venus pour bâtir le socialisme.

Seulement, qu'allons-nous faire de l'unité ?

D'abord, exister, exister tout simplement physiquement. Exister, c'est-à-dire les structures, leur développement, le militantisme – sans parler de personnalités plus importantes que d'autres, car il est toujours très ennuyeux d'être considéré comme telle dans un congrès de ce genre. Est-ce que nous sommes des militants ? Je ne sais pas si je suis un militant, ce que je sais, c'est que je passe ma vie avec mes amis à essayer de faire exister physiquement notre organisation politique. Et cela, quelles que soient nos nuances. Et nous sommes assez divisés, nous aussi, nous sommes tous là très bons camarades, en train de bâtir ensemble dans notre petit département, petit ou moyen, je ne sais pas, le socialisme en action.

[…]

Pourquoi sommes-nous ici ? Qu'allons-nous faire de l'unité ?

Eh bien, maintenant que notre parti existe, je voudrais que sa mission soit d'abord de conquérir. En termes un peu techniques, on appelle ça la vocation majoritaire.

Je suis pour la vocation majoritaire de ce parti. Je souhaite que ce parti prenne le pouvoir… Déjà le péché d'électoralisme ! Je commence mal. Je voudrais que nous soyons disposés à considérer que la transformation de notre société ne commence pas avec la prise du pouvoir, elle commence d'abord avec la prise de conscience de nous-mêmes et la prise de conscience des masses. Mais il faut aussi passer par la conquête du pouvoir. La vocation groupusculaire, ce n'est pas la mienne ni celle des amis qui voteront avec moi la même motion.

Mais, conquérir quoi ? conquérir où ?

D'abord, les autres socialistes, on l'a dit ! Ensuite, je pense – comment cela va-t-il me classer, je ne sais pas encore –, je pense qu'il faut d'abord songer à conquérir ou à reconquérir le terrain perdu sur les communistes. Je pense qu'il n'est pas normal qu'il y ait aujourd'hui cinq millions, et quelquefois plus, de Françaises et de Français qui choisissent le Parti communiste sur le terrain des luttes, et même sur le terrain électoral, parce qu'ils ont le sentiment que c'est ce parti-là qui défend leurs intérêts légitimes, c'est-à-dire leur vie.

Je considère que l'une des tâches de conquête du Parti socialiste, c'est d'être, avec modestie aujourd'hui, laissant tomber les « paroles verbales », comme disent les diplomates, et sans vouloir faire un effet de congrès, le parti le plus représentatif de ceux dont nous avons parlé tout à l'heure. Ceci ne se fera, pardonnez-moi de le dire, qu'au prix d'actions concrètes.

[…] Nous avons ensuite à conquérir chez les gauchistes, dans la mesure même où déjà s'établit une tragique confusion : on emploie indifféremment dans les discours les termes « gauchiste » ou « la jeunesse ». Personnellement je ne pense pas que ce soit vrai. Mais ce n'est pas non plus nous qui la représentons, la jeunesse.

Il est un certain nombre de valeurs qui ont été exprimées par la révolte, puis traduites dans un langage et par des actions déraisonnables et mêmes dangereuses du point de vue de la défense des intérêts des travailleurs. Mais ces valeurs-là, elles existent, et tant que le Parti socialiste ne les exprimera pas avec conviction, tant que ces valeurs, ce besoin d'être responsable, ce besoin de refuser d'être soumis à des intermédiaires qui vous dérobent finalement votre dignité de citoyen, de travailleur, votre dignité de chaque jour… Parce qu'il y a finalement une sorte de déviation de la démocratie parlementaire qui fait qu'au lieu d'avoir délégué au monarque d'autrefois, et à lui tout seul, le droit de penser et d'agir, la démocratie parlementaire, par ses intermédiaires, a fini par manque d'imagination par confisquer tout cela au citoyen, à l'individu, à celui qui veut être lui-même capable, par l'information et par la formation, par le dialogue et aussi par l'organisation des partis de gauche, capable de penser lui-même et de décider.

Ces valeurs, on les qualifie parfois d'un mauvais terme – mais les mauvais termes abondent dans nos débats, j'en emploie moi-même –, de « qualitatives » ; mais cela veut dire quelque chose, parce qu'assimilant tout l'héritage historique, l'héritage du socialisme, on voit poindre la certitude que quand même nous aurions, nous, Parti socialiste, bâti la société socialiste, nous n'aurions pas achevé notre tâche, car nous n'aurions pas répondu à certaines interrogations qui étaient dans le cri des révoltés de mai 1968.

Et puis il faut reconquérir les libéraux. Selon une excellente définition de Guy Mollet, et il me permettra de lui emprunter, dans les classifications qu'il a faites dans un ouvrage de la physionomie politique française, les libéraux, qui évidemment acceptent comme nous l'héritage démocratique dans le domaine politique, mais qui refusent nos méthodes et nos structures sur le plan de l'économie.

Mais les voilà placés devant un choix dont on dit encore dans le langage savant qu'il est bipolaire. Il est nécessaire de faire comprendre à ceux qui y sont disposés que s'il s'agit pour eux de choisir entre la tyrannie et la décadence, quand ce n'est pas la pourriture du capitalisme, et le socialisme, qui leur déplaît parfois par son esprit de système, ou même par ses signes et ses symboles, s'ils veulent la justice et le droit, ils sont de notre côté.

Et puis il y en a d'autres qui sont indéfinissables. Je ne sais pas comment les appeler. Ils ne savent pas eux-mêmes, d'ailleurs, sans quoi ils seraient ici. Ce sont ceux qui se multiplient dans des groupes de toutes sortes qui foisonnent : les usagers du métro, les usagers des transports en commun, les parents d'élèves, les groupes d'action municipale, que sais-je encore…

Il faut que tous ceux-là, qui sont livrés à des organisations anarchiques et qui s'appliquent à faire seulement, comme ils disent, « du concret », comprennent qu'on ne fait pas du concret et qu'on est écrasé par la société capitaliste lorsqu'on n'admet pas – c'est ma propre évolution, je suis amené à la comprendre – qu'il est impossible de lutter avec efficacité et de transformer la société par un travail individuel, en refusant une puissante organisation politique.

Si nous faisons l'appel parmi tous ceux-là, communistes, gauchistes, libéraux, indéfinissables, de l'action quotidienne, cela fait beaucoup de monde en perspective ; donc cela nous fait beaucoup d'ennemis. Car ceux sur lesquels nous prétendons reconquérir le terrain perdu, ou conquérir un terrain nouveau, il faut qu'ils le sachent, nous sommes leurs concurrents. Et si nous sommes en mesure d'être souvent leurs amis ou leurs alliés, il n'en reste pas moins que dans le combat politique le Parti socialiste, s'affirmant en tant que tel, a l'audace de vouloir assumer toutes les tâches à la fois !

C'est là que le bât va nous blesser. Tant que je m'en suis tenu aux pétitions de principe et aux intentions généreuses, comment ne pas recueillir la quasi-unanimité des suffrages ? Je veux dire des applaudissements ? Mais il faudra nécessairement distinguer en pourcentage la différence !

Alors qu'allons-nous faire de l'unité ?

Et surtout, comment allons-nous faire ?

[...]

Réforme ou révolution ? J'ai envie de dire – qu'on ne m'accuse pas de démagogie, ce serait facile dans ce congrès – oui, révolution. Et je voudrais tout de suite préciser, parce que je ne veux pas mentir à ma pensée profonde, que pour moi, sans jouer sur les mots, la lutte de chaque jour pour la réforme catégorique des structures peut être de nature révolutionnaire.

Mais ce que je viens de dire pourrait être un alibi si je n'ajoutais pas une deuxième phrase : violente ou pacifique, la révolution c'est d'abord une rupture. Celui qui n'accepte pas la rupture – la méthode, cela passe ensuite –, celui qui ne consent pas à la rupture avec l'ordre établi, politique, cela va de soi, c'est secondaire..., avec la société capitaliste, celui-là, je le dis, il ne peut pas être adhérent du Parti socialiste.

Maintenant nous passons au débat technique, où certains de nos camarades sont vraiment imbattables.

Le mot est à la mode, c'est « stratégie ». Avec les stratégies on fait tout et n'importe quoi. Il me semble que ceux qui procèdent à la stratégie, ce sont des stratèges. Eh bien nous sommes un congrès de stratèges ! Avec des nuances. Il y en a de troisième catégorie, il y a en de deuxième catégorie, il y en a de première catégorie. [...]

Je suis allé forcément chercher le Littré. Je vois : « Stratégie : art de préparer un plan de campagne, de diriger une armée sur les points décisifs, et de reconnaître les points sur lesquels, dans les batailles, poster les plus grandes masses de troupes pour assurer le succès. »

Donc, sauf pour un petit moment, à l'école de guerre, nous cherchons notre terrain. Quel est notre terrain ? Là je redeviens tout à fait sérieux.

Notre terrain, il est celui-ci : à compter du moment où nous adoptons une stratégie de rupture, il importe de savoir quelle est la définition hors de laquelle il n'y a pas de marche possible vers le socialisme.

Eh bien je dis, aussi clairement que je le pense après quelques réflexions et quelque temps mis à cette réflexion, que notre terrain est celui-là : il n'y a pas, il n'y aura jamais de société socialiste sans propriété collective des grands moyens de production, d'échange et de recherche.

Notre terrain, s'il est celui-là, nous fera passer à une autre fraction du territoire. Cette autre fraction du territoire nous fera accéder à cette notion moderne, à l'époque de l'audiovisuel et des « mass-média », que si l'on ne va pas aux sources de la culture, on a échoué l'entreprise !

Notre terrain, c'est une analyse économique, ce n'est pas une doctrine, ce n'est pas une idéologie, c'est une science... qui épouse le fait économique et social. Il s'agit simplement d'être honnêtes et d'abord, d'apprendre la science... Et quand on a bien assis notre premier terrain, quel est notre adversaire ?

Je voudrais balayer vraiment tout de suite – d'abord parce que le temps passe et il ne faut pas que je reste trop longtemps à cette tribune –, il faudrait donc que je balaie tout de suite disons les adversaires fantomatiques, les fantasmes. Il y a un certain nombre de décennies, l'adversaire, qui était-ce ? Eh bien, une certaine classe dirigeante, assurément. D'autres auraient ajouté l'Église, qui apportait le sceau du spirituel aux moyens de l'injustice sociale. D'autres auraient ajouté : l'Armée... mais ça fait déjà longtemps qu'elle ne fait plus de coup d'État ! D'autres auraient ajouté : les notables. Le véritable ennemi, j'allais dire le seul, parce que tout passe par chez lui, le véritable ennemi si l'on est bien sur le terrain de la rupture initiale, des structures économiques, c'est celui qui tient les clés… c'est celui qui est installé sur ce terrain-là, c'est celui qu'il faut déloger… c'est le monopole ! Terme extensif… pour signifier toutes les puissances de l'argent, l'argent qui corrompt, l'argent qui achète, l'argent qui écrase, l'argent qui tue, l'argent qui ruine, et l'argent qui pourrit jusqu'à la conscience des hommes !

L'autre, c'est la lutte contre les monopoles et quand je regarde ce que recouvre le mot, je pense que tout part de là, car le reste, ceux qui gouvernent en politique, ce ne sont que les exécutants de ces monopoles.

[…]

Le monopole, avec ses exécutants, le parti majoritaire, le gouvernement, la majorité à l'Assemblée nationale et tous ceux que vous rencontrez dans vos communes, dans vos villes et dans vos campagnes, et puis, les agents, les agents multiples qui font que lorsqu'on a désigné les monopoles, il faut aussitôt s'attaquer à une autre forteresse, qui s'appelle l'État – ou du moins, car je ne suis pas anarchiste et je suis l'un de ceux qui pensent que l'État est nécessaire, – mais lorsqu'on sait que cet État est un moyen pour une société économique donnée d'assurer le pouvoir de chaque jour sur les millions de citoyens qui vivent sur notre sol, alors il faut s'attaquer à une certaine notion, une certaine nature de l'État, d'autant plus que ce sont les agents stipendiés… je veux dire payés, rémunérés, du grand patronat qui indistinctement passent ici et là… Depuis les grands monopoles que je pourrais citer, et jusqu'aux grandes fonctions publiques, ils représentent une classe à part qui exécute pour le maître les décisions prises dans le secret... des Dieux !

Quel est notre terrain ? quel est notre adversaire ? et maintenant, quelle est notre base ?

Je veux dire : quels sont nos frères, quels sont nos compagnons de combat et puis ceux qui ne le sont pas mais qui sont liés à nous, le monde des travailleurs, par les mêmes intérêts ? [...] Il n'y a pas de parti politique qui ne repose sur une explication économique d'abord ; un parti obtient le pouvoir, ensuite il gouverne pour tous les Français, mais il exprime une vérité première : l'affirmation de la justice rendue aux millions d'exploités, d'aliénés, de frustrés, d'opprimés !

[...]

Notre base, et je suis sûr que bien d'autres s'y reconnaîtraient, c'est en effet le front de classe. Encore faudrait-il – on aura le temps une autre fois – fouiller cette motion.

Alors, à partir de là, ça se resserre... et j'approche de ma conclusion. Stratégie, tactique, les deux termes sont bien souvent mêlés. « Tactique (toujours la référence au Littré) : mouvements qui sont commandés par la stratégie. » On n'est pas beaucoup plus avancé ! Mais ça veut dire qu'à partir de la tactique, on va essayer de mettre en œuvre politiquement les définitions et les choix que j'ai tenté d'exposer il y a un instant.

Et c'est là que se posent plusieurs tactiques possibles. C'est là que se trouve le nœud du problème, lorsqu'on entend beaucoup de congressistes dire : il faut aligner le faire sur « le dire », ou bien en un langage qui est davantage le nôtre : il faut faire ce qu'on dit ! Il faut reconnaître que c'est moins démonstratif !

Il y a trois tactiques possibles. D'abord la tactique de conquête du pouvoir pour le pouvoir. Par exemple, la tactique de troisième force. De ce point de vue, je n'ai pas besoin moi de me forcer, parce que tout le monde la condamne. Mais enfin, la tactique de troisième force, ça veut dire quoi ? Cela veut dire l'alliance avec un certain nombre de familles politiques libérales, en considérant qu'il y a à lutter contre un danger fasciste et contre un danger communiste. C'est ça l'alliance de troisième force.

Elle n'a retenu l'attention d'aucune motion ; elle n'est pas non plus dans la nôtre. La deuxième tactique, elle est déjà un peu plus floue. C'est la tactique qui consiste à considérer qu'à compter du moment où l'on fait bloc contre l'adversaire principal, en l'occurrence l'UNR et ses alliés centristes, on a tout dit... Ce n'est pas la troisième force, car cette tactique qui au fond cherche à s'appuyer sur les éléments modérés, radicaux, libéraux de toute sorte, est une tactique qui cherche à placer le socialisme comme moyen de direction, comme fer de lance pour faire une société socialiste.

Je n'accuse aucun de ceux qui se trouvent ici, pratiquant cette technique que je n'approuve pas, d'avoir l'intention de trahir le socialisme ! D'ailleurs, je ne serais pas aimable si je disais ça. Si je pouvais imaginer qu'il puisse y avoir trahison parce qu'on autorise ce type d'alliance, je serais obligé de quitter piteusement cette tribune, puisque cela me ferait condamner votre dernière motion de Bondy ! Je dis ce que je pense, pas simplement ce qui fait plaisir !

Il y a une troisième tactique, c'est celle de l'union de la gauche, considérée par beaucoup ici comme exclusive des deux autres : de la première par nature, de la deuxième... c'est selon.

Mais je crois qu'il nous faut faire une distinction, et c'est là où nous allons nous distinguer tout à fait de ceux qui pourraient croire qu'il y a confusion : la tactique de l'union de la gauche n'est pas forcément la même. L'union de la gauche, comment la voyons-nous ?

Elle comporte, évidemment, l'alliance de toutes les gauches responsables ; elle considère, cela va de soi, le Parti communiste comme un parti responsable.

[...]

En vérité, il faut savoir si le Parti socialiste sera capable, avec l'ensemble des forces de gauche et de tous ceux qui accepteront les perspectives de la gauche et les perspectives socialistes, il s'agit de savoir si le Parti socialiste est un parti prêt à recevoir quotidiennement la leçon... et lorsqu'on ne s'entend pas, lorsqu'une divergence est reconnue, est-il nécessaire que nous soyons toujours en posture d'accusés ? Voilà pourquoi, comme d'autres l'ont demandé, voilà pourquoi, chers camarades, le débat doit être public, et nos raisons doivent être répercutées dans les masses. Nous n'avons pas de complexe à nourrir, même si nous avons commis – moi le premier – des erreurs ou des fautes.

Il n'est pas dans mes intentions d'accuser quiconque, je ne l'ai jamais fait, contrairement à ce que l'on répète. Nous sommes tous solidaires et nous devrons le rester, quitte à régler, au sein du parti, les tendances et les choix nécessaires.

Mais il y a deux formes d'esprit, il y a ceux qui acceptent – et je sais que ce que je vais dire ne plaira pas à beaucoup –, ceux qui acceptent ce que j'appellerai le choix des désespérés ; ce sont ceux qui ne croient plus en eux-mêmes et en nous et qui n'en ont peut-être pas conscience, mais qui agissent comme s'ils en avaient conscience et qui acceptent que la finalité soit celle d'une vassalisation du parti socialiste ! et il y a ceux qui refusent ! [...]

Je dis que le Parti socialiste a une vocation et je le dis sans orgueil au nom de nous tous, qui lui permet d'être à la jonction de l'héritage démocratique auquel nous avons consenti et que nous ne répudions pas, mais auquel il faut rendre sa vérité. Les grands principes de 89… oui ! mais ils sont vidés de substance, il faut leur rendre leur substance.

Et le jour où nous l'aurons fait, nous devrons parler comme un parti cohérent, aspirant au pouvoir politique et donc au pouvoir économique, et loyal, s'adressant à ses partenaires de la gauche, notamment au Parti communiste, qui est en effet le partenaire principal car il représente – au niveau des luttes concrètes – une communauté de front de classe, les mêmes, ceux qu'il faut défendre. Et puis il y aura tous ceux qui viendront nous rejoindre, et qui viendront de notre droite. Alors, il faut avoir conscience de nous-mêmes.

[…]

Moi, je suis pour le dialogue et je suis pour l'idéologie, mais je ne suis pas pour le dialogue idéologique.

[…]

Ce dialogue idéologique, est-ce qu'il va résoudre le problème de deux philosophies, de deux modes de pensée, de deux modes de conception de l'homme dans la société ? Alors, je ne comprendrais pas pourquoi il s'est créé un communisme et un socialisme ! Vous croyez qu'on va résoudre cela d'ici deux ans ? Deux ans, c'est une perspective, mais je ne perds pas mon idée de vue… Vous croyez qu'on va y arriver ?

Notre pression, et c'est dans ce sens que je comprends les protagonistes du dialogue idéologique que je n'accable pas, j'essaie seulement, en camarade, de dire nos préférences sans récuser leur opinion, nous voulons seulement dire que pour résoudre le problème de fond, cette pression est bien utile, mais plus utile encore le fait qu'à l'intérieur du Parti communiste, conscience soit prise que désormais il n'est plus possible de vivre en vase clos, sous l'abri du centralisme bureaucratique.

Parce qu'il est des socialistes qui combattent sur le terrain, alors le Parti communiste aussi doit s'ouvrir au même type de discussion, sur des actions concrètes, sur des luttes concrètes.

[...] Voilà pourquoi, en conclusion, je dirai qu'il n'y aura pas d'alliance électorale s'il n'y a pas programme électoral. Il n'y aura pas de majorité commune s'il n'y a pas contrat de majorité. Il n'y aura pas de gouvernement de gauche s'il n'y a pas de contrat de gouvernement... Ne m'applaudissez pas, ceux qui m'applaudissent risquent de se tromper, c'est honnête de le leur dire, car les trois formes de programme, il est difficile de les dissocier dans un régime bipolarisé de la façon dont vous savez. Il est très difficile de les désolidariser. Il ne peut pas y avoir non plus de véritable programme annoncé par vos leaders de l'époque prochaine, future, s'ils ne peuvent pas s'adresser aux Français en leur disant : voilà ce qu'on va faire et qui on sera.

[...]

Discours prononcé au Congrès d'Épinay
le 13 juin 1971.

41.
SIMONE VEIL

Simone Veil, née en 1927, est déportée en avril 1944 et internée d'abord dans le camp de concentration d'Auschwitz-Birkenau, puis dans ceux de Bobrek et de Bergen-Belsen. Libérée, elle rentre en France en juillet 1945.

Devenue magistrat, elle est nommée en 1974 ministre de la Santé du gouvernement de Jacques Chirac, sous la présidence de Valéry Giscard d'Estaing.

C'est à ce titre qu'elle prononce devant l'Assemblée nationale ce discours présentant le projet de loi qui réglemente l'interruption volontaire de grossesse (IVG). Le gouvernement souhaite alors en terminer avec l'hypocrisie qui entoure les avortements et laisse comme seule possibilité aux femmes les moins fortunées, celles qui ne peuvent envisager un séjour dans une clinique d'un pays voisin où l'avortement est autorisé, les avortements clandestins pratiqués souvent au risque de leur vie et dans des conditions d'hygiène déplorables. Il s'agit avec ce texte non pas de faire de l'avortement une pratique banalisée, mais de permettre aux femmes qui seraient en situation de grande difficulté du fait de leur grossesse de pouvoir pratiquer une IVG, dans des limites de temps précises. Si les mentalités ont évolué depuis la fin des années 1960 avec la « libération sexuelle » et le développement de mouvements féministes, le texte suscite un violent débat et des réactions extrêmement hostiles, dont Simone Veil fait personnellement les frais. Il entre cependant en vigueur le 17 janvier 1975. Simone Veil reste ministre de la Santé jusqu'en 1979. Elle se lance alors dans l'aventure du Parlement européen, devenant sa présidente de 1979 à 1982.

En 1993, elle est nommée ministre des Affaires sociales, de la Santé et de la Ville du gouvernement Balladur, poste qu'elle conserve jusqu'en 1995. Elle sera membre du Conseil constitutionnel de 1998 à 2007 et siège aujourd'hui à l'Académie française.

POUR LA DÉPÉNALISATION DE L'AVORTEMENT

Monsieur le président, Mesdames, Messieurs,

Si j'interviens aujourd'hui à cette tribune, ministre de la Santé, femme et non parlementaire, pour proposer aux élus de la nation une profonde modification de la législation sur l'avortement, croyez bien que c'est avec un profond sentiment d'humilité devant la difficulté du problème, comme devant l'ampleur des résonances qu'il suscite au plus intime de chacun des Français et des Françaises, et en pleine conscience de la gravité des responsabilités que nous allons assumer ensemble.

Mais c'est aussi avec la plus grande conviction que je défendrai un projet longuement réfléchi et délibéré par l'ensemble du gouvernement, un projet qui, selon les termes mêmes du président de la République, a pour objet de « mettre fin à une situation de désordre et d'injustice et d'apporter une solution mesurée et humaine à un des problèmes les plus difficiles de notre temps ».

Si le gouvernement peut aujourd'hui vous présenter un tel projet, c'est grâce à tous ceux d'entre vous – et ils sont nombreux et de tous horizons – qui, depuis plusieurs années, se sont efforcés de proposer une nouvelle législation, mieux adaptée au consensus social et à la situation de fait que connaît notre pays.

C'est aussi parce que le gouvernement de M. Messmer avait pris la responsabilité de vous soumettre un projet novateur et courageux. Chacun d'entre nous garde en mémoire la très remarquable et émouvante présentation qu'en avait faite M. Jean Taittinger.

C'est enfin parce que, au sein d'une commission spéciale présidée par M. Berger, nombreux sont les députés qui ont entendu, pendant de longues heures, les représentants de toutes les familles d'esprit, ainsi que les principales personnalités compétentes en la matière.

Pourtant, d'aucuns s'interrogent encore : une nouvelle loi est-elle vraiment nécessaire ? Pour quelques-uns, les choses sont simples : il existe une loi répressive, il n'y a qu'à l'appliquer. D'autres se demandent pourquoi le parlement devrait trancher maintenant ces problèmes : nul n'ignore que depuis l'origine, et particulièrement depuis le début du siècle, la loi a toujours été rigoureuse, mais qu'elle n'a été que peu appliquée.

En quoi les choses ont-elles donc changé, qui oblige à intervenir ? Pourquoi ne pas maintenir le principe et continuer à ne l'appliquer qu'à titre exceptionnel ? Pourquoi consacrer une pratique délictueuse et, ainsi, risquer de l'encourager ? Pourquoi légiférer et couvrir ainsi le laxisme de notre société, favoriser les égoïsmes individuels au lieu de faire revivre une morale de civisme et de rigueur ? Pourquoi risquer d'aggraver un mouvement de dénatalité dangereusement amorcé au lieu de promouvoir une politique familiale généreuse et constructive qui permette à toutes les mères de mettre au monde et d'élever les enfants qu'elles ont conçus ?

Parce que tout nous montre que la question ne se pose pas en ces termes. Croyez-vous que ce gouvernement et celui qui l'a précédé se seraient résolus à élaborer un texte et à vous le proposer s'ils avaient pensé qu'une autre solution était encore possible ?

Nous sommes arrivés à un point où, en ce domaine, les pouvoirs publics ne peuvent plus éluder leurs responsabilités. Tout le démontre : les études et les travaux menés depuis plusieurs années, les auditions de votre commission, l'expérience des autres pays européens. Et la plupart d'entre vous le sentent, qui savent qu'on ne peut empêcher les avortements clandestins et qu'on ne peut non plus appliquer la loi pénale à toutes les femmes qui seraient passibles de ses rigueurs.

Pourquoi donc ne pas continuer à fermer les yeux ? Parce que la situation actuelle est mauvaise. Je dirai même qu'elle est déplorable et dramatique.

Elle est mauvaise parce que la loi est ouvertement bafouée, pire même, ridiculisée. Lorsque l'écart entre les infractions commises et celles qui sont poursuivies est tel qu'il n'y a plus à proprement parler de répression, c'est le respect des citoyens pour la loi, et donc l'autorité de l'État, qui sont mis en cause.

Lorsque les médecins, dans leurs cabinets, enfreignent la loi et le font connaître publiquement, lorsque les parquets, avant de poursuivre, sont invités à en référer dans chaque cas au ministère de la Justice, lorsque des services sociaux d'organismes publics fournissent à des femmes en détresse les renseignements susceptibles de faciliter une interruption de grossesse, lorsque, aux mêmes fins, sont organisés ouvertement et même par charter des voyages à l'étranger, alors je dis que nous sommes dans une situation de désordre et d'anarchie qui ne peut plus continuer.

Mais ? me direz-vous, pourquoi avoir laissé la situation se dégrader ainsi et pourquoi la tolérer ? Pourquoi ne pas faire respecter la loi ?

Parce que si des médecins, si des personnels sociaux, si même un certain nombre de citoyens participent à ces actions illégales, c'est bien qu'ils s'y sentent contraints ; en opposition parfois avec leurs convictions personnelles, ils se trouvent confrontés à des situations de fait qu'ils ne peuvent méconnaître. Parce qu'en face d'une femme décidée à interrompre sa grossesse, ils savent qu'en refusant leur conseil et leur soutien, ils la rejettent dans la solitude et l'angoisse d'un acte perpétré dans les pires conditions, qui risque de la laisser mutilée à jamais. Ils savent que la même femme, si elle a de l'argent, si elle sait s'informer, se rendra dans un pays voisin ou même en France dans certaines cliniques et pourra, sans encourir aucun risque ni aucune pénalité, mettre fin à sa grossesse. Et ces femmes, ce ne sont pas nécessairement les plus immorales ou les plus inconscientes. Elles sont trois cent mille chaque année. Ce sont celles que nous côtoyons chaque jour et dont nous ignorons la plupart du temps la détresse et les drames.

C'est à ce désordre qu'il faut mettre fin. C'est cette injustice qu'il convient de faire cesser. […]

Discours à l'Assemblée nationale,
le 26 novembre 1974.

42.
ANOUAR EL-SADATE

De 1948 à 1977, de la création de l'État d'Israël sous l'égide de l'Organisation des Nations unies, création que les pays arabes avaient toujours refusée, à cet instant où le président égyptien se présente en personne devant l'Assemblée de l'État hébreu, trente années se sont écoulées, trente années de guerre ouverte ou de terrorisme, trente années d'insécurité, d'incompréhension et de haine.

Dès le lendemain de sa création, Israël est attaqué et doit lutter pour sa survie jusqu'à la paix de juillet 1949. Mais cette paix n'est jamais de longue durée : en 1956, c'est la guerre contre l'Égypte ; en 1967, la guerre des Six Jours contre l'Égypte, la Jordanie et la Syrie, une guerre qui permet à Israël de conquérir ces nouveaux territoires dont les noms font l'actualité depuis (la Cisjordanie, la bande de Gaza, le Sinaï, le plateau du Golan…) ; en 1973 enfin, la guerre du Kippour, une fois encore contre l'Égypte et la Syrie.

Successeur de Nasser, Anouar el-Sadate (1918-1981) doit faire face à des tensions internes dues notamment à une radicalisation islamiste qui commence à se faire jour et joue sur la pauvreté du pays. Il souhaite aussi replacer l'Égypte sur la scène internationale en la sortant de ce non-alignement très peu éloigné de l'Est où l'avait engagée

Nasser. La consolidation de la paix dans la région passait nécessairement par un rapprochement entre les grands rivaux historiques, Égypte et Israël. On sait les liens qui unissent l'État hébreu aux États-Unis. Les accords signés aux États-Unis, à Camp David, entre le Raïs égyptien, le Premier ministre israélien Menahem Begin, ancien dirigeant de l'Irgoun, et le président américain Jimmy Carter, en septembre 1978, ont joué un rôle majeur : traité de paix entre Israël et l'Égypte, retrait d'Israël du Sinaï et début d'une autonomie palestinienne à Gaza et en Jordanie en sont les clés.

Mais avant Camp David, il y eut ce premier séjour d'un chef d'État égyptien sur le territoire d'Israël, et ce discours devant la Knesset.

Anouar el-Sadate est tué par des fondamentalistes musulmans au cours d'un défilé militaire, le 6 octobre 1981.

POUR CEUX QUI RECOMMANDENT LA PAIX, LA JOIE EST LEUR PARTAGE

Je suis venu à vous aujourd'hui sur deux pieds assurés, afin que nous puissions construire une vie nouvelle, afin que nous puissions établir la paix pour nous tous sur cette terre, la terre de Dieu – nous tous, musulmans, chrétiens et juifs, de la même façon – et afin que nous puissions adorer Dieu, un dieu dont les enseignements et les commandements sont l'amour, la rectitude, la pureté et la paix.

Je peux trouver une excuse à quiconque a accueilli ma décision avec surprise et saisissement quand je l'ai annoncée au monde entier. Certains ont imaginé que la décision n'était rien de plus qu'une manœuvre verbale destinée à l'opinion publique mondiale. D'autres y ont vu une tactique visant à camoufler mon intention de déclencher une nouvelle guerre. Un de mes adjoints dans les services de la présidence m'a appelé à une heure tardive, après mon retour du Conseil du peuple, pour me demander avec anxiété : « Et que feriez-vous, Monsieur le Président, si Israël vous lançait effectivement une invitation ? » J'ai répondu calmement : « Je l'accepterais sur-le-champ. » J'ai déclaré que j'irais jusqu'au bout de la Terre, que j'irais en Israël, parce que je veux exposer tous les faits devant le peuple d'Israël.

Personne n'imaginait que le chef d'État du plus grand pays arabe, sur les épaules de qui reposent la plus grande partie du fardeau et la responsabilité principale dans le problème de la guerre et de la paix au Proche-Orient, pourrait se déclarer disposé à aller sur la terre de l'adversaire alors que nous étions encore dans un état de guerre et que nous souffrons toujours des effets de quatre guerres en trente ans. [...]

Après y avoir mûrement réfléchi, je suis arrivé à la conviction que ma responsabilité devant Dieu et devant le peuple exigeait que j'aille jusqu'au bout de la Terre, que j'aille même à Jérusalem pour m'adresser aux membres de la Knesset, représentants du peuple israélien, afin de leur exposer tous les faits qui me sont présents à l'esprit. Je vous laisserai décider par vous-mêmes, et que la volonté de Dieu soit faite. [...]

Parlons franchement, en utilisant des mots directs et des idées claires sans quelque déformation que ce soit. [...] Le premier fait est qu'il ne peut y avoir de bonheur pour quiconque au prix du malheur d'autrui.

Le deuxième fait est que je n'ai jamais parlé et ne parlerai jamais un double langage : j'ai une seule politique, j'ai un seul visage.

Le troisième fait est que la confrontation directe, la ligne droite est la meilleure méthode, la plus fructueuse, pour atteindre un objectif clair.

Le quatrième fait est que l'appel à une paix permanente et juste, fondée sur le respect des résolutions des Nations unies, est aujourd'hui devenu une expression non équivoque de la volonté internationale, que ce soit dans les capitales officielles ou au niveau de l'opinion publique mondiale – qui influe sur l'élaboration de la politique et sur la prise des décisions.

Le cinquième fait – peut-être le plus important – est que, dans la recherche d'une paix permanente et juste, la nation arabe ne part pas d'une position de faiblesse ou d'hésitation. Au contraire, elle bénéficie des atouts de la force et de la stabilité. Dans ces conditions, sa politique découle d'un désir authentique de paix, fondé sur la compréhension du fait que, pour éviter une véritable catastrophe – pour nous, pour vous et pour le monde entier –, il n'y a pas d'alternative à l'établissement d'une paix permanente et juste, insensible aux vents dus aux doutes ou aux arrière-pensées.

Sur la base de ces faits, j'ai aussi l'honneur d'adresser en toute franchise une mise en garde contre certaines idées qui pourraient vous venir à l'esprit.

Premièrement : je ne suis pas venu chez vous pour conclure un accord séparé entre l'Égypte et Israël. Le problème n'est pas entre l'Égypte et Israël, et une paix séparée entre l'Égypte et Israël, ou entre un quelconque des États de la confrontation et Israël, n'apporterait pas une paix juste à la région tout entière. De plus, si la paix était établie entre tous les États de la confrontation et Israël, sans qu'intervienne une juste solution du problème palestinien, cela ne conduirait jamais à la paix permanente et juste sur laquelle le monde entier insiste aujourd'hui. Deuxièmement : je ne suis pas venu chez vous pour rechercher une paix partielle qui consisterait à mettre fin à l'état de belligérance à cette étape et repousser à une étape ultérieure le règlement de l'ensemble du problème. Cela n'est pas la solution de fond qui conduirait à une paix permanente.

En conséquence, je ne suis pas venu chez vous pour conclure un troisième accord de dégagement dans le Sinaï, ou dans le Sinaï et les hauteurs du Golan et sur la rive occidentale du Jourdain. Cela signifierait que nous reporterions la mise à feu de la fusée à une date ultérieure. Cela signifierait que nous n'aurions pas le courage de faire face à la paix, que nous serions trop faibles pour porter le poids et la responsabilité d'une paix permanente et juste.

Je suis venu chez vous pour qu'ensemble nous puissions construire une paix permanente et juste et éviter que ne soit versée une seule goutte de sang d'un seul Arabe ou d'un seul Israélien. [...]

Pourquoi laisserions-nous aux générations futures un héritage de sang et de mort, des orphelins, des veuves, des familles brisées et les gémissements des victimes ? Pourquoi n'imitons-nous pas la sagesse de notre Créateur, telle qu'elle est exprimée dans les sentences de Salomon : « La trahison est dans le cœur de ceux qui pensent au mal. Pour ceux qui recommandent la paix, la joie est leur partage. Un morceau de pain sec avec la paix est meilleur qu'une maison pleine de vivres mais avec des querelles. » [...]

Je vous dis, en vérité, que la paix ne sera réelle que si elle est fondée sur la justice et non sur l'occupation des terres d'autrui. Il n'est pas admissible que vous demandiez pour vous-mêmes ce que vous refusez aux autres. Franchement, dans l'esprit qui m'a poussé à venir aujourd'hui chez vous, je vous dis : vous devez abandonner une fois pour toutes vos rêves de conquêtes. Vous devez abandonner aussi la croyance que la force est la meilleure façon de traiter avec les Arabes. Vous devez comprendre les leçons de l'affrontement entre vous et nous. L'expansion ne vous apportera aucun bénéfice.

Pour parler clairement, notre terre n'est pas objet de compromis ou de marchandage. Notre sol national est, pour nous, aussi sacré que la vallée dans laquelle Dieu a parlé à Moïse. Aucun d'entre nous n'a le droit et aucun d'entre nous n'acceptera de céder un pouce de ce sol. Aucun d'entre nous n'acceptera le principe d'un marchandage ou d'un compromis sur ce point. [...]

Qu'est-ce que la paix pour Israël ? Vivre dans la région avec ses voisins arabes en sûreté et en sécurité. À cela, je dis oui. Vivre à l'intérieur de ses frontières, à l'abri de toute agression. À cela, je dis oui. Obtenir toutes sortes de garanties qui sauvegarderaient ces deux points. À cette demande, je dis oui. [...]

Il y a de la terre arabe qu'Israël a occupée et qu'il continue à occuper par la force des armes. Nous insistons sur un retrait complet de ce territoire arabe, y compris Jérusalem arabe. Jérusalem où je suis venu comme dans une cité de paix, la cité qui a été et qui sera toujours l'incarnation vivante de la coexistence entre les fidèles des trois religions. Il est inacceptable que quiconque puisse penser à la position spéciale de Jérusalem en termes d'annexion ou d'expansion. Jérusalem doit être une ville libre, ouverte à tous les fidèles. Plus important que tout cela, la ville ne doit pas être coupée de ceux qui s'y sont rendus durant des siècles.

Plutôt que de réveiller des haines du type des croisades, nous devrions ressusciter l'esprit d'Omar el-Khattab et de Saladin, l'esprit de tolérance et de respect du droit. [...]

À chaque homme, à chaque femme et à chaque enfant d'Israël je dis : Encouragez vos dirigeants à lutter pour la paix. Faisons en sorte que tous les efforts soient canalisés vers la construction d'un édifice de paix, plutôt que vers celle de forteresses et d'abris protégés par des fusées.

Présentons au monde entier l'image de l'homme nouveau de cette région de façon que nous puissions offrir un exemple pour l'homme contemporain, un homme de paix. Soyez des héros pour vos fils. Dites-leur que nous sommes prêts à un nouveau départ, au début d'une vie nouvelle d'amour, de justice, de liberté et de paix.

Vous mères qui pleurez, vous, femmes qui avez perdu votre mari, vous, qui avez perdu un frère ou un père, remplissez vos cœurs des espérances de la paix, faites que l'espoir devienne une réalité qui vive et s'épanouisse ; faites de l'espoir un code de conduite, car la volonté des peuples est issue de la volonté de Dieu. [...] Je suis venu ici pour transmettre un message. Et, Dieu m'en est témoin, j'ai transmis le message.

Je répète, avec Zacharie : « Amour, droit et paix. » Du Coran sacré, je tire le verset suivant : « Nous croyons en Dieu, en ce qui nous a été révélé et en ce qui a été révélé à Abraham, à Ismaël, à Isaac, à Jacob et aux tribus et dans les Livres donnés à Moïse, à Jésus et au Prophète par le Seigneur. Nous ne faisons aucune distinction entre eux et nous nous soumettons à la volonté de Dieu. »

Que la paix soit avec vous !

Discours prononcé à Jérusalem devant la Knesset,
le 20 novembre 1977.

43.
JACQUES CHIRAC

La construction européenne ne s'est pas faite sans entraîner des réactions de la part des partisans de la souveraineté des nations. Fidèles à l'analyse du général de Gaulle, et ayant eux aussi des doutes quant au fonctionnement de ce nouveau « machin », ils s'opposent aux partisans de la création d'un État fédéral et n'acceptent, au mieux, qu'une confédération d'États souverains.

Jacques Chirac, né en 1932, est en 1978 maire de Paris et président de ce Rassemblement pour la République (RPR) qu'il a créé pour continuer – ou remplacer – la gaulliste Union pour la défense de la République (UDR). Il a été Premier ministre de Valéry Giscard d'Estaing de 1974 à 1976, rompant avec éclat avec ce dernier, sans doute sur les conseils de Pierre Juillet et de Marie-France Garaud, affirmant en tout cas ne pas avoir les moyens de mener la politique qu'il souhaite.

Le 26 novembre 1978, sa voiture quitte une route de Corrèze et il est hospitalisé à Cochin. C'est de sa chambre d'hôpital qu'il lance le 6 décembre l'« appel de Cochin », qui doit encore beaucoup à ses deux conseillers et marque le début de la campagne pour les premières élections au suffrage universel du Parlement européen. Le « parti de l'étranger » qui y est évoqué est bien entendu l'Union pour la démocratie française (UDF) de celui qui restera son ennemi de trente ans, et avec lequel il siège aujourd'hui au Conseil constitutionnel...

Devenu président de la République pour deux mandats consécutifs, de 1995 à 2007, Jacques Chirac se convertira à l'idée européenne et soutiendra la ratification de tous les traités européens, sans pour autant, contrairement à la tradition gaulliste, engager sa responsabilité politique lors des votations référendaires. Il fera bien puisque le peuple repoussera le fameux « traité dit Constitution », le 29 mai 2005...

APPEL DE COCHIN

Il est des heures graves dans l'histoire d'un peuple où sa sauvegarde tient toute dans sa capacité de discerner les menaces qu'on lui cache.

L'Europe que nous attendions et désirions, dans laquelle pourrait s'épanouir une France digne et forte, cette Europe, nous savons depuis hier qu'on ne veut pas la faire.

Tout nous conduit à penser que, derrière le masque des mots et le jargon des technocrates, on prépare l'inféodation de la France, on consent à l'idée de son abaissement.

En ce qui nous concerne nous devons dire NON.

En clair, de quoi s'agit-il ? Les faits sont simples, même si certains ont cru gagner à les obscurcir.

L'élection prochaine de l'Assemblée européenne au suffrage universel direct ne saurait intervenir sans que le peuple français soit directement éclairé sur la portée de son vote. Elle constituera un piège si les électeurs sont induits à croire qu'ils vont simplement entériner quelques principes généraux, d'ailleurs à peu près incontestés quant à la nécessité de l'organisation européenne, alors que les suffrages ainsi captés vont servir à légitimer tout ensemble les débordements futurs et les carences actuelles, au préjudice des intérêts nationaux.

1. Le gouvernement français soutient que les attributions de l'Assemblée resteront fixées par le traité de Rome et ne seront pas modifiées en conséquence du nouveau mode d'élection. Mais la plupart de nos partenaires énoncent l'opinion opposée presque comme allant de soi et aucune assurance n'a été obtenue à l'encontre de l'offensive ainsi annoncée, tranquillement, à l'avance. Or le président de la République reconnaissait, à juste raison, dans une conférence de presse récente, qu'une Europe fédérale ne manquerait pas d'être dominée par les intérêts américains. C'est dire que les votes de majorité, au sein des institutions européennes, en paralysant la volonté de la France, ne serviront ni les intérêts français, bien entendu, ni les intérêts européens. En d'autres termes, les votes des quatre-vingt-un représentants français pèseront bien peu à l'encontre des trois cent vingt-neuf représentants de pays eux-mêmes excessivement sensibles aux influences d'outre-Atlantique.

Telle est bien la menace dont l'opinion publique doit être consciente. Cette menace n'est pas lointaine et théorique : elle est ouverte, certaine et proche. Comment nos gouvernants pourront-ils y résister demain s'ils n'ont pas été capables de la faire écarter dans les déclarations d'intention ?

2. L'approbation de la politique européenne du gouvernement supposerait que celle-ci fût clairement affirmée à l'égard des errements actuels de la Communauté économique européenne. Il est de fait que cette Communauté – en dehors d'une politique agricole commune,

d'ailleurs menacée – tend à n'être, aujourd'hui, guère plus qu'une zone de libre-échange favorable peut-être aux intérêts étrangers les plus puissants, mais qui voue au démantèlement des pans entiers de notre industrie laissée sans protection contre des concurrences inégales, sauvages ou qui se gardent de nous accorder la réciprocité. On ne saurait demander aux Français de souscrire ainsi à leur asservissement économique, au marasme et au chômage. Dans la mesure où la politique économique propre au gouvernement français contribue pour sa part aux mêmes résultats, on ne saurait davantage lui obtenir l'approbation sous le couvert d'un vote relatif à l'Europe.

3. L'admission de l'Espagne et du Portugal dans la Communauté soulève, tant pour nos intérêts agricoles que pour le fonctionnement des institutions communes, de très sérieuses difficultés qui doivent être préalablement résolues, sous peine d'aggraver une situation déjà fort peu satisfaisante. Jusque-là, il serait d'une grande légèreté, pour en tirer quelque avantage politique plus ou moins illusoire, d'annoncer cette admission comme virtuellement acquise.

4. La politique européenne du gouvernement ne peut, en aucun cas, dispenser la France d'une politique étrangère qui lui soit propre. L'Europe ne peut servir à camoufler l'effacement d'une France qui n'aurait plus, sur le plan mondial, ni autorité, ni idée, ni message, ni visage. Nous récusons une politique étrangère qui cesse de répondre à la vocation d'une grande puissance, membre permanent du Conseil de sécurité des Nations unies et investie de ce fait de responsabilités particulières dans l'ordre international.

C'est pourquoi nous disons NON.

NON à la politique de la supranationalité.

NON à l'asservissement économique.

NON à l'effacement international de la France.

Favorables à l'organisation européenne, oui, nous le sommes pleinement. Nous voulons, autant que d'autres, que se fasse l'Europe. Mais une Europe européenne, où la France conduise son destin de grande nation. Nous disons non à une France vassale dans un empire de marchands, non à une France qui démissionne aujourd'hui pour s'effacer demain.

Puisqu'il s'agit de la France, de son indépendance et de l'avenir, puisqu'il s'agit de l'Europe, de sa cohésion et de sa volonté, nous ne transigerons pas. Nous lutterons de toutes nos forces pour qu'après tant de sacrifices, tant d'épreuves et tant d'exemples, notre génération ne signe pas, dans l'ignorance, le déclin de la patrie.

Comme toujours quand il s'agit de l'abaissement de la France, le parti de l'étranger est à l'œuvre avec sa voix paisible et rassurante. Français, ne l'écoutez pas. C'est l'engourdissement qui précède la paix de la mort.

Mais comme toujours quand il s'agit de l'honneur de la France, partout des hommes vont se lever pour combattre les partisans du renoncement et les auxiliaires de la décadence.

Avec gravité et résolution, je vous appelle dans un grand rassemblement de l'espérance, à un nouveau combat, celui pour la France de toujours et l'Europe de demain.

Discours communiqué depuis l'hôpital de Cochin,
le 6 décembre 1978.

44.
ROBERT BADINTER

Brillant avocat, clairement engagé à gauche, garde des Sceaux dans le gouvernement de Pierre Mauroy après l'élection de François Mitterrand en 1981, Robert Badinter reçoit la difficile mission de faire voter la loi qui réalisera l'une des fameuses « 110 propositions » du candidat socialiste : l'abolition de la peine de mort.

Rien n'est joué à l'époque dans l'opinion publique, et l'on peut même penser que cette dernière reste globalement favorable au maintien de cette peine. La France fait alors figure de retardataire car nombre d'autres pays membres des communautés européennes en ont terminé avec cette pratique. Si Robert Badinter s'est toujours déclaré opposé à la peine de mort, son combat pour l'abolition prend un tour plus vif après l'affaire Buffet et Bontems, à l'issue de laquelle son client est condamné à être guillotiné.

Dans ce long discours qu'il prononce à l'Assemblée nationale, il cherche à emporter la conviction non seulement des députés (il sait qu'il aura la majorité à la Chambre), mais, au-delà, d'une opinion publique qui pourra lire au moins de grands extraits de son texte.

Le projet de loi portant abolition de la peine de mort est adopté par 363 voix contre 117 le 18 septembre 1981 ; la loi correspondante est promulguée le 9 octobre.

Pour l'abolition de la peine de mort

Monsieur le Président, Mesdames, Messieurs les députés,

J'ai l'honneur, au nom du gouvernement de la République, de demander à l'Assemblée nationale l'abolition de la peine de mort en France.

[…] Près de deux siècles se sont écoulés depuis que dans la première assemblée parlementaire qu'ait connue la France, Le Peletier de Saint-Fargeau demandait l'abolition de la peine capitale. C'était en 1791.

Je regarde la marche de la France.

La France est grande, non seulement par sa puissance, mais au-delà de sa puissance, par l'éclat des idées, des causes, de la générosité qui l'ont emporté aux moments privilégiés de son histoire.

La France est grande parce qu'elle a été la première en Europe à abolir la torture malgré les esprits précautionneux qui, dans le pays, s'exclamaient à l'époque que, sans la torture, la justice française serait désarmée, que, sans la torture, les bons sujets seraient livrés aux scélérats.

La France a été parmi les premiers pays du monde à abolir l'esclavage, ce crime qui déshonore encore l'humanité.

Il se trouve que la France aura été, en dépit de tant d'efforts courageux, l'un des derniers pays, presque le dernier – et je baisse la voix pour le dire – en Europe occidentale, dont elle a été si souvent le foyer et le pôle, à abolir la peine de mort.

Pourquoi ce retard ? Voilà la première question qui se pose à nous.

Ce n'est pas la faute du génie national. C'est de France, c'est de cette enceinte, souvent, que se sont levées les plus grandes voix, celles qui ont résonné le plus haut et le plus loin dans la conscience humaine, celles qui ont soutenu, avec le plus d'éloquence, la cause de l'abolition. Vous avez, fort justement, monsieur Forni, rappelé Hugo, j'y ajouterai, parmi les écrivains, Camus. Comment, dans cette enceinte, ne pas penser aussi à Gambetta, à Clemenceau et surtout au grand Jaurès ? Tous se sont levés. Tous ont soutenu la cause de l'abolition. Alors pourquoi le silence a-t-il persisté et pourquoi n'avons-nous pas aboli ?

Je ne pense pas non plus que ce soit à cause du tempérament national. Les Français ne sont certes pas plus répressifs, moins humains que les autres peuples. Je le sais par expérience. Juges et jurés français savent être aussi généreux que les autres. La réponse n'est donc pas là. Il faut la chercher ailleurs.

Pour ma part, j'y vois une explication qui est d'ordre politique. Pourquoi ?

L'abolition, je l'ai dit, regroupe, depuis deux siècles, des femmes et des hommes de toutes les classes politiques et, bien au-delà, de toutes les couches de la nation.

Mais si l'on considère l'histoire de notre pays, on remarquera que l'abolition, en tant que telle, a toujours été une des grandes causes de la gauche française. Quand je dis gauche, comprenez-moi, j'entends forces de changement, forces de progrès, parfois forces de révolution, celles qui, en tout cas, font avancer l'histoire. Examinez simplement ce qui est la vérité. Regardez-la.

J'ai rappelé 1791, la première Constituante, la grande Constituante. Certes elle n'a pas aboli, mais elle a posé la question, audace prodigieuse en Europe à cette époque. Elle a réduit le champ de la peine de mort, plus que partout ailleurs en Europe.

La première assemblée républicaine que la France ait connue, la grande Convention, le 4 brumaire an IV de la République, a proclamé que la peine de mort était abolie en France à dater de l'instant où la paix générale serait rétablie.

[...] La paix fut rétablie mais avec elle Bonaparte arriva. Et la peine de mort s'inscrivit dans le Code pénal qui est encore le nôtre, plus pour longtemps, il est vrai.

Mais suivons les élans.

La révolution de 1830 a engendré, en 1832, la généralisation des circonstances atténuantes ; le nombre des condamnations à mort diminue aussitôt de moitié.

La révolution de 1848 entraîna l'abolition de la peine de mort en matière politique que la France ne remettra plus en cause jusqu'à la guerre de 1939.

Il faudra attendre ensuite qu'une majorité de gauche soit établie au centre de la vie politique française, dans les années qui suivent 1900, pour que soit à nouveau soumise aux représentants du peuple la question de l'abolition. C'est alors qu'ici même s'affrontèrent dans un débat dont l'histoire de l'éloquence conserve pieusement le souvenir vivant, et Barrès et Jaurès.

Jaurès – que je salue en votre nom à tous – a été, de tous les orateurs de la gauche, de tous les socialistes, celui qui a mené le plus haut, le plus loin, le plus noblement l'éloquence du cœur et l'éloquence de la raison, celui qui a servi, comme personne, le socialisme, la liberté et l'abolition. [...]

En 1908, Briand, à son tour, entreprit de demander à la Chambre l'abolition. Curieusement, il ne le fit pas en usant de son éloquence. Il s'efforça de convaincre en représentant à la Chambre une donnée très simple, que l'expérience récente – de l'école positiviste – venait de mettre en lumière.

Il fit observer en effet que, par suite du tempérament divers des présidents de la République qui se sont succédé à cette époque de grande stabilité sociale et économique, la pratique de la peine de mort avait singulièrement évolué pendant deux fois dix ans : 1888-1897, les présidents faisaient exécuter ; 1898-1907, les présidents – Loubet, Fallières – abhorraient la peine de mort et, par conséquent, accordaient systématiquement la grâce. Les données étaient claires : dans la première période où l'on pratique l'exécution : 3 066 homicides ; dans la seconde période, où la douceur des hommes fait qu'ils y répugnent et que la peine de mort disparaît de la pratique répressive : 1 068 homicides, près de la moitié.

Telle est la raison pour laquelle Briand, au-delà même des principes, vint demander à la Chambre d'abolir la peine de mort qui, la France venait ainsi de le mesurer, n'était pas dissuasive.

Il se trouva qu'une partie de la presse entreprit aussitôt une campagne très violente contre les abolitionnistes. Il se trouva qu'une partie de la Chambre n'eut point le courage d'aller vers les sommets que lui montrait Briand. C'est ainsi que la peine de mort demeura en 1908 dans notre droit et dans notre pratique.

Depuis lors – soixante-quinze ans –, jamais une assemblée parlementaire n'a été saisie d'une demande de suppression de la peine de mort.

[…]

On peut s'interroger : pourquoi n'y a-t-il rien eu en 1936 ? La raison est que le temps de la gauche fut compté. L'autre raison, plus simple, est que la guerre pesait déjà sur les esprits. Or les temps de guerre ne sont pas propices à poser la question de l'abolition. Il est vrai que la guerre et l'abolition ne cheminent pas ensemble.

La Libération. Je suis convaincu, pour ma part, que, si le gouvernement de la Libération n'a pas posé la question de l'abolition, c'est parce que les temps troublés, les crimes de la guerre, les épreuves terribles de l'occupation faisaient que les sensibilités n'étaient pas à cet égard prêtes. Il fallait que reviennent non seulement la paix des armes mais aussi la paix des cœurs.

Cette analyse vaut aussi pour les temps de la décolonisation.

C'est seulement après ces épreuves historiques qu'en vérité pouvait être soumise à votre assemblée la grande question de l'abolition.

[…]

Nous savons bien en vérité que la cause était la crainte de l'opinion publique. D'ailleurs, certains vous diront, Mesdames, Messieurs les députés, qu'en votant l'abolition vous méconnaîtriez les règles de la démocratie parce que vous ignoreriez l'opinion publique. Il n'en est rien.

Nul plus que vous, à l'instant du vote sur l'abolition, ne respectera la loi fondamentale de la démocratie.

Je me réfère non pas seulement à cette conception selon laquelle le Parlement est, suivant l'image employée par un grand Anglais, un phare qui ouvre la voie de l'ombre pour le pays, mais simplement à la loi fondamentale de la démocratie qui est la volonté du suffrage universel et, pour les élus, le respect du suffrage universel.

Or, à deux reprises, la question a été directement – j'y insiste – posée devant l'opinion publique.

Le président de la République a fait connaître à tous, non seulement son sentiment personnel, son aversion pour la peine de mort, mais aussi, très clairement, sa volonté de demander au gouvernement de saisir le Parlement d'une demande d'abolition, s'il était élu. Le pays lui a répondu : oui.

Il y a eu ensuite des élections législatives. Au cours de la campagne électorale, il n'est pas un des partis de gauche qui n'ait fait figurer publiquement dans son programme [...] l'abolition de la peine de mort.

Le pays a élu une majorité de gauche ; ce faisant, en connaissance de cause, il savait qu'il approuvait un programme législatif dans lequel se trouvait inscrite, au premier rang des obligations morales, l'abolition de la peine de mort.

Lorsque vous la voterez, c'est ce pacte solennel, celui qui lie l'élu au pays, celui qui fait que son premier devoir d'élu est le respect de l'engagement pris avec ceux qui l'ont choisi, cette démarche de respect du suffrage universel et de la démocratie qui sera la vôtre.

D'autres vous diront que l'abolition, parce qu'elle pose question à toute conscience humaine, ne devrait être décidée que par la voie de référendum. Si l'alternative existait, la question mériterait sans doute examen. Mais, vous le savez aussi bien que moi [...], cette voie est constitutionnellement fermée.

Je rappelle à l'Assemblée – mais en vérité ai-je besoin de le faire ? – que le général de Gaulle, fondateur de la Ve République, n'a pas voulu que les questions de société ou, si l'on préfère, les questions de morale soient tranchées par la procédure référendaire.

Je n'ai pas besoin non plus de vous rappeler, Mesdames, Messieurs les députés, que la sanction pénale de l'avortement aussi bien que celle de la peine de mort se trouvent inscrites dans les lois pénales qui, aux termes de la Constitution, relèvent de votre seul pouvoir.

Par conséquent, prétendre s'en rapporter à un référendum, ne vouloir répondre que par un référendum, c'est méconnaître délibérément à la fois l'esprit et la lettre de la Constitution et c'est, par une fausse habileté, refuser de se prononcer publiquement par peur de l'opinion publique.

[...]

En vérité, la question de la peine de mort est simple pour qui veut l'analyser avec lucidité. Elle ne se pose pas en termes de dissuasion, ni même de technique répressive, mais en termes de choix politique ou de choix moral.

Je l'ai déjà dit, mais je le répète volontiers au regard du grand silence antérieur : le seul résultat auquel ont conduit toutes les recherches menées par les criminologues est la constatation de l'absence de lien entre la peine de mort et l'évolution de la criminalité sanglante. [...]

Il n'est pas difficile d'ailleurs, pour qui veut s'interroger loyalement, de comprendre pourquoi il n'y a pas entre la peine de mort et l'évolution de la criminalité sanglante ce rapport dissuasif que l'on s'est si souvent appliqué à chercher sans trouver sa source ailleurs, et j'y reviendrai dans un instant. Si vous y réfléchissez simplement, les crimes les plus terribles, ceux qui saisissent le plus la sensibilité publique – et on le comprend –, ceux qu'on appelle les crimes atroces sont commis le plus souvent par des hommes emportés par une pulsion de violence et de mort qui abolit jusqu'aux défenses de la raison. À cet instant de folie, à cet instant de passion meurtrière, l'évocation de la peine, qu'elle soit de mort ou qu'elle soit perpétuelle, ne trouve pas sa place chez l'homme qui tue.

[…] Quant aux autres, les criminels dits de sang-froid, ceux qui pèsent les risques, ceux qui méditent le profit et la peine, ceux-là, jamais vous ne les retrouverez dans des situations où ils risquent l'échafaud. Truands raisonnables, profiteurs du crime, criminels organisés, proxénètes, trafiquants, mafiosi, jamais vous ne les trouverez dans ces situations-là. Jamais !

Ceux qui interrogent les annales judiciaires, car c'est là où s'inscrit dans sa réalité la peine de mort, savent que dans les trente dernières années vous n'y trouvez pas le nom d'un « grand » gangster, si l'on peut utiliser cet adjectif en parlant de ce type d'hommes. Pas un seul « ennemi public » n'y a jamais figuré. […] Ce sont les autres, ceux que j'évoquais précédemment qui peuplent ces annales.

En fait, ceux qui croient à la valeur dissuasive de la peine de mort méconnaissent la vérité humaine. La passion criminelle n'est pas plus arrêtée par la peur de la mort que d'autres passions ne le sont qui, celles-là, sont nobles.

Et si la peur de la mort arrêtait les hommes, vous n'auriez ni grands soldats, ni grands sportifs. Nous les admirons, mais ils n'hésitent pas devant la mort. D'autres, emportés par d'autres passions, n'hésitent pas non plus. C'est seulement pour la peine de mort qu'on invente l'idée que la peur de la mort retient l'homme dans ses passions extrêmes. Ce n'est pas exact.

[…] La question ne se pose pas, et nous le savons tous, en termes de dissuasion ou de technique répressive, mais en termes politiques et surtout de choix moral.

Que la peine de mort ait une signification politique, il suffirait de regarder la carte du monde pour le constater. Je regrette qu'on ne puisse pas présenter une telle carte à l'Assemblée comme cela fut fait au Parlement européen. On y verrait les pays abolitionnistes et les autres, les pays de liberté et les autres. […] Les choses sont claires. Dans la majorité écrasante des démocraties occidentales, en Europe particulièrement, dans tous les pays où la liberté est inscrite dans les institutions et respectée dans la pratique, la peine de mort a disparu. […] Partout, dans le monde, et sans aucune exception, où triomphent la dictature et le mépris des droits de l'homme, partout vous y trouvez inscrite, en caractères sanglants, la peine de mort.

[…]

Voici la première évidence : dans les pays de liberté l'abolition est presque partout la règle ; dans les pays où règne la dictature, la peine de mort est partout pratiquée.

Ce partage du monde ne résulte pas d'une simple coïncidence mais exprime une corrélation. La vraie signification politique de la peine de mort, c'est bien qu'elle procède de l'idée que l'État a le droit de disposer du citoyen jusqu'à lui retirer la vie. C'est par là que la peine de mort s'inscrit dans les systèmes totalitaires.

[…] Dans la réalité judiciaire, qu'est-ce que la peine de mort ? Ce sont douze hommes et femmes, deux jours d'audience, l'impossibilité d'aller jusqu'au fond des choses et le droit, ou le devoir, terrible, de trancher, en quelques quarts d'heure, parfois quelques minutes, le problème si difficile de la culpabilité, et, au-delà, de décider de la vie ou de la mort d'un autre être. Douze personnes, dans une démocratie, qui ont le droit de dire : celui-là doit vivre, celui-là doit mourir ! Je le dis : cette conception de la justice ne peut être celle des pays de liberté, précisément pour ce qu'elle comporte de signification totalitaire.

Quant au droit de grâce, il convient […] de s'interroger à son sujet. Lorsque le roi représentait Dieu sur la terre, qu'il était oint par la volonté divine, le droit de grâce avait un fondement légitime. Dans une civilisation, dans une société dont les institutions sont imprégnées par la foi religieuse, on comprend aisément que le représentant de Dieu ait pu disposer du droit de vie ou de mort. Mais dans une république, dans une démocratie, quels que soient ses mérites, quelle que soit sa conscience, aucun homme, aucun pouvoir ne saurait disposer d'un tel droit sur quiconque en temps de paix. [...]

Je sais qu'aujourd'hui et c'est là un problème majeur – certains voient dans la peine de mort une sorte de recours ultime, une forme de défense extrême de la démocratie contre la menace grave que constitue le terrorisme. La guillotine, pensent-ils, protégerait éventuellement la démocratie au lieu de la déshonorer.

Cet argument procède d'une méconnaissance complète de la réalité. En effet l'histoire montre que s'il est un type de crime qui n'a jamais reculé devant la menace de mort, c'est le crime politique. Et, plus spécifiquement, s'il est un type de femme ou d'homme que la menace de la mort ne saurait faire reculer, c'est bien le terroriste. D'abord, parce qu'il l'affronte au cours de l'action violente ; ensuite parce qu'au fond de lui, il éprouve cette trouble fascination de la violence et de la mort, celle qu'on donne, mais aussi celle qu'on reçoit. Le terrorisme qui, pour moi, est un crime majeur contre la démocratie, et qui, s'il devait se lever dans ce pays, serait réprimé et poursuivi avec toute la fermeté requise, a pour cri de ralliement, quelle que soit l'idéologie qui l'anime, le terrible cri des fascistes de la guerre d'Espagne : « Viva la muerte ! », « Vive la mort ! » Alors, croire qu'on l'arrêtera avec la mort, c'est illusion.

Allons plus loin. Si, dans les démocraties voisines, pourtant en proie au terrorisme, on se refuse à rétablir la peine de mort, c'est, bien sûr, par exigence morale, mais aussi par raison politique. Vous savez en effet qu'aux yeux de certains et surtout des jeunes, l'exécution du terroriste le transcende, le dépouille de ce qu'a été la réalité criminelle de ses actions, en fait une sorte de héros qui aurait été jusqu'au bout de sa course, qui, s'étant engagé au service d'une cause, aussi odieuse soit-elle, l'aurait servie jusqu'à la mort. Dès lors apparaît le risque considérable, que précisément les hommes d'État des démocraties amies ont pesé, de voir se lever dans l'ombre, pour un terroriste exécuté, vingt jeunes gens égarés. Ainsi, loin de le combattre, la peine de mort nourrirait le terrorisme.

À cette considération de fait, il faut ajouter une donnée morale : utiliser contre les terroristes la peine de mort, c'est, pour une démocratie, faire siennes les valeurs de ces derniers. Quand, après l'avoir arrêté, après lui avoir extorqué des correspondances terribles, les terroristes, au terme d'une parodie dégradante de justice, exécutent celui qu'ils ont enlevé, non seulement ils commettent un crime odieux, mais ils tendent à la démocratie le piège le plus insidieux, celui d'une violence meurtrière qui, en forçant cette démocratie à recourir à la peine de mort, pourrait leur permettre de lui donner, par une sorte d'inversion des valeurs, le visage sanglant qui est le leur.

Cette tentation, il faut la refuser, sans jamais, pour autant, composer avec cette forme ultime de la violence, intolérable dans une démocratie, qu'est le terrorisme.

Mais lorsqu'on a dépouillé le problème de son aspect passionnel et qu'on veut aller jusqu'au bout de la lucidité, on constate que le choix entre le maintien et l'abolition de la peine de mort, c'est, en définitive, pour une société et pour chacun d'entre nous, un choix moral.

Je ne ferai pas usage de l'argument d'autorité, car ce serait malvenu au Parlement, et trop facile dans cette enceinte. Mais on ne peut pas ne pas relever que, dans les dernières années, se sont prononcés hautement contre la peine de mort l'Église catholique de France, le Conseil de l'Église réformée et le Rabbinat. Comment ne pas souligner que toutes les grandes associations internationales qui militent de par le monde pour la défense des libertés et des droits de l'homme – Amnesty International, l'Association internationale des droits de l'homme, la Ligue des droits de l'homme – ont fait campagne pour que vienne l'abolition de la peine de mort ?

[...] Cette conjonction de tant de consciences religieuses ou laïques, hommes de Dieu et hommes de libertés, à une époque où l'on parle sans cesse de crise des valeurs morales, est significative. [...]

Pour les partisans de la peine de mort, dont les abolitionnistes et moi-même avons toujours respecté le choix en notant à regret que la réciproque n'a pas toujours été vraie, la haine répondant souvent à ce qui n'était que l'expression d'une conviction profonde, celle que je respecterai toujours chez les hommes de liberté, pour les partisans de la peine de mort, disais-je, la mort du coupable est une exigence de justice. Pour eux, il est en effet des crimes trop atroces pour que leurs auteurs puissent les expier autrement qu'au prix de leur vie. [...] Soyons clairs. Cela signifie simplement que la loi du talion demeurerait, à travers les millénaires, la loi nécessaire, unique de la justice humaine.

[...] La vérité est que, au plus profond des motivations de l'attachement à la peine de mort, on trouve, inavouée le plus souvent, la tentation de l'élimination. Ce qui paraît insupportable à beaucoup, c'est moins la vie du criminel emprisonné que la peur qu'il récidive un jour. Et ils pensent que la seule garantie, à cet égard, est que le criminel soit mis à mort par précaution.

Ainsi, dans cette conception, la justice tuerait moins par vengeance que par prudence. Au-delà de la justice d'expiation apparaît donc la justice d'élimination, derrière la balance, la guillotine. L'assassin doit mourir tout simplement parce que, ainsi, il ne récidivera pas. Et tout paraît si simple, et tout paraît si juste !

Mais quand on accepte ou quand on prône la justice d'élimination, au nom de la justice, il faut bien savoir dans quelle voie on s'engage. Pour être acceptable, même pour ses partisans, la justice qui tue le criminel doit tuer en connaissance de cause. Notre justice, et c'est son honneur, ne tue pas les déments. Mais elle ne sait pas les identifier à coup sûr, et c'est à l'expertise psychiatrique, la plus aléatoire, la plus incertaine de toutes, que, dans la réalité judiciaire, on va s'en remettre. Que le verdict psychiatrique soit favorable à l'assassin, et il sera épargné. La société acceptera d'assumer le risque qu'il représente sans que quiconque s'en indigne. Mais que le verdict psychiatrique lui soit défavorable, et il sera exécuté. Quand on accepte la justice d'élimination, il faut que les responsables politiques mesurent dans quelle logique de l'histoire on s'inscrit. [...]

Il s'agit bien, en définitive, dans l'abolition, d'un choix fondamental, d'une certaine conception de l'homme et de la justice. Ceux qui veulent une justice qui tue, ceux-là sont animés par une double conviction : qu'il existe des hommes totalement coupables, c'est-à-dire des hommes totalement responsables de leurs actes, et qu'il peut y avoir une justice sûre de son infaillibilité au point de dire que celui-là peut vivre et que celui-là doit mourir.

À cet âge de ma vie, l'une et l'autre affirmations me paraissent également erronées. Aussi terribles, aussi odieux que soient leurs actes, il n'est point d'hommes en cette terre dont la culpabilité soit totale et dont il faille pour toujours désespérer totalement. Aussi prudente que soit la justice, aussi mesurés et angoissés que soient les femmes et les hommes qui jugent, la justice demeure humaine, donc faillible.

Parce que l'abolition est un choix moral, il faut se prononcer en toute clarté. Le gouvernement vous demande donc de voter l'abolition de la peine de mort sans l'assortir d'aucune restriction ni d'aucune réserve. [...]

Dans le même dessein de clarté, le projet n'offre aucune disposition concernant une quelconque peine de remplacement.

Pour des raisons morales d'abord : la peine de mort est un supplice, et l'on ne remplace pas un supplice par un autre.

Pour des raisons de politique et de clarté législatives aussi : par peine de remplacement, l'on vise communément une période de sûreté, c'est-à-dire un délai inscrit dans la loi pendant lequel le condamné n'est pas susceptible de bénéficier d'une mesure de libération conditionnelle ou d'une quelconque suspension de sa peine. Une telle peine existe déjà dans notre droit et sa durée peut atteindre dix-huit années. [...]

Pour les mêmes raisons de clarté et de simplicité, nous n'avons pas inséré dans le projet les dispositions relatives au temps de guerre. Le gouvernement sait bien que, quand le mépris de la vie, la violence mortelle deviennent la loi commune, quand certaines valeurs essentielles du temps de paix sont remplacées par d'autres qui expriment la primauté de la défense de la Patrie, alors le fondement même de l'abolition s'efface de la conscience collective pour la durée du conflit, et, bien entendu, l'abolition est alors entre parenthèses. […]

Demain, grâce à vous, la justice française ne sera plus une justice qui tue. Demain, grâce à vous, il n'y aura plus, pour notre honte commune, d'exécutions furtives, à l'aube, sous le dais noir, dans les prisons françaises. Demain, les pages sanglantes de notre justice seront tournées.

À cet instant plus qu'à aucun autre, j'ai le sentiment d'assumer mon ministère, au sens ancien, au sens noble, le plus noble qui soit, c'est-à-dire au sens de « service ». Demain, vous voterez l'abolition de la peine de mort. Législateurs français, de tout mon cœur, je vous en remercie. *(Applaudissements sur les bancs des socialistes et des communistes et sur quelques bancs du Rassemblement pour la République et de l'Union pour la démocratie française. – Les députés socialistes et quelques députés communistes se lèvent et applaudissent longuement.)*

Discours prononcé devant l'Assemblée nationale,
le 17 septembre 1981.

45.
FRANÇOIS MITTERRAND

En 1974, à la mort de Georges Pompidou, François Mitterrand, candidat unique de la gauche, perd de peu l'élection présidentielle contre Valéry Giscard d'Estaing. Le Parti socialiste réorganisé continue à gagner des points contre le Parti communiste, ce qui entraîne, en partie au moins, la rupture de l'Union de la gauche en 1977 et l'échec relatif de la gauche aux législatives de 1978.

Le 10 mai 1981, Mitterrand est élu président de cette Ve République dont il avait tant critiqué les institutions sous le général de Gaulle, des institutions dans lesquelles il se coulera sans problème aucun.

Premier président de gauche depuis les débuts de la Ve République, ayant à ses côtés un gouvernement qui compte des ministres communistes, il se doit alors de poser un regard différent sur les relations internationales.

On sait combien la gauche française s'est montrée sensible au romantisme des révoltes sud-américaines, de la défense de la révolution cubaine à la lutte de Salvador Allende au Chili. Le conseiller aux affaires latino-américaines de l'Élysée n'est autre d'ailleurs que l'ancien guérillero Régis Debray. C'est donc en Amérique du Sud, au Mexique, aux portes des États-Unis, que le président français prononce un discours appelant à un nouveau dialogue entre pays du Nord et pays du Sud.

Il est vrai que le Mexique, démocratie stable ayant des ressources, est certainement moins en pointe que d'autres pays américains de l'époque dans la lutte anti-impérialiste dirigée contre leur puissant voisin. Et ce d'autant moins que les États-Unis sont aussi pour les Mexicains une terre d'émigration.

Mais François Mitterrand tente de fixer ici la voie d'une politique extérieure clairement axée en direction de la solidarité avec le tiers monde. Un choix initial qui devra par la suite s'accommoder d'un réalisme politique dans lequel Mitterrand était passé maître.

Discours de Cancún

Aux fils de la Révolution mexicaine, j'apporte le salut fraternel des fils de la Révolution française !

Je le fais avec émotion et respect. Je suis conscient de l'honneur qui a été consenti, à travers ma personne, à la France nouvelle : l'honneur de pouvoir m'adresser au peuple du Mexique du haut d'une tribune entre toutes symbolique.

Ce privilège exceptionnel consacre une amitié exceptionnelle. Notre sympathie mutuelle ne date pas d'hier et ne s'évanouira pas demain, car elle fait corps avec l'histoire de nos deux républiques. Mais c'est maintenant que nous pouvons, que nous devons parler à cœur ouvert, comme on le fait entre vieux compagnons.

Jadis, alors que les défenseurs de Puebla étaient assiégés par les troupes de Napoléon III, un petit journal mexicain, imprimé sur deux colonnes, l'une en français, l'autre en espagnol, s'adressant à nos soldats, écrivait :

« Qui êtes-vous ? Les soldats d'un tyran. La meilleure France est avec nous. Vous avez Napoléon, nous avons Victor Hugo. » Aujourd'hui, la France de Victor Hugo répond à l'appel du Mexique de Benito Juarez et elle vous dit : « Oui, Français et Mexicains sont et seront au coude-à-coude pour défendre le droit des peuples. »

Nos deux pays ont des buts communs, parce qu'ils ont des sources communes. Ce monument parle lui-même. Il montre sur quelles pierres d'angle repose la grandeur du Mexique moderne. Chacune porte un nom. La démocratie : Madero. La légalité : Carranza. Le rassemblement : Calles. L'indépendance économique : Cárdenas. Par chance, les constructeurs du monument de la Révolution n'ont pas oublié de faire une place à Pancho Villa et, pour ma part, permettez-moi de vous le dire, je n'oublierai pas non plus Emiliano Zapata, le signataire du Plan d'Ayala, le rédempteur des paysans dépossédés.

Ces héros qui ont façonné votre histoire n'appartiennent qu'à vous. Mais les principes qu'ils incarnent appartiennent à tous. Ce sont aussi les nôtres. C'est pourquoi je me sens ici, au Mexique, en terre familière. Les grands souvenirs des peuples leur font de grandes espérances.

Ni le Mexique, ni la France ne peuvent se détourner des sources vives de leur passé révolutionnaire sans se renier et, à terme, sans se scléroser. Adultes, maîtres d'eux-mêmes, en pleine ascension, nos deux pays n'ont pas seulement pour mission de faire entrer des principes dans la vie, chez eux, mais de les faire connaître partout où ils sont bafoués.

« Le Mexique, pour la première fois, disait, il y a peu, le président López Portillo, a le sentiment qu'il peut apporter quelque chose au monde. Je crois que le monde a le sentiment qu'il peut recevoir quelque chose du Mexique. »

Chacun admet que votre pays se distingue, dans le contexte qui est le sien, par deux traits remarquables : la stabilité politique et l'élan économique. Si l'on y regarde de près, ces deux mérites qui vous honorent sont porteurs de messages qui intéressent le monde entier et, en particulier, je crois, le continent américain.

Le premier message est simple mais, apparemment, il n'est pas encore entendu partout. Il dit ceci : il n'y a et ne peut y avoir de stabilité politique sans justice sociale. Et quand les inégalités, les injustices ou les retards d'une société dépassent la mesure, il n'y a pas d'ordre établi, pour répressif qu'il soit, qui puisse résister au soulèvement de la vie.

L'antagonisme Est-Ouest ne saurait expliquer la lutte pour l'émancipation des « damnés de la terre », pas plus qu'il n'aide à les résoudre. Zapata et les siens n'ont pas attendu que Lénine soit au pouvoir à Moscou pour prendre d'eux-mêmes les armes contre l'insoutenable dictature de Porfirio Díaz.

Le second message du Mexique, à valeur universelle, je l'énoncerai volontiers ainsi : il n'y a pas de développement économique véritable sans la préservation d'une identité nationale, d'une culture originale. Le Mexique a fondu dans son creuset trois cultures et leur synthèse a donné à votre pays la capacité de rester lui-même.

C'est une lourde responsabilité que d'être placé par le destin à la frontière du plus puissant pays du monde, juste à la charnière du Nord et du Sud. Bastion avancé des cultures d'expression latine, le Mexique a pu devenir le lieu naturel du dialogue entre le Nord et le Sud comme l'attestera demain la conférence de Cancún. Parce que le Mexique, réfractaire aux dominations de toute nature, a su puiser en lui-même sa volonté d'autonomie.

La vraie richesse du Mexique, ce n'est pas son pétrole, c'est sa dignité. Je veux dire : sa culture. La richesse de votre pays, ce sont ses hommes et ses femmes, ses architectes, ses peintres, ses écrivains, ses techniciens, ses chercheurs, ses étudiants, ses travailleurs manuels et intellectuels. Que valent les ressources naturelles sans les ressources humaines ? Le Mexique créateur compte autant, sinon plus à nos yeux, que le Mexique producteur. C'est le premier qui met en valeur le second.

Après tout, on connaît bien des produits nationaux bruts supérieurs aux vôtres, mais s'il est un jour possible de calculer la création nationale brute par tête d'habitant, on verra alors le Mexique apparaître au premier rang. Là est votre force. Pour ne rien vous cacher, c'est peut-être aussi la nôtre. Voilà ce qui doit faire passer nos deux pays de l'entente à la coopération.

Mais nos héritages spirituels, plus vivants que jamais, nous font obligation d'agir dans le monde avec un esprit de responsabilité. Chaque nation est, en un sens, son propre monde : il n'y a pas de grands ou de petits pays, mais des pays également souverains, et chacun mérite un égal respect.

Appliquons à tous la même règle, le même droit : non-ingérence, libre détermination des peuples, solution pacifique des conflits, nouvel ordre international. De ces maîtres mots qui nous sont communs, la France et le Mexique ont récemment tiré la conséquence logique. Je veux parler du Salvador.

Il existe dans notre Code pénal un délit grave, celui de non-assistance à personne en danger. Lorsqu'on est témoin d'une agression dans la rue, on ne peut pas impunément laisser le plus faible seul face au plus fort, tourner le dos et suivre son chemin. En droit international, la non-assistance aux peuples en danger n'est pas encore un délit. Mais c'est une faute morale et politique qui a déjà coûté trop de morts et trop de douleurs à trop de peuples abandonnés, où qu'ils se trouvent sur la carte, pour que nous acceptions, à notre tour, de la commettre.

Les peuples de la région, à défaut des gouvernements, ne se sont pas trompés sur le sens à donner à la déclaration franco-mexicaine sur le Salvador. Le respect des principes dérange le plus souvent les routines diplomatiques. Mais l'histoire qui passe donnera raison au droit qui reste.

La France comme le Mexique a dit non au désespoir qui pousse à la violence ceux qu'on prive de tout autre moyen de se faire entendre. Elle dit non à l'attitude qui consiste à fouler aux pieds les libertés publiques pour décréter ensuite hors la loi ceux qui prennent les armes pour défendre les libertés.

À tous les combattants de la liberté, la France lance son message d'espoir. Elle adresse son salut aux femmes, aux hommes, aux enfants mêmes, oui, à ces « enfants héros » semblables à ceux qui, dans cette ville, sauvèrent jadis l'honneur de votre patrie et qui tombent en ce moment même de par le monde, pour un noble idéal.

Salut aux humiliés, aux émigrés, aux exilés sur leur propre terre qui veulent vivre et vivre libres.

Salut à celles et à ceux qu'on bâillonne, qu'on persécute ou qu'on torture, qui veulent vivre et vivre libres.

Salut aux séquestrés, aux disparus et aux assassinés qui voulaient seulement vivre et vivre libres.

Salut aux prêtres brutalisés, aux syndicalistes emprisonnés, aux chômeurs qui vendent leur sang pour survivre, aux Indiens pourchassés dans leur forêt, aux travailleurs sans droit, aux paysans sans terre, aux résistants sans arme qui veulent vivre et vivre libres.

À tous, la France dit : Courage, la liberté vaincra. Et si elle le dit depuis la capitale du Mexique, c'est qu'ici ces mots possèdent tout leur sens.

Quand la championne des droits du citoyen donne la main au champion du droit des peuples, qui peut penser que ce geste n'est pas aussi un geste d'amitié à l'égard de tous les autres peuples du monde, et en particulier du monde américain ? Et si j'en appelle à la liberté pour les peuples qui souffrent de l'espérer encore, je refuse tout autant ses sinistres contrefaçons, il n'est de liberté que par l'avènement de la démocratie.

Notre siècle a mis l'Amérique latine au premier plan de la scène mondiale. La géographie et l'histoire ont mis le Mexique au premier rang de l'Amérique latine. S'il n'est pas de chef de file, il est des précurseurs.

Personne ne peut oublier que la première révolution sociale de ce siècle et la première réforme agraire de l'Amérique ont eu lieu ici. Personne ne peut oublier que le premier pays en Occident à avoir récupéré le pétrole pour la nation est celui du général Lázaro Cárdenas, celui-là même qui vint au secours de la République espagnole écrasée par les bombes du franquisme. Personne ne peut oublier que c'est du Mexique que furent lancées les premières bases juridiques du nouvel ordre économique international, que c'est encore à vous et à votre président López Portillo que les Nations unies doivent la grande idée annonciatrice d'un plan mondial de l'énergie.

Voilà pourquoi, quand un Français socialiste s'adresse aux patriotes mexicains, il se sent fort d'une longue histoire au service de la liberté.

Vive l'Amérique latine, fraternelle et souveraine.

Vive le Mexique.

Vive la France.

Discours prononcé à Cancún,
le 20 octobre 1981.

46.

JEAN-PAUL II

Karol Józef Wojtyla (1920-2005) suit des études de lettres avant de travailler comme ouvrier lorsque la Pologne est occupée. Il entre en 1942 dans un séminaire clandestin pour être ordonné prêtre en 1946.

Docteur en théologie et en philosophie, il est nommé évêque auxiliaire de Cracovie en 1958, à 38 ans, puis archevêque en 1964 et cardinal en 1967. Karol Wojtyla est élu pape le 16 octobre 1978, surprenant alors bon nombre de « spécialistes » des affaires vaticanes. Il est vrai que l'on n'attendait pas qu'un Slave brise le monopole italien établi depuis plusieurs siècles sur la fonction…

Ayant pris le nom de Jean-Paul II, il voyage sur toute la planète au cours de son long pontificat. Il fait rédiger un catéchisme universel romain, approuvé en 1992, et crée les Journées mondiales de la jeunesse (JMJ), traduisant dans les deux cas sa volonté de porter partout un même message du Christ. Mais ce propagandiste infatigable, cet « athlète de la foi », qui sera sur le tard terrassé par la maladie et voudra montrer alors au monde la dignité du malade, est aussi un homme de paix.

C'est le 27 octobre 1986 que le pape accueille à Assise plus de deux cents représentants des différentes confessions, qui prient et jeûnent ensemble pour la paix. Une telle réunion a de nouveau lieu à Assise encore en 1993, puis en 1999, cette fois au Vatican, et en 2002 encore à Assise.

Il ne s'agissait pas de conférences de théologiens ou d'un œcuménisme destiné à prouver – ou à trouver – un « plus petit dénominateur commun » aux différentes confessions. Il s'agissait simplement – si l'on ose écrire – d'affirmer le pouvoir surnaturel de la prière, y compris dans notre monde moderne. Et de montrer aussi à ce monde que les différentes religions ne sont pas systématiquement des facteurs de guerre…

DISCOURS D'ASSISE

Frères et sœurs, responsables et représentants des Églises et des Communautés ecclésiales chrétiennes et des religions du monde, chers amis,

En concluant cette Journée mondiale de prière pour la paix, à laquelle, après avoir bien voulu accepter mon invitation, vous êtes venus de maintes régions du monde, j'aimerais exprimer maintenant mes sentiments, comme un frère et un ami, mais aussi comme croyant en Jésus-Christ et, dans l'Église catholique, premier témoin de la foi en lui. À la suite de la dernière prière, la prière chrétienne, dans la série que nous avons tous entendue, je professe à nouveau ma conviction, partagée par tous les chrétiens, qu'en Jésus-Christ, le Sauveur de tous, on peut trouver la vraie paix, « paix pour vous qui êtes loin et pour ceux qui sont proches » [Éph. 2, 17]. Sa naissance a été saluée par le chant des anges : « Gloire à Dieu au plus haut des cieux et sur la terre paix aux hommes objets de sa complaisance » [Lc 2, 14]. Il prêchait l'amour parmi tous les hommes, même entre ennemis : il proclamait bienheureux ceux qui œuvrent pour la paix [Mt 5, 9] et, par sa mort et sa résurrection, il réconciliait le ciel et la terre [Col. 1, 20]. Pour reprendre une expression de l'apôtre Paul : « Il est notre paix » [Éph. 2, 14].

C'est, en fait, ma conviction de foi qui m'a fait me tourner vers vous, représentants des Églises et des Communautés ecclésiales chrétiennes et des religions du monde, avec un amour et un respect profonds.

Avec les autres chrétiens, nous partageons beaucoup de convictions, notamment en ce qui concerne la paix.

Avec les religions du monde, nous partageons un profond respect de la conscience et l'obéissance à la conscience qui nous apprend à tous à chercher la vérité, à aimer et à servir toutes les personnes et tous les peuples, et, par conséquent, à faire la paix entre les personnes et entre les nations.

Oui, nous considérons tous la conscience et l'obéissance à la conscience comme un élément essentiel sur la route vers un monde meilleur et en paix.

Pourrait-il en être autrement, alors que les hommes et les femmes de ce monde ont une nature commune, une origine commune et une destinée commune ?

S'il y a entre nous des différences nombreuses et importantes, n'est-il pas vrai qu'au niveau le plus profond de l'humanité, il y a un fondement commun, à partir duquel on peut agir ensemble en vue de la solution de ce défi dramatique de notre époque : paix véritable ou guerre catastrophique ?

Oui, il y a la dimension de la prière qui, dans la diversité très réelle des religions, tente d'exprimer une communication avec une puissance au-dessus de toutes nos forces humaines.

La paix dépend fondamentalement de cette puissance, que nous appelons Dieu et que, comme chrétiens, nous croyons révélée dans le Christ. C'est là le sens de cette Journée mondiale de prière.

Pour la première fois dans l'histoire, nous nous sommes rassemblés de toutes parts, Églises et Communautés ecclésiales chrétiennes et religions du monde, dans ce lieu saint dédié à saint François, pour témoigner devant le monde, chacun suivant ses propres convictions, de la nature transcendante de la paix.

La forme et le contenu de nos prières sont très différents, comme nous l'avons vu, et il ne peut être question de les réduire à une sorte de commun dénominateur.

Cependant, dans cette différence même nous avons peut-être redécouvert que, en ce qui concerne le problème de la paix et de sa relation avec l'engagement religieux, il y a quelque chose qui nous lie les uns aux autres.

Le défi de la paix, tel qu'il se présente actuellement à toutes les consciences humaines, transcende les différences religieuses. C'est le problème d'une qualité de vie convenable pour tous, le problème de la survie de l'humanité, le problème de la vie et de la mort.

Devant un tel problème, deux éléments semblent avoir une importance suprême, et tous les deux nous sont communs à tous.

Le premier est l'impératif intérieur de la conscience morale qui nous enjoint de respecter, de protéger, et de promouvoir la vie humaine, depuis le sein maternel jusqu'au lit de mort, pour les individus et pour les peuples, mais spécialement pour les faibles, les déshérités, les abandonnés : c'est l'impératif de surmonter l'égoïsme, l'avidité et l'esprit de vengeance.

Le second élément commun est la conviction que la paix va bien au-delà des efforts humains, particulièrement dans l'état actuel du monde, et, par conséquent, que sa source et sa réalisation doivent être cherchées dans cette réalité qui est au-delà de nous tous.

C'est pourquoi chacun de nous prie pour la paix. Même si nous pensons, et c'est le cas, que la relation entre cette réalité et le don de la paix est différente selon nos convictions religieuses respectives, nous affirmons tous qu'une telle relation existe.

C'est ce que nous exprimons en priant pour la paix.

Je redis ici humblement ma propre conviction : la paix porte le nom de Jésus-Christ.

Mais, en même temps et de la même voix, je suis prêt à reconnaître que les catholiques n'ont pas toujours été fidèles à cette affirmation de foi. Nous n'avons pas toujours été des « artisans de paix ».

Pour nous-mêmes, par conséquent, mais aussi peut-être pour nous tous, en un sens, cette rencontre à Assise est un acte de pénitence. Nous avons prié, chacun à notre manière, nous avons jeûné, nous avons marché ensemble. De cette façon, nous avons jeûné, nous avons gardé présentes à l'esprit les souffrances que des guerres dépourvues de sens ont provoquées et provoquent encore dans l'humanité. Par là, nous avons essayé d'être spirituellement proches de ces millions d'êtres qui sont victimes de la faim à travers le monde entier. Tandis que nous marchions en silence, nous avons réfléchi au chemin que parcourt la famille humaine : soit dans l'hostilité, si nous ne savons pas nous accepter les uns les autres avec amour ; soit comme une route commune vers notre haute destinée, si nous comprenons que les autres sont nos frères et nos sœurs. Le fait même que, de diverses régions du monde, nous soyons venus à Assise est en soi un signe de ce chemin commun que l'humanité est appelée à parcourir. Ou bien nous apprenons à marcher ensemble dans la paix et l'harmonie, ou bien nous partons à la dérive pour notre ruine et celle des autres. Nous espérons que ce pèlerinage à Assise nous aura réappris à prendre conscience de l'origine commune et de la destinée commune de l'humanité. Puissions-nous y voir une préfiguration de ce que Dieu voudrait que soit le cours de l'histoire de l'humanité : une route fraternelle sur laquelle nous nous accompagnons les uns les autres vers la fin transcendante qu'il établit pour nous. Prière, jeûne, pèlerinage.

Cette journée à Assise nous a aidés à devenir plus conscients de nos engagements religieux. Mais elle a aussi donné au monde, qui nous regarde à travers les médias, une plus grande conscience de la responsabilité de chaque religion en ce qui concerne les problèmes de la guerre et de la paix.

Peut-être plus que jamais auparavant dans l'histoire, le lien intrinsèque qui unit une attitude religieuse authentique et le grand bien de la paix est devenu évident pour tous.

Quel poids terrible à porter pour des épaules humaines ! Mais, en même temps, quelle vocation merveilleuse et exaltante à suivre !

Bien que la prière soit en elle-même une action, cela ne nous dispense pas de travailler pour la paix. Ici, nous agissons comme les hérauts de la conscience morale de l'humanité en tant que telle, de l'humanité qui désire la paix, qui a besoin de la paix.

Il n'y a pas de paix sans un amour passionné de la paix. Il n'y a pas de paix sans une volonté farouche de réaliser la paix.

La paix attend ses prophètes. Ensemble, nous avons rempli nos yeux de visions de paix : elles libèrent des énergies pour un nouveau langage de paix, pour de nouveaux gestes de paix, des gestes qui brisent l'enchaînement fatal des divisions héritées de l'histoire ou engendrées par les idéologies modernes.

La paix attend ses bâtisseurs. Tendons la main à nos frères et à nos sœurs pour les encourager à bâtir la paix sur les quatre piliers que sont la vérité, la justice, l'amour et la liberté [Jean XXIII Pacem in Terris].

La paix est un chantier ouvert à tous et pas seulement aux spécialistes, savants et stratèges. La paix est une responsabilité universelle : elle passe par mille petits actes de la vie quotidienne. Par leur manière journalière de vivre avec les autres, les hommes font leur choix pour ou contre la paix. Nous remettons la cause de la paix spécialement aux jeunes. Que les jeunes aident à libérer l'histoire des fausses routes où se fourvoie l'humanité !

La paix n'est pas seulement entre les mains des individus, mais aussi des nations. Aux nations revient l'honneur de fonder leur action pacificatrice sur la conviction que la dignité humaine est sacrée et sur la reconnaissance de l'indiscutable égalité des hommes entre eux. Nous invitons instamment les responsables des nations et des organisations internationales à susciter inlassablement des structures de dialogue partout où la paix est menacée ou déjà compromise.

Nous apportons notre soutien à leurs efforts souvent harassants pour maintenir ou rétablir la paix. Nous renouvelons pleinement nos encouragements à l'ampleur et à la grandeur de sa mission universelle de paix.

En réponse à l'appel que j'ai lancé depuis Lyon en France, le jour où les catholiques célèbrent la fête de saint François, nous espérons que les armes se sont tues, que les attaques ont cessé. Cela serait un premier résultat significatif de l'efficacité spirituelle de la prière. En fait, cet appel a retenti en beaucoup de cœurs et sur beaucoup de lèvres, partout dans le monde, particulièrement là où les hommes souffrent de la guerre et de ses conséquences.

Il est vital de choisir la paix et les moyens de l'obtenir. La paix, si fragile de nature, exige que l'on veille sur elle constamment et intensément. Sur ce chemin, nous avancerons à pas sûrs et redoublés, car jamais sans doute comme aujourd'hui les hommes n'ont disposé d'autant de moyens pour construire une vraie paix. L'humanité est entrée dans une ère d'irrésistible solidarité et d'insatiable faim de justice sociale. C'est notre chance. C'est aussi une tâche que la prière nous aide à assumer.

Ce que nous avons fait aujourd'hui à Assise, en priant et en témoignant de notre engagement pour la paix, nous devons continuer à le faire chaque jour de notre vie. Car ce que nous avons fait aujourd'hui est vital pour le monde. Si le monde doit continuer, et si les hommes et les femmes doivent y survivre, le monde ne peut pas se passer de la prière. C'est la leçon permanente d'Assise : c'est la leçon de saint François qui a incarné un idéal attirant pour nous ; c'est la leçon de sainte Claire, la première de ses disciples. Cet idéal est fait de douceur, d'humilité, d'un sens profond de Dieu, et de l'engagement à servir tous ses frères. Saint François était un homme de paix. Nous nous rappelons qu'il abandonna la carrière militaire qu'il avait suivie un temps dans sa jeunesse, il découvrit la valeur de la pauvreté, la valeur de la vie simple et austère, dans l'imitation de Jésus-Christ qu'il désirait servir. Sainte Claire était, par excellence, la femme de la prière. Son union à Dieu dans la prière nous soutient aujourd'hui. François et Claire sont des exemples de paix : avec Dieu, avec soi-même, avec tous les hommes et toutes les femmes de ce monde. Que ce saint homme et cette sainte femme inspirent tous les hommes d'aujourd'hui, afin qu'ils aient le même amour de Dieu et du prochain pour continuer sur le chemin où nous devons marcher ensemble !

Marqués par l'exemple de saint François et de sainte Claire, vrais disciples du Christ, convaincus à nouveau par l'expérience de cette Journée que nous avons vécue ensemble, nous nous engageons à réexaminer notre conscience, afin d'entendre plus fidèlement sa voix, de purifier nos esprits des préjugés, de la colère, de l'inimitié, de la jalousie et de l'envie. Nous chercherons à être des artisans de paix en pensée et en action, l'esprit et le cœur tendus vers l'unité de la famille humaine. Et nous appelons nos frères et nos sœurs qui nous entendent à en faire de même.

Nous faisons cela en étant conscients de nos limites humaines et du fait que, laissés à nous-mêmes, nous échouerions. C'est pourquoi nous réaffirmons et nous reconnaissons que l'avenir de notre vie et la paix dépendent toujours du don que Dieu nous fait. Dans cet esprit, nous voudrions que les responsables du monde sachent que nous implorons humblement Dieu pour la paix. Mais nous leur demandons aussi de reconnaître leurs responsabilités et de renouveler leur engagement à travailler avec courage et inspiration.

Permettez-moi de me tourner vers chacun de vous, représentants des Églises et des Communautés ecclésiales chrétiennes et des religions du monde, vous qui êtes venus à Assise pour cette Journée de prière, de jeûne et de pèlerinage.

À nouveau, je vous remercie d'avoir accepté mon invitation à venir ici pour cet acte qui porte témoignage devant le monde.

Je remercie aussi tous ceux qui ont rendu possible notre présence ici, en particulier nos frères et sœurs d'Assise.

Et par-dessus tout, je remercie Dieu, le Dieu et Père de Jésus-Christ, pour cette Journée de grâce pour le monde, pour chacun de vous, et pour moi-même.

Je le fais avec les paroles attribuées à saint François :

« Seigneur, fais de moi un instrument de ta paix : / Là où se trouve la haine, que je mette l'amour ; / Là où se trouve l'offense, que je mette le pardon ; / Là où se trouve le doute, que je mette la foi ; / Là où se trouve le désespoir, que je mette l'espérance ; / Là où se trouvent les ténèbres, que je mette la lumière ; / Là où se trouve la tristesse, que je mette la joie. / Ô divin Maître, fais que je ne cherche pas tant à être consolé qu'à consoler ; / à être compris qu'à comprendre ; / à être aimé qu'à aimer ; / car c'est en donnant que nous recevons ; / c'est en pardonnant que nous sommes pardonnés, / et c'est en mourant que nous naissons à la vie éternelle. »

Assise, basilique Saint-François,
le 27 octobre 1986.

47.

AIMÉ CÉSAIRE

Aimé Césaire (1913-2008) arrive en 1931 de la Martinique, comme boursier, dans la classe d'hypokhâgne du lycée Louis-le-Grand à Paris. C'est là qu'il rencontre Léopold Sédar Senghor, avec lequel il fonde en 1934 le journal L'Étudiant noir, *l'organe dans lequel apparaît le concept de « Négritude ».*

La Négritude est conçue par ses promoteurs comme une arme contre le colonialisme. Il s'agit pour eux de promouvoir une culture d'origine africaine mais dépassant le seul continent noir, une culture confrontée de la part des colonisateurs soit à une politique de dévalorisation, soit à une politique d'assimilation, une culture en tout cas niée. La lutte pour la Négritude est donc une lutte culturelle avant que d'être politique, et le parcours d'Aimé Césaire le montre bien.

En 1947, il crée la revue Présence africaine *et publie, en 1948, une* Anthologie de la nouvelle poésie nègre et malgache *que Sartre préfacera, donnant ainsi un nouvel élan au concept culturel de Négritude.*

Mais, revenu en Martinique depuis 1939, Aimé Césaire est élu en 1945, avec le soutien des communistes, maire de Fort-de-France – il le restera jusqu'en 2001. Il est élu député à la même époque et le restera jusqu'en 1993, comme non-inscrit de 1958 à 1978 (il s'éloigne du Parti communiste en 1956), puis comme socialiste de 1978 à 1993. Or, partisan de la départementalisation de la Martinique, le jeune parlementaire s'oppose aux à ceux qui souhaitent son indépendance. Pour autant, Césaire crée ensuite le Parti progressiste martiniquais, qui revendique cette fois l'autonomie d'une île... dont il préside pourtant le Conseil régional de 1983 à 1986.

Volonté de trouver des solutions d'apaisement ? Pragmatisme ? En tout cas, les revendications politiques exprimées par Aimé Césaire ont pu sembler à certains en deçà de ce que pouvaient laisser attendre ses écrits. C'est que sa révolte reste essentiellement culturelle, mais avec une acceptation large de la notion de culture et l'idée d'un enracinement nécessaire de l'homme dans sa culture, comme le montre bien ce discours prononcé lors de la première Conférence des peuples noirs de la diaspora à Miami.

La Négritude

Mes chers amis. Mesdames, Messieurs,

Vous avez décidé d'inclure dans les travaux de votre congrès ce que vous appelez un hommage à Aimé Césaire.

Je ne saurais vous dire combien je me sens confus et, en même temps, combien je vous suis reconnaissant de cet honneur.

Je remercie les différents orateurs qui sont intervenus pour toutes les appréciations bienveillantes et amicales qu'ils ont bien voulu porter sur mon travail d'écrivain et, en même temps, d'homme politique. Mais, finalement, si j'accepte, et avec reconnaissance, cet hommage, c'est surtout parce que j'ai pensé que cet hommage me dépassait, et qu'à travers moi, ceux qui étaient honorés, c'étaient des amis divers, des compagnons de lutte, un pays caribéen aussi, plus encore, peut-être, toute une école de pensée militante, toute une école d'écrivains, de poètes, d'essayistes qui, pendant plus de quarante ans, ont pris pour thème de leur réflexion comme pour thème de leurs travaux, j'oserais même dire pour thème de leur obsession une réflexion sur le sort de l'homme noir dans le monde moderne, ce que prouve abondamment la présence parmi nous de brillants écrivains et, par ailleurs, afro-américains.

Pour en venir au thème même de cette conférence, je ne blesserai personne en vous disant que j'avoue ne pas aimer tous les jours le mot Négritude même si c'est moi, avec la complicité de quelques autres, qui ai contribué à l'inventer et à le lancer. Mais j'ai beau ne pas l'idolâtrer, en vous voyant tous ici réunis et venus de pays si divers, je me confirme qu'il correspond à une évidente réalité et, en tout cas, à un besoin qu'il faut croire profond.

Quelle est-elle, cette réalité ?

Une réalité ethnique, me dira-t-on.

Bien sûr, puisqu'aussi bien, le mot *ethnicity* a été prononcé à propos de ce congrès. Mais il ne faut pas que le mot nous égare. En fait, la Négritude n'est pas essentiellement de l'ordre du biologique. De toute évidence, par-delà le biologique immédiat, elle fait référence à quelque chose de plus profond, très exactement à une somme d'expériences vécues qui ont fini par définir et caractériser une des formes de l'humaine destinée telle que l'histoire l'a faite : c'est une des formes historiques de la condition faite à l'homme.

En effet, il suffit de s'interroger sur le commun dénominateur qui réunit, ici à Miami, les participants à ce congrès pour s'apercevoir que ce qu'ils ont en commun, c'est non pas forcément une couleur de peau, mais le fait qu'ils se rattachent d'une manière ou d'une autre à des groupes humains qui ont subi les pires violences de l'histoire, des groupes qui ont souffert et souvent souffrent encore d'être marginalisés et opprimés.

Je me souviens encore de mon ahurissement lorsque, pour la première fois au Québec, j'ai vu à une vitrine de librairie un livre dont le titre m'a paru sur le coup ahurissant. Le titre, c'était : *Nous autres nègres blancs d'Amérique*. Bien entendu, j'ai souri de l'exagération, mais je me suis dit : « Eh bien, cet auteur, même s'il exagère, a du moins compris la Négritude. »

Oui, nous constituons bien une communauté, mais une communauté d'un type bien particulier, reconnaissable à ceci qu'elle est, qu'elle a été, en tout cas qu'elle s'est constituée en communauté : d'abord, une communauté d'oppression subie, une communauté d'exclusion imposée, une communauté de discrimination profonde. Bien entendu, et c'est à son honneur, en communauté aussi de résistance continue, de lutte opiniâtre pour la liberté et d'indomptable espérance. À vrai dire, c'est tout cela qu'à nos yeux de jeunes étudiants (à l'époque Léopold Senghor, Léon Damas, moi-même, plus tard, Alioune Diop, et nos compagnons de Présence africaine) ; c'est tout cela que recouvrait et que recouvre aux yeux des survivants du groupe le mot tantôt décrié, tantôt galvaudé, de toute manière un mot d'un emploi et d'un maniement difficiles : le mot Négritude.

La Négritude, à mes yeux, n'est pas une philosophie.

La Négritude n'est pas une métaphysique.

La Négritude n'est pas une prétentieuse conception de l'univers.

C'est une manière de vivre l'histoire dans l'histoire – l'histoire d'une communauté dont l'expérience apparaît, à vrai dire, singulière avec ses déportations de populations, ses transferts d'hommes d'un continent à l'autre, les souvenirs de croyances lointaines, ses débris de cultures assassinées.

Comment ne pas croire que tout cela qui a sa cohérence constitue un patrimoine ?

En faut-il davantage pour fonder une identité ?

Les chromosomes m'importent peu. Mais je crois aux archétypes.

Je crois à la valeur de tout ce qui est enfoui dans la mémoire collective de nos peuples et même dans l'inconscient collectif.

Je ne crois pas que l'on arrive au monde le cerveau vide comme on y arrive les mains vides.

Je crois à la vertu plasmatrice des expériences séculaires accumulées et du vécu véhiculé par les cultures.

Singulièrement, et soit dit en passant, je n'ai jamais pu me faire à l'idée que des milliers d'hommes africains que la traite négrière transporta jadis aux Amériques ont pu n'avoir eu d'importance que celle que pouvait mesurer leur seule force animale – une force animale analogue et pas forcément supérieure à celle du cheval ou du bœuf – et qu'ils n'ont pas fécondé d'un certain nombre de valeurs essentielles les civilisations naissantes dont ces sociétés nouvelles étaient en puissance les porteuses.

C'est dire que la Négritude au premier degré peut se définir d'abord comme prise de conscience de la différence, comme mémoire, comme fidélité et comme solidarité.

Mais la Négritude n'est pas seulement passive.

Elle n'est pas de l'ordre du pâtir et du subir.

Ce n'est ni un pathétisme ni un dolorisme.

La Négritude résulte d'une attitude active et offensive de l'esprit.

Elle est sursaut, et sursaut de dignité.

Elle est refus, je veux dire refus de l'oppression.

Elle est combat, c'est-à-dire combat contre l'inégalité.

Elle est aussi révolte. Mais alors, me direz-vous, révolte contre quoi ? Je n'oublie pas que je suis ici dans un congrès culturel, que c'est ici à Miami que je choisis de le dire. Je crois que l'on peut dire, d'une manière générale, qu'historiquement, la Négritude a été une forme de révolte d'abord contre le système mondial de la culture tel qu'il s'était constitué pendant les derniers siècles et qui se caractérise par un certain nombre de préjugés, de présupposés qui aboutissent à une très stricte hiérarchie. Autrement dit, la Négritude a été une révolte contre ce que j'appellerai le réductionnisme européen.

Je veux parler de ce système de pensée ou plutôt de l'instinctive tendance d'une civilisation éminente et prestigieuse à abuser de son prestige même pour faire le vide autour d'elle en ramenant abusivement la notion d'universel, chère à Léopold Sédar Senghor, à ses propres dimensions, autrement dit, à penser l'universel à partir de ses seuls postulats et à travers ses catégories propres. On voit et on n'a que trop vu les conséquences que cela entraîne : couper l'homme de lui-même, couper l'homme de ses racines, couper l'homme de l'univers, couper l'homme de l'humain, et l'isoler en définitive, dans un orgueil suicidaire sinon dans une forme rationnelle et scientifique de la barbarie.

Mais, me direz-vous, une révolte qui n'est que révolte ne constitue pas autre chose qu'une impasse historique. Si la Négritude n'a pas été une impasse, c'est qu'elle menait autre part. Où nous menait-elle ? Elle nous menait à nous-mêmes. Et de fait, c'était, après une longue frustration, c'était la saisie par nous-mêmes de notre passé et, à travers la poésie, à travers l'imaginaire, à travers le roman, à travers les œuvres d'art, la fulguration intermittente de notre possible devenir.

Tremblement des concepts, séisme culturel, toutes les métaphores de l'isolement sont ici possibles. Mais l'essentiel est qu'avec elle était commencée une entreprise de réhabilitation de nos valeurs par nous-mêmes, d'approfondissement de notre passé par nous-mêmes, du ré-enracinement de nous-mêmes dans une histoire, dans une géographie et dans une culture, le tout se traduisant non pas par un passéisme archaïsant, mais par une réactivation du passé en vue de son propre dépassement.

Littérature, dira-t-on ?

Spéculation intellectuelle ?

Sans aucun doute. Mais ni la littérature ni la spéculation intellectuelle ne sont innocentes ou inoffensives.

Et de fait, quand je pense aux indépendances africaines des années 1960, quand je pense à cet élan de foi et d'espérance qui a soulevé, à l'époque, tout un continent, c'est vrai, je pense à la Négritude, car je pense que la Négritude a joué son rôle, et un rôle peut-être capital, puisque cela a été un rôle de ferment ou de catalyseur.

Que cette reconquête de l'Afrique elle-même n'ait pas été facile, que l'exercice de cette indépendance nouvelle a comporté bien des avatars et, parfois, des désillusions, il faudrait une ignorance coupable de l'histoire de l'humanité, de l'histoire de l'émergence des nations en Europe même, en plein XIXe siècle, en Europe et ailleurs, pour ne pas comprendre que l'Afrique, elle aussi, devait inévitablement payer son tribut au moment de la grande mutation.

Mais là n'est pas l'essentiel. L'essentiel est que l'Afrique a tourné la page du colonialisme et qu'en la tournant, elle a contribué à inaugurer une ère nouvelle pour l'humanité tout entière.

Quant au phénomène américain, il n'est ni moins extraordinaire ni moins significatif, même si ici c'est de colonialisme intérieur qu'il s'agit et de révolution silencieuse (la révolution silencieuse, c'est la meilleure forme de révolution). En effet quand je vois les formidables progrès accomplis dans la dernière période par nos frères afro-américains, quand je vois le nombre de grandes villes administrées aux États-Unis par des maires qui sont des Noirs ; quand je vois partout dans les écoles, dans les universités, le nombre toujours croissant de jeunes noirs et d'hommes noirs ; quand je vois cette formidable avancée – pour employer le mot américain : *advencement of coloured people* –, je ne peux pas ne pas penser à l'action menée dans ce pays par Martin Luther King Jr., votre héros national, auquel, à juste titre, la nation américaine a consacré un jour de commémoration.

Mais dans ce congrès culturel, j'ajoute que je pense aussi à d'autres, en particulier, à cette pléiade, déjà lointaine, d'écrivains, d'essayistes, de romanciers, de poètes – qui nous ont influencés Senghor et moi – qui, au lendemain de la Première Guerre mondiale, ont constitué ce que l'on a appelé la renaissance noire : la Black Renaissance. Des hommes comme Langston Hughes, Claude McKay, Countee Cullen, Sterling Brown, auxquels sont venus s'ajouter des hommes comme Richard Wright, et j'en passe… Car qu'on le sache, ou plutôt, qu'on se le rappelle, c'est ici aux États-Unis, parmi vous, qu'est née la Négritude. La première Négritude, cela a été la Négritude américaine. Nous avons envers ces hommes une dette de reconnaissance qu'il faut rappeler et qu'il faut proclamer.

Que conclure de tout cela, sinon qu'à tout grand réajustement politique, qu'à tout rééquilibrage d'une société, qu'à tout renouvellement des mœurs, il y a toujours un préalable qui est le préalable culturel ?

Mais, me dira-t-on, que devient dans tout cela la fameuse notion d'*ethnicity* que vous avez mise en bonne place dans l'exposé des motifs de ce congrès et sur laquelle vous nous appelez à méditer ?

Je dirais, pour ma part, que je la remplacerais volontiers par un autre mot qui lui est à peu près synonyme, mais dépouillé des connotations forcément désagréables parce qu'équivoques que le mot *ethnicity* entretient.

Je dirais donc non pas *ethnicity* mais *identity* (identité), qui désigne bien ce qu'il désigne : ce qui est fondamental, ce sur quoi tout le reste s'édifie et peut s'édifier : le noyau dur et irréductible ; ce qui donne à un homme, à une culture, à une civilisation sa tournure propre, son style et son irréductible singularité.

Eh bien, nous y voilà ramenés. En effet, et puisque j'ai parlé d'un préalable culturel, indispensable à tout réveil politique et social, je dirai que ce préalable culturel lui-même, cette explosion culturelle génératrice du reste a, elle-même, un commencement ; elle a son propre préalable qui n'est pas autre chose que l'explosion d'une identité longtemps contrariée, parfois niée, et finalement libérée et qui, se libérant, s'affirme en vue d'une reconnaissance.

C'est tout cela qu'a été la Négritude : recherche de notre identité, affirmation de notre droit à la différence, sommation faite à tous d'une reconnaissance de ce droit et du respect de notre personnalité communautaire.

Je sais bien que cette notion d'identité est aujourd'hui contestée ou combattue par certains qui feignent de voir dans notre hantise identitaire une sorte de complaisance à soi-même annihilante et paralysante.

Pour ma part, je n'en crois rien.

Je pense à une identité non pas archaïsante dévoreuse de soi-même, mais dévorante du monde, c'est-à-dire faisant main basse sur tout le présent pour mieux réévaluer le passé et, plus encore, pour préparer le futur. Car enfin, comment mesurer le chemin parcouru si on ne sait ni d'où l'on vient ni où l'on veut aller ? Qu'on y pense. Nous avons bataillé durement, Senghor et moi, contre la déculturation et contre l'acculturation. Eh bien, je dis que tourner le dos à l'identité, c'est nous y ramener et c'est se livrer sans défense à un mot qui a encore sa valeur ; c'est se livrer à l'aliénation.

On peut renoncer au patrimoine.

On peut renoncer à l'héritage, certes. Mais a-t-on le droit de renoncer à la lutte ?

Je vois que certains s'interrogent de temps en temps sur la Négritude. Mais, en vérité, ce n'est pas la Négritude qui fait question aujourd'hui. Ce qui fait question, c'est le racisme ; c'est la recrudescence du racisme dans le monde entier ; ce sont les foyers de racisme qui, çà et là, se rallument. Ce sont, en particulier, les grandes flambées d'Afrique du Sud et de l'apartheid. C'est cela qui fait question. C'est cela qui doit nous préoccuper.

Alors, est-ce bien le moment, pour nous, de baisser la garde et de nous désarmer nous-mêmes ?

En fait, le moment actuel est pour nous fort sévère car, à chacun d'entre nous, une question est posée, et posée personnellement : ou bien se débarrasser du passé comme d'un fardeau encombrant et déplaisant qui ne fait qu'entraver notre évolution, ou bien l'assumer virilement, en faire un point d'appui pour continuer notre marche en avant.

Il faut opter.

Il faut choisir.

[...] C'est ce choix qui fait que ce congrès a un sens, c'est ce choix qui fait que ce congrès prend du sens.

Pour nous, le choix est fait.

Nous sommes de ceux qui refusent d'oublier.

Nous sommes de ceux qui refusent l'amnésie même comme méthode.

Il ne s'agit ni d'intégrisme, ni de fondamentalisme, encore moins de puéril nombrilisme.

Nous sommes tout simplement du parti de la dignité et du parti de la fidélité. Je dirais donc : provignement, oui ; dessouchement, non.

Je vois bien que certains, hantés par le noble idéal de l'universel, répugnent à ce qui peut apparaître, sinon comme une prison ou un ghetto, du moins comme une limitation.

Pour ma part, je n'ai pas cette conception carcérale de l'identité.

L'universel, oui. Mais il y a belle lurette que Hegel nous en a montré le chemin : l'universel, bien sûr, mais non pas par négation, mais comme approfondissement de notre propre singularité.

Maintenir le cap sur l'identité – je vous en donne l'assurance –, ce n'est ni tourner le dos au monde, ni faire sécession au monde, ni bouder l'avenir, ni s'enliser dans une sorte de solipsisme communautaire ou dans le ressentiment.

Notre engagement n'a de sens que s'il s'agit d'un réenracinement, certes, mais aussi d'un épanouissement, d'un dépassement et de la conquête d'une nouvelle et plus large fraternité. [...]

Contribution sur la Négritude
à l'occasion de la première Conférence
des peuples noirs de la diaspora,
à Miami,
le 26 février 1987.

48.
YASSER ARAFAT

Yasser Arafat (1929-2004) a été le symbole de la cause palestinienne, et ce, comme beaucoup de figures du conflit du Proche-Orient, d'abord comme activiste, avant de l'être comme homme d'État. Arafat dirige en effet le Fatah, le mouvement de libération de la Palestine créé en 1959, puis l'Organisation de libération de la Palestine (OLP), créée elle en 1964 pour fédérer les divers partis existants. Ces deux organisations n'hésiteront pas à se lancer dans des opérations terroristes dirigées contre des militaires israéliens comme contre des civils.

Les trois millions de Palestiniens d'alors sont séparés en deux groupes : une moitié d'entre eux environ vit sur le territoire d'Israël ; l'autre moitié est dispersée en une diaspora, en Jordanie notamment, puis, après des affrontements avec l'armée jordanienne, au Liban ou en Syrie, autant de bases arrière à l'action de certains groupes activistes.

Mais, en 1974, l'Organisation des Nations unies reconnaît la légitimité de l'OLP, et Yasser Arafat est invité à s'exprimer devant l'Assemblée générale comme un chef d'État en puissance. C'est lors du discours prononcé en 1975 qu'il déclare devant les délégués, pistolet en poche, qu'il est porteur à la fois du rameau d'olivier de la paix et du fusil du révolutionnaire.

Peu à peu, la nécessité d'un futur État palestinien (dont le principe a été voté par l'ONU en 1976) devient une réalité pour Israël même, et l'État hébreu se décide à considérer Arafat comme un interlocuteur valable au début des années 1990. C'est donc lui qui représente l'OLP et l'ensemble du peuple palestinien jusqu'aux accords signés en 1993 à Oslo.

Premier président de la nouvelle Autorité palestinienne, Arafat reçoit le prix Nobel de la Paix en 1994, en compagnie des Israéliens Shimon Peres et Yitzhak Rabin. Mais, à partir de 2001, avec le déclenchement de la seconde Intifada, la situation se durcit à nouveau entre Israéliens et Palestiniens. Isolé politiquement, Arafat vient mourir en France en 2004.

Le texte présenté ici n'est pas le discours de 1975 mais celui de décembre 1988, intermédiaire entre la reconnaissance internationale et les accords de paix. Le 15 novembre 1988, en effet, le Conseil national palestinien (organe législatif de l'OLP) a proclamé depuis Alger la naissance d'un État palestinien ayant pour capitale Jérusalem : c'est la reconnaissance de cet État que vient chercher Yasser Arafat à l'ONU (résolution 43/177 du 15 décembre 1988). Mais 1988 est aussi l'année de la première Intifada et les États-Unis ne souhaitent pas, dans ces conditions, que le leader palestinien s'exprime à New York. C'est donc devant l'Assemblée générale des Nations unis, à Genève, qu'Arafat prononce son discours. Plus qu'en 1975 peut-être, il se pose ici en bâtisseur, même s'il continue de dénoncer la politique, selon lui colonialiste, menée par Israël.

PROCLAMATION DE L'ÉTAT PALESTINIEN

Monsieur le Président,

Messieurs les représentants,

Jamais je n'aurais imaginé que ma première rencontre depuis 1974 avec votre auguste assemblée aurait lieu dans cette bonne et hospitalière ville de Genève. Je pensais que les acquis et les nouvelles positions politiques auxquelles est parvenu notre peuple palestinien lors de la tenue du Conseil national, à Alger, qui ont toutes reçu un accueil international très favorable, m'obligeraient sans nul doute à me rendre à New York, au siège de l'Organisation internationale, pour vous y présenter nos résolutions politiques et la vision que nous avons de l'avenir de la paix dans notre patrie, telles qu'elles ont été élaborées par notre Conseil national palestinien, la plus haute instance législative de nos institutions politiques.

Ma rencontre avec vous aujourd'hui à Genève, après qu'une injuste décision américaine m'eut empêché d'aller vous rencontrer à New York, est donc pour moi source de fierté et de joie. Fierté d'être avec vous, parmi vous, vous qui êtes la plus haute des tribunes pour toutes les causes de justice et de paix dans le monde. Ma joie, c'est d'être à Genève, là où la justice et la neutralité sont un flambeau et une constitution dans un monde où ceux qui croient à l'arrogance de la force brute perdent la neutralité et le sens de la justice qu'ils portent en eux. C'est pour cela que la décision de votre auguste assemblée, adoptée à la majorité des cent cinquante-quatre États, de tenir ici même cette réunion, n'est pas une victoire sur une décision américaine. C'est la victoire du consensus international en faveur de la liberté, c'est un plébiscite sans précédent en faveur de la paix, et c'est la preuve que la juste cause de notre peuple s'est définitivement enracinée dans la structure même de la conscience universelle.

[...]

Il y a quatorze ans, le 13 novembre 1974, j'avais reçu de vous une gracieuse invitation à exposer, devant cette auguste assemblée, la cause de notre peuple palestinien. Me voici de nouveau devant vous, après toutes ces années riches en événements dramatiques, et je constate que de nouveaux peuples occupent désormais leur place parmi vous, couronnement de leurs victoires dans les combats de la liberté et de l'indépendance. Aux représentants de ces peuples, j'adresse les félicitations de notre peuple, et je proclame devant vous tous que je reviens à vous la voix plus haute, la détermination plus ferme et la confiance plus assurée pour affirmer que notre lutte, inévitablement, portera ses fruits. J'affirme que l'État de Palestine, dont nous avons proclamé l'établissement lors de notre Conseil national, prendra inévitablement sa place parmi vous pour participer à vos côtés à l'application de la Charte de cette organisation et pour faire respecter la Déclaration des droits de l'homme, pour mettre fin aux tragédies endurées par l'humanité et jeter les bases du droit, de la justice, de la paix et de la liberté pour tous.

Il y a quatorze ans, lorsque vous nous avez dit, dans la salle de l'Assemblée générale :

« Oui à la Palestine et au peuple de Palestine, oui à l'Organisation de libération de la Palestine, oui aux droits nationaux inaliénables du peuple palestinien », certains s'étaient imaginé que vos résolutions ne seraient suivies d'aucun effet notable. Ils ne comprenaient pas que ces résolutions allaient devenir une des sources les plus vives à laquelle s'abreuverait le rameau d'olivier que je portais ce jour-là, ce rameau qui s'est transformé, après que nous l'ayons arrosé de notre sang, de nos larmes et de notre sueur, en un arbre qui prend ses racines dans la terre, dont les branches s'élancent vers le ciel et qui promet le fruit de la victoire sur l'oppression, la tyrannie et l'occupation. Vous nous avez offert l'espoir du triomphe de la liberté et de la justice. Nous vous avons offert en retour une génération entière des enfants de notre peuple, qui a consacré sa vie à la réalisation de cet espoir, la génération de l'Intifada bénie, qui brandit aujourd'hui la pierre de la patrie pour défendre sa dignité et l'honneur d'appartenir à un peuple assoiffé de liberté et d'indépendance.

À vous tous ici présents, je transmets les salutations des enfants de notre peuple héroïque, hommes et femmes, des masses de notre Intifada bénie qui entre dans sa seconde année avec ce grand élan, cette organisation minutieuse et cette pratique éminemment civilisée et démocratique jusque dans la confrontation avec l'occupation, l'exploitation, la tyrannie et les crimes monstrueux quotidiennement commis à leur encontre par les occupants israéliens.

À vous tous ici présents, je transmets le salut de nos garçons et de nos filles dans les prisons et les camps de détention collective de l'occupation. À vous tous, je transmets le salut des enfants de la pierre qui défient l'occupation, ses avions et ses chars, et font revivre dans les mémoires l'image nouvelle du David palestinien aux mains nues face à Goliath l'Israélien bardé d'armes.

Lors de notre première rencontre, j'avais conclu mon intervention en affirmant, en ma qualité de président de l'OLP et de commandant de la révolution palestinienne, que nous ne voulions pas que soit versée une seule goutte de sang, juif ou arabe, et que nous ne voulions pas que les combats se poursuivent, ne fût-ce qu'une minute. Je m'étais adressé à vous, dans l'espoir que nous parviendrions à abréger la douleur et les souffrances, à hâter la mise en place des bases d'une paix juste fondée sur la garantie des droits de notre peuple, de ses aspirations et de ses espoirs, comme des droits de tous les peuples, sur un pied d'égalité.

Je m'étais adressé à vous pour que vous vous teniez aux côtés de notre peuple en lutte pour l'exercice de son droit à l'autodétermination, pour que vous lui donniez les moyens de retourner de son exil imposé par la force des baïonnettes et de l'arbitraire, pour que vous nous aidiez à mettre fin à la tyrannie imposée à tant de générations de notre peuple, depuis tant de décennies, afin qu'il puisse enfin vivre dans sa patrie, retrouver ses maisons, libre et souverain, jouissant de la plénitude de ses droits nationaux et humains. Et j'avais, pour finir, affirmé du haut de cette tribune que la guerre surgissait de Palestine, et que la paix commençait en Palestine.

Le rêve que nous caressions alors était d'établir un État palestinien démocratique au sein duquel vivraient musulmans, chrétiens et juifs sur un pied d'égalité, avec les mêmes droits et les mêmes devoirs, dans une seule société unifiée, à l'instar d'autres peuples sur cette terre dans notre monde contemporain.

Quelle ne fut pas notre surprise lorsque nous entendîmes les responsables israéliens expliquer que ce rêve palestinien, inspiré de l'héritage des messages divins qui ont illuminé le ciel de la Palestine ainsi que des valeurs humaines qui fondent la coexistence au sein d'une société démocratique et libre, était un plan visant à les détruire et à les anéantir.

Il nous fallait tirer les leçons d'un tel état de fait, constater la distance qui le séparait du rêve. Nous prîmes alors, au sein de l'OLP, l'initiative de procéder à la recherche de formules alternatives réalistes et praticables pour apporter à ce problème une solution fondée sur une justice possible, et non pas sur une justice absolue. Une solution qui puisse garantir les droits de notre peuple à la liberté, la souveraineté et l'indépendance, et qui puisse également garantir à tous la paix, la sécurité et la stabilité, évitant à la Palestine et au Moyen-Orient la poursuite des guerres et des combats qui s'y déroulent depuis quarante ans.

Ne sommes-nous pas ceux qui ont pris l'initiative d'invoquer la Charte des Nations unies et leurs résolutions, la Déclaration universelle des droits de l'homme et la légalité internationale en tant que références de base pour la solution du conflit arabo-israélien ?

[...]

Quelle fut la position d'Israël face à tout cela ? [...] L'attitude d'Israël devant tout cela fut l'escalade de ses projets de colonisation et d'expansion. Elle consista à élargir le champ des destructions et des ruines, et à faire à nouveau couler le sang. Elle consista à multiplier les fronts, jusqu'à y inclure le Liban frère, que les troupes d'occupation envahirent en 1982, avec les conséquences que l'on sait, les massacres comme ceux de Sabra et de Chatila, et les boucheries perpétrées à l'encontre des deux peuples, libanais et palestinien. Israël continue d'occuper une partie du Sud-Liban, et ce pays doit quotidiennement faire face aux raids de l'aviation et aux agressions aériennes, terrestres ou maritimes qui frappent ses villes et ses villages comme elles frappent nos camps dans le sud.

Il est triste et regrettable que seul le gouvernement des États-Unis continue à soutenir et à appuyer ces plans israéliens d'agression et d'expansion, et continue à soutenir Israël dans la poursuite de son occupation de nos territoires palestiniens et arabes, dans la poursuite de ses crimes et de sa politique de main de fer contre nos enfants et nos femmes.

Il est également douloureux et regrettable que le gouvernement américain s'obstine à refuser de reconnaître à six millions de Palestiniens le droit à l'autodétermination, qui est un droit sacré pour le peuple américain comme pour tous les peuples de la terre.

Je rappelle au peuple américain la position du président Wilson, père de ces deux principes universels qui régissent les relations internationales que sont l'inadmissibilité de l'acquisition du territoire d'autrui par la force, et le droit des peuples à l'autodétermination. [...]

Les administrations américaines qui se sont succédé au cours de ces années savent pourtant pertinemment que l'unique acte de naissance de l'État d'Israël, c'est la résolution 181 de l'Assemblée générale des Nations unies, adoptée le 29 novembre 1947 avec le soutien des États-Unis et de l'Union soviétique et qui recommandait l'établissement de deux États en Palestine, l'un arabe palestinien et l'autre juif. Comment le gouvernement américain peut-il expliquer sa position, qui consiste à reconnaître la moitié de cette résolution relative à Israël tout en rejetant l'autre moitié relative à l'État palestinien ? Mieux encore, comment le gouvernement américain peut-il expliquer son manque d'empressement à faire appliquer une résolution qu'il a lui-même adoptée et dont il a plus d'une fois réaffirmé la validité face à votre auguste assemblée, à savoir la résolution 194, qui reconnaît le droit des Palestiniens au retour dans les foyers dont ils ont été chassés et au recouvrement de leurs biens ou à l'indemnisation de ceux qui ne souhaiteraient pas revenir ?

Le gouvernement des États-Unis sait bien qu'il ne peut, pas plus qu'aucun autre État, s'arroger le droit de fractionner la légalité internationale ni vider de leur sens les jugements du droit international.

La lutte continue de notre peuple pour ses droits remonte à des dizaines d'années, au cours desquelles il a consenti des centaines de milliers de martyrs et de blessés, enduré toutes sortes de souffrances, traversé des tragédies sans jamais défaillir et sans que sa volonté ne s'émousse. Au contraire, il n'a cessé de renforcer sa détermination à demeurer attaché à sa patrie palestinienne et à son identité nationale.

Les dirigeants israéliens, en proie à une euphorie trompeuse, s'étaient imaginé qu'après notre départ de Beyrouth l'OLP allait être engloutie par la mer. Ils ne s'attendaient pas à ce que le départ vers les exils se transforme en chemin du retour à la patrie, au véritable champ de bataille, à la Palestine occupée.

C'est alors qu'advint l'héroïque soulèvement populaire à l'intérieur de notre terre occupée, cette Intifada qui s'est levée pour se poursuivre jusqu'à la réalisation de nos objectifs de liberté et d'indépendance nationale.

Je m'enorgueillis d'être l'un des fils de ce peuple qui trace avec le sang de ses enfants, de ses femmes et de ses hommes l'admirable épopée de la résistance populaire, réalisant des miracles quotidiens, frisant la légende pour que son Intifada continue, pour qu'elle se développe et s'étende, jusqu'à ce qu'elle impose sa volonté et fasse la preuve que le droit peut l'emporter sur la force.

Chaleureuses salutations aux masses de notre peuple qui forgent aujourd'hui cette expérience révolutionnaire et démocratique unique en son genre !

C'est cette foi que la machine de guerre israélienne n'a jamais pu ébranler, que les balles de toutes sortes n'ont jamais pu réduire ni terroriser, dont l'ensevelissement des vivants, les os brisés, les avortements provoqués par les gaz et la mainmise sur les ressources en eau n'ont jamais pu venir à bout, et que ni les arrestations, ni les prisons, ni les exils, ni les expulsions hors de la patrie n'ont affaiblie. Quant aux châtiments collectifs, aux dynamitages de maisons, à la fermeture des universités, des écoles, des syndicats, des associations et des institutions, quant à l'interdiction des journaux et au blocus des camps, des villages et des villes, tout cela n'a fait que raffermir cette foi, jusqu'à ce que la révolution embrasse chaque foyer, jusqu'à ce qu'elle s'enracine dans chaque pouce de la terre de la patrie.

Un peuple qui a parcouru cet itinéraire, un peuple héritier de cette histoire ne peut être défait. Nulle force et nulle terreur ne sauraient lui faire renier sa foi parfaite en son droit à une patrie comme en son adhésion aux valeurs de la justice, de la paix, de l'amour et de la coexistence tolérante. Et comme le fusil du révolutionnaire nous a protégés, empêchant notre liquidation et l'annihilation de notre identité nationale sur le champ brûlant des combats, nous avons une totale confiance en notre capacité à défendre notre rameau d'olivier sur le champ des batailles politiques. Le ralliement mondial à la justesse de notre cause et en faveur de l'instauration de la paix basée sur la justice démontre sans ambiguïté que le monde sait aujourd'hui qui est le bourreau et qui est la victime, qui est l'agresseur et qui est l'agressé, qui mène la lutte pour la liberté et pour la paix et qui est le terroriste. Et voici que les pratiques quotidiennes des forces d'occupation et des bandes de colons fanatiques et armés contre notre peuple, ses enfants et ses femmes, mettent à nu le visage hideux de l'occupation israélienne, le révèlent dans sa vérité d'agresseur.

Cette conscience mondiale grandissante a fini par toucher des groupes juifs eux-mêmes, à l'intérieur comme à l'extérieur d'Israël, dont les yeux se sont ouverts à la réalité du problème et à l'essence du conflit, et qui ont pris conscience des pratiques quotidiennes inhumaines qui détruisent la tolérance dans l'âme même du judaïsme. Il est désormais bien difficile, voire impossible, pour un Juif de déclarer son refus de l'oppression raciste et son attachement aux libertés et aux droits de l'homme et de se taire face aux violations israéliennes des droits de l'homme, face aux crimes commis à l'encontre du peuple et de la patrie palestiniens, et plus particulièrement face aux pratiques quotidiennes odieuses des occupants et des bandes de colons armés.

Nous faisons une claire distinction entre le citoyen juif dont les milieux israéliens au pouvoir tentent d'étouffer et de dénaturer la conscience, d'une part, et les pratiques des dirigeants israéliens, d'autre part.

Plus encore, nous réalisons qu'il y a en Israël comme hors d'Israël des Juifs nobles et courageux qui n'approuvent pas la politique de répression et les massacres, qui réprouvent la politique d'expansion, de colonisation et d'expulsion du gouvernement d'Israël et qui reconnaissent à notre peuple un droit égal à la vie, à la liberté et à l'indépendance. Au nom du peuple palestinien, je les remercie tous pour cette position courageuse et honorable.

Notre peuple ne revendique aucun droit qui ne soit le sien, qui ne lui soit reconnu par le droit et les lois internationales. Il ne veut pas d'une liberté au détriment de la liberté d'un autre peuple ni d'un destin qui annulerait celui d'un autre peuple. Notre peuple refuse tout privilège dont il pourrait jouir aux dépens d'un autre peuple, comme il refuse qu'un autre peuple jouisse de privilèges à ses dépens. Notre peuple aspire à l'égalité avec tous les autres peuples, avec les mêmes droits et les mêmes devoirs. J'adresse cet appel à tous les peuples du monde, et particulièrement à ceux qui ont subi l'occupation nazie, et qui ont alors considéré que leur devoir consistait à tourner la page de la tyrannie et de l'oppression exercées par un peuple sur un autre, et d'apporter aide et soutien à toutes les victimes du terrorisme, du fascisme et du nazisme. J'en appelle à ces peuples pour qu'ils prennent clairement conscience de la responsabilité que l'histoire leur a fait porter à l'égard de notre peuple martyrisé qui réclame pour ses enfants une place au soleil de leur patrie, pour qu'ils puissent y vivre comme les enfants du monde entier, libres sur une terre libre.

Il est encourageant de constater que le chemin de notre lutte a atteint ce sommet qu'est l'Intifada dans un climat international caractérisé par des efforts soutenus et sérieux en faveur de la détente et de l'entente internationales et pour le progrès des peuples. C'est avec une grande joie que nous sommes témoins des succès remportés par les Nations unies et leur Secrétaire général dans le cadre de leur contribution efficace à la solution de nombreux problèmes et à l'extinction de nombreux foyers de tension dans le monde, dans ce nouveau climat de concorde internationale.

Assurément, il n'est pas possible de consolider ce climat international nouveau et positif sans se tourner vers les problèmes et les foyers de tension éparpillés de par le monde. C'est d'autant plus nécessaire que cela permettra à la conscience humaine de réaliser avec plus d'acuité un bilan de l'activité des hommes et des États, et d'entrevoir avec plus de transparence ce que le siècle qui s'approche nous réserve de défis et de responsabilités nouvelles, loin de la guerre et de la destruction, sur le chemin de la liberté, du bien-être, de la paix et du progrès de l'humanité.

Nous nous accordons tous ici sur le fait que la question palestinienne constitue le problème des problèmes du monde contemporain. C'est la question la plus anciennement inscrite à l'ordre du jour de vos travaux. C'est le problème régional le plus complexe, le plus ramifié, le plus dangereux pour la paix et la sécurité mondiales. La question palestinienne constitue également une priorité pour les deux superpuissances et tous les États conscients de la nécessité d'efforts particuliers pour tracer le chemin d'une solution, sur la base de principes de justice qui constituent en eux-mêmes la meilleure des garanties pour l'extension de la paix à l'ensemble du Moyen-Orient.

[…]

J'ai la joie de vous annoncer en toute fierté que notre Conseil national palestinien, par une pratique démocratique totalement libre, assumait ses hautes responsabilités nationales et avait adopté une série de résolutions sérieuses, constructives et responsables. […]

La première et la plus décisive des résolutions prises par notre Conseil, c'est la proclamation de l'État de Palestine avec pour capitale Al-Qods Al-Sharif, Jérusalem, et ce sur la base du droit naturel, historique et légal du peuple arabe palestinien à sa patrie, la Palestine. […]

Cet État de Palestine est l'État des Palestiniens où qu'ils soient. Ils pourront y développer leur identité nationale et culturelle. Ils y jouiront de la pleine égalité des droits et de leurs convictions religieuses et politiques, ainsi que de leur dignité humaine. Ils y seront protégés par un régime parlementaire et démocratique fondé sur les principes de la liberté d'opinion, la liberté de constituer des partis, la prise en considération par la majorité des droits de la minorité et le respect par la minorité des décisions de la majorité, la justice sociale, l'égalité et l'absence de toute discrimination dans les libertés publiques sur la base de la race, de la religion, de la couleur, ou entre la femme et l'homme, à l'ombre d'une Constitution qui assure la primauté de la loi et l'indépendance de la justice, en totale fidélité à l'héritage spirituel de la Palestine, patrimoine fait de tolérance et de cohabitation entre les religions à travers les siècles.

L'État de Palestine est un État arabe, son peuple fait partie intégrante de la nation arabe, de son patrimoine, de sa civilisation et de ses aspirations au progrès social, à l'unité et à la libération. Il se réclame de la Charte de la Ligue des États arabes, de la Charte de l'ONU, de la Déclaration universelle des droits de l'homme et des principes du non-alignement…

Cet État est épris de paix et attaché aux principes de la coexistence pacifique ; il œuvrera de concert avec tous les États et tous les peuples pour instaurer une paix permanente basée sur la justice et le respect des droits.

Cet État croit à la résolution des conflits régionaux et internationaux par des moyens pacifiques, en application de la Charte des Nations unies et de leurs résolutions. Il rejette la menace de l'usage de la violence, de la force et du terrorisme, leur utilisation contre la sécurité de son propre territoire ou contre son indépendance politique, ou contre l'intégrité territoriale de tout autre État, sans porter atteinte à son droit naturel à défendre son territoire et son indépendance. Cet État croit que l'avenir ne réserve que la sécurité à ceux qui auront agi justement ou auront aspiré à la justice.

[…]

Notre Conseil national a également affirmé la nécessité du retrait d'Israël de tous les territoires palestiniens et arabes qu'il a occupés en 1967, y compris la Jérusalem arabe, l'établissement de l'État palestinien et l'abolition de toutes les mesures de rattachement et d'annexion, ainsi que le démantèlement des colonies édifiées par Israël dans les territoires palestiniens et arabes depuis 1967. Toutes ces exigences ont été formulées par les sommets arabes, et particulièrement par les sommets arabes de Fès et d'Alger.

Notre Conseil national a affirmé la nécessité d'œuvrer pour placer les territoires palestiniens occupés, y compris la Jérusalem arabe, sous la tutelle des Nations unies pour une période limitée. [...]

Je tiens à souligner ici que ces décisions, ainsi qu'il ressort clairement de leur contenu et de leur formulation, reflètent la fermeté de notre foi dans la paix et la liberté, ainsi que notre profonde conscience du climat de détente internationale, et de l'attachement de la communauté internationale à des solutions équilibrées qui répondent aux aspirations et aux intérêts fondamentaux des parties en conflit. Ces décisions reflètent également le degré de sérieux de la position palestinienne au sujet de la paix, son attachement à la paix et la nécessité de la garantir et de la préserver par le biais du Conseil de sécurité, et sous l'égide des Nations unies.

Ces résolutions apportent une réponse claire et ferme à tous les alibis et prétextes colportés par certains États au sujet de la position et de la politique de l'Organisation de libération de la Palestine. Alors que notre peuple, par son soulèvement comme par l'intermédiaire de ses représentants au Conseil national, votait pour la paix, confirmant son accord avec la tendance dominante elle-même consolidée par la détente nouvelle dans les relations internationales, propice à la solution des conflits régionaux et mondiaux par des moyens pacifiques, le gouvernement israélien, pour sa part, alimente les tendances agressives et expansionnistes ainsi que le fanatisme religieux, confirmant son obstination à choisir l'agression et à nier les droits de notre peuple.

La partie palestinienne a formulé de son côté des positions politiques claires et responsables, conformes à la volonté de la communauté internationale pour aider à la tenue et à la réussite des travaux de la Conférence internationale de paix.

L'appui international, courageux et bienvenu, à la reconnaissance de l'État Palestine est la preuve éclatante de la justesse de la voie que nous avons choisie, de la crédibilité de nos résolutions et de leur conformité avec la volonté et l'amour de la paix qui animent la communauté internationale.

En dépit de notre grande estime pour ces voix américaines libres qui ont pris l'initiative d'expliquer et de justifier notre position et nos résolutions, l'administration américaine se refuse toujours à appliquer des critères uniques à toutes les parties en conflit et continue à nous imposer – et à nous seuls – l'acceptation de positions qui ne sauraient être tranchées avant la négociation et le dialogue dans le cadre de la Conférence internationale.

Je tiens ici à rappeler que reconnaître aux deux parties en conflit l'égalité des droits sur la base de la réciprocité constitue la seule approche qui réponde aux diverses interrogations, d'où qu'elles viennent. Et si les politiques pratiquées sur le terrain reflètent les intentions de ceux qui les conduisent, la partie palestinienne a plus de raisons de s'inquiéter et de s'interroger au sujet de son propre sort et sur son avenir face à un État d'Israël bardé des armes les plus modernes, y compris des armes nucléaires.

Notre Conseil national a renouvelé son engagement vis-à-vis des résolutions des Nations unies qui affirment le droit des peuples à résister à l'occupation étrangère, à la colonisation et à la discrimination raciale ainsi que leur droit à lutter pour l'indépendance. Il a également renouvelé son refus du terrorisme sous toutes ses formes, y compris le terrorisme d'État [...]. Cette position est claire et sans équivoque. En dépit de cela, je réaffirme ici une fois encore, en ma qualité de président de l'OLP, que je condamne le terrorisme sous toutes ses formes.

Je salue tous ceux que je vois face à moi dans cette salle, qui ont un jour été accusés d'être des terroristes par leurs bourreaux et leurs colonisateurs au cours des combats menés dans leurs pays pour les libérer du joug de la colonisation. Ce sont aujourd'hui des dirigeants investis de la confiance de leurs peuples et de fidèles et sincères partisans des principes et des valeurs de la justice et de la liberté. [...]

J'affirme que nous sommes un peuple qui aspire à la paix, comme tous les peuples de la terre, peut-être avec un peu plus d'ardeur, étant donné la longueur de cette épreuve tout au long de ces années et la dureté de la vie que mènent notre peuple et nos enfants, qui ne peuvent jouir d'une vie normale, à l'abri des guerres, des malheurs, de la souffrance et de l'exil, de la dispersion et des difficultés de la vie quotidienne.

Que s'élèvent des voix pour soutenir le rameau d'olivier, pour appuyer la pratique de la coexistence pacifique et pour renforcer le climat de détente internationale. Joignons nos mains et nos efforts pour ne pas laisser passer une occasion historique, qui pourrait ne pas se représenter, de mettre fin à un drame qui n'a que trop duré et qui a coûté le sacrifice de milliers de vies et la destruction de centaines de villages et de villes.

Et si nous tendons la main vers le rameau d'olivier, le rameau de la paix, c'est parce que celui-ci se répand dans nos cœurs à partir de l'arbre de la patrie et de la liberté.

Je suis venu à vous au nom de notre peuple, la main ouverte, pour que nous œuvrions à instaurer une paix véritable, une paix bâtie sur la justice. Sur cette base, je demande aux dirigeants d'Israël de venir ici, sous l'égide de l'Organisation des Nations unies, pour que nous accomplissions cette paix. Et je leur dis, tout comme je vous le dis : notre peuple désire la dignité, la liberté et la paix. Il désire la sécurité pour son État tout comme il la désire pour tous les États et parties du conflit arabo-israélien.

Je m'adresse ici tout particulièrement aux Israéliens de toutes les catégories, de tous les courants et de tous les milieux et, avant tout, aux forces de la démocratie et de la paix, et je leur dis : Venez ! Loin de la peur et de la menace, réalisons la paix, loin du spectre des guerres ininterrompues depuis quarante ans dans le brasier de ce conflit, loin de la menace de nouvelles guerres, qui n'auraient d'autre combustible que nos enfants et vos enfants, venez, faisons la paix, la paix des braves, loin de l'arrogance de la force et des armes de la destruction, loin de l'occupation, de la tyrannie, de l'humiliation, de la tuerie et de la torture.

Je dis : « Ô gens du Livre, retrouvez-vous en une seule parole », pour que nous établissions la paix sur la terre de la paix, la terre de Palestine.

« Gloire à Dieu au plus haut des Cieux et Paix sur la terre aux hommes de bonne volonté ! »

Mon Dieu, Tu es la Paix. La Paix vient de Toi. La Paix aboutit à Toi. Seigneur, fais-nous vivre dans la paix et accéder au Paradis, ta demeure, la demeure de la Paix.

Je vous remercie et vous salue, avec la miséricorde de Dieu, et ses bénédictions.

Enfin, je dis à notre peuple : l'aube, inéluctablement, vient, et la victoire elle aussi est déjà en chemin. Je vois la patrie dans vos pierres sacrées ; je vois le drapeau de notre État palestinien indépendant flotter sur les hauteurs de la patrie bien-aimée.

Discours prononcé devant l'Assemblée
générale des Nations unies,
à Genève,
le 13 décembre 1988.

49.

NELSON MANDELA

Nelson Mandela, né en 1918, l'un des leaders de la lutte entreprise par les Noirs d'Afrique du Sud contre l'apartheid, a été président du pays de 1994 à 1999. Il a reçu en 1993, en même temps que le président Frederik De Klerk, le prix Nobel de la paix.

Mandela s'engage en 1942 dans le Congrès national africain (ANC), qui lutte pour les droits des Noirs, mais le Parti afrikaner, qui remporte les élections de 1948, met en place une politique de « développement séparé » des races, dite « apartheid ». L'ANC est ensuite interdit et Mandela se convertit, à partir de 1960, à l'action violente contre un pouvoir toujours plus répressif. Il est arrêté en 1962 et, en 1964, condamné à la détention à perpétuité. Il devient rapidement un symbole mondial de la lutte du peuple noir pour ses droits.

Mandela est mis en résidence surveillée en 1988, date à laquelle il devient un interlocuteur reconnu par un pouvoir blanc qui souhaite faire bouger les choses, celui des présidents Botha mais surtout De Klerk, l'homme qui le fait libérer en 1990, en même temps qu'il autorise à nouveau l'ANC. Le dialogue de ces deux futurs prix Nobel de la paix permet d'en finir avec l'apartheid, d'établir un régime de transition puis d'instaurer un régime démocratique d'égalité des droits en Afrique du Sud. Mandela est élu président et, le 10 mai 1994, prononce ce discours d'investiture.

Une fois au pouvoir, confirmant ce qu'il annonçait, Mandela met en œuvre une politique de réconciliation nationale grâce à une commission « Vérité et Réconciliation ». Il ne s'agit pas de juger mais avant tout de permettre aux victimes d'exactions de s'exprimer, que les violences à leur encontre aient été commises par les forces gouvernementales ou par les mouvements armés de libération.

Nelson Mandela reste une figure écoutée et respectée de l'Afrique du début du XXIe siècle.

UNE NATION ARC-EN-CIEL, EN PAIX AVEC ELLE-MÊME ET AVEC LE MONDE

Majestés, Altesses, invités distingués, camarades et amis,

Par notre présence ici aujourd'hui, et par nos célébrations dans d'autres régions du pays et du monde, nous glorifions cette liberté qui vient de naître et nous mettons en elle tous nos espoirs.

D'un dramatique désastre humain qui a duré trop longtemps doit naître une société qui sera la fierté de l'humanité.

Nos actes quotidiens de Sud-Africains doivent construire une véritable réalité sud-africaine qui fortifiera la foi de l'humanité en la justice, qui affermira sa confiance en la noblesse de l'âme humaine et qui nourrira tous nos espoirs pour que notre vie à tous soit une vie épanouie.

Tout ceci, nous le devons à la fois à nous-mêmes et aux peuples du monde entier qui sont si bien représentés ici, aujourd'hui.

À mes compatriotes, je dis sans hésiter que chacun d'entre nous est aussi intimement enraciné dans le sol de ce pays magnifique que le sont les fameux jacarandas de Pretoria et les mimosas de la brousse. Chaque fois que l'un de nous touche le sol de ce pays, il ressent un profond sentiment de bonheur et d'exaltation. L'humeur nationale change avec les saisons. Nous sommes transportés de joie et d'enthousiasme quand l'herbe reverdit et que les fleurs s'ouvrent.

Cette sensation spirituelle et physique de ne faire qu'un avec notre patrie commune explique l'intensité de la souffrance que nous avons tous portée dans nos cœurs lorsque nous avons vu notre pays déchiré par un conflit terrible et lorsque nous l'avons vu rejeté, boycotté et isolé par les peuples du monde entier, précisément parce qu'il était devenu le symbole d'une idéologie pernicieuse, du racisme et de l'oppression raciale.

Nous, peuple d'Afrique du Sud, sommes aujourd'hui comblés de voir que l'humanité nous accueille à nouveau dans son sein, et que nous, les hors-la-loi d'hier, avons aujourd'hui le rare privilège d'accueillir sur notre sol toutes les nations du monde.

Nous remercions nos distingués invités internationaux d'être venus prendre possession, avec notre peuple, de ce qui est, après tout, une victoire commune en matière de justice, de paix et de dignité humaine.

Nous espérons que vous continuerez à vous tenir à nos côtés quand nous relèverons le défi de bâtir la paix, la prospérité, la démocratie, et d'œuvrer contre le racisme et contre le sexisme.

Nous apprécions infiniment le rôle joué par notre peuple et leurs masses politiques, les leaders démocratiques, religieux, les femmes, les jeunes, les entreprises, les leaders traditionnels et autres leaders, afin d'arriver à ce résultat. Parmi ceux-ci, et non le moindre, se trouve mon deuxième président adjoint, Frederik Willem De Klerk.

Nous aimerions également saluer nos forces de sécurité, quel que soit leur rang, pour le rôle insigne qu'elles ont joué dans la protection de nos premières élections démocratiques et dans la transition vers la démocratie contre les forces assoiffées de sang qui refusent toujours de voir la lumière.

Le temps de soigner les blessures est arrivé.

Le temps de combler les fossés qui nous séparent est arrivé.

Le temps de construire est arrivé.

Nous sommes enfin arrivés au terme de notre émancipation politique. Nous nous engageons à libérer notre peuple de l'asservissement dû à la pauvreté, à la privation, à la souffrance, au sexisme et à toute autre discrimination.

Nous avons réussi à passer les dernières étapes vers la liberté dans des conditions de paix relative. Nous nous engageons à construire une paix complète, juste et durable.

Nous avons réussi à implanter l'espoir dans le cœur de millions de personnes de notre peuple. Nous nous engageons à bâtir une société dans laquelle tous les Africains du Sud, qu'ils soient blancs ou noirs, pourront se tenir debout et marcher sans crainte, sûrs de leur droit inaliénable à la dignité humaine – une nation arc-en-ciel, en paix avec elle-même et avec le monde.

Comme preuve de son engagement dans le renouveau de notre pays, le nouveau gouvernement par intérim de l'unité nationale prend la décision, en tant que question urgente, d'amnistier les différentes catégories de compatriotes accomplissant actuellement leur peine d'emprisonnement.

Nous dédions ce jour à tous les héros et héroïnes de ce pays et du reste du monde qui se sont sacrifiés ou ont donné leur vie pour que nous puissions être libres.

Leurs rêves sont devenus réalité. La liberté est leur récompense.

Nous nous sentons à la fois humbles et fiers de l'honneur et du privilège que le peuple d'Afrique du Sud nous fait en nous nommant premier président d'un gouvernement d'union démocratique, non raciste et non sexiste.

Nous sommes conscients que la route vers la liberté n'est pas facile.

Nous sommes conscients qu'aucun de nous ne peut réussir seul.

Nous devons donc agir ensemble, comme un peuple uni, vers une réconciliation nationale, vers la construction d'une nation, vers la naissance d'un nouveau monde.

Que la justice soit la même pour tous.

Que la paix existe pour tous.

Qu'il y ait du travail, du pain, de l'eau et du sel pour tous.

Que chacun d'entre nous sache que son corps, son esprit et son âme ont été libérés afin qu'ils puissent s'épanouir.

Que jamais, jamais plus ce pays magnifique ne revive l'expérience de l'oppression des uns par les autres, ni ne souffre à nouveau l'indignité d'être le paria du monde.

Que la liberté règne.

Que le soleil ne se couche jamais sur une réalisation humaine aussi éclatante !

Que Dieu bénisse l'Afrique !

Merci.

Discours prononcé à Pretoria,
le 10 mai 1994.

50.
DOMINIQUE DE VILLEPIN

Dominique Galouzeau de Villepin, né en 1953, choisit à sa sortie de l'École nationale d'administration d'entrer dans la diplomatie. Il devient ensuite Secrétaire général de la présidence de la République, de 1995 à 2002, un poste clé où il conseille notamment à Jacques Chirac la fameuse dissolution de l'Assemblée nationale de 1997, qui permet à la gauche de revenir au pouvoir. Écrivain (on lui doit des ouvrages historiques comme des recueils de poésie), il est Premier ministre du 31 mai 2005 au 15 mai 2007.

Mais c'est en tant que ministre des Affaires étrangères, un poste où il est nommé en 2002 par un Jacques Chirac fraîchement réélu, que Dominique de Villepin a prononcé le discours qui suit, le 14 février 2003 devant le Conseil de sécurité des Nations unies.

Il veut alors montrer l'opposition de la France à la logique de guerre imposée en Irak par l'administration américaine de George W. Bush, et ce alors que les inspections organisées par l'ONU de sites où seraient stockées de prétendues « armes de destruction massive » n'ont encore donné aucun résultat. Ce discours lui vaudra d'être applaudi par ses auditeurs. On y retrouve certaines formules stylistiques de ce ministre à plume, et des réminiscences gaulliennes sur le « vieux pays » confronté aux États de la toujours jeune Amérique.

On le sait, ni ce discours ni les Nations unies n'ont pu empêcher le déclenchement d'une seconde guerre d'Irak.

DANS CE TEMPLE DES NATIONS UNIES, NOUS SOMMES LES GARDIENS D'UNE CONSCIENCE

Monsieur le Président, Monsieur le Secrétaire général, Madame et Messieurs les ministres, Messieurs les ambassadeurs,

[…] Vous savez le prix que la France attache, depuis l'origine de la crise irakienne, à l'unité du Conseil de sécurité. Cette unité repose aujourd'hui sur deux éléments essentiels :

Nous poursuivons ensemble l'objectif d'un désarmement effectif de l'Irak. Nous avons en ce domaine une obligation de résultat. Ne mettons pas en doute notre engagement commun en ce sens. Nous assumons collectivement cette lourde responsabilité qui ne doit laisser place ni aux arrière-pensées, ni aux procès d'intention. Soyons clairs : aucun d'entre nous n'éprouve la moindre complaisance à l'égard de Saddam Hussein et du régime irakien.

En adoptant à l'unanimité la résolution 1441, nous avons collectivement marqué notre accord avec la démarche en deux temps proposée par la France : le choix du désarmement par la voie des inspections et, en cas d'échec de cette stratégie, l'examen par le Conseil de sécurité de toutes les options, y compris celle du recours à la force. C'est bien dans ce scénario d'échec des inspections, et dans ce cas seulement, que pourrait se justifier une seconde résolution. La question qui se pose aujourd'hui est simple : considérons-nous en conscience que le désarmement par les missions d'inspection est désormais une voie sans issue ? ou bien estimons-nous que les possibilités en matière d'inspection offertes par la résolution 1441 n'ont pas encore été toutes explorées ?

En réponse à cette question, la France a deux convictions : la première, c'est que l'option des inspections n'a pas été conduite jusqu'à son terme et peut apporter une réponse efficace à l'impératif du désarmement de l'Irak ; la seconde, c'est qu'un usage de la force serait si lourd de conséquences pour les hommes, pour la région et pour la stabilité internationale qu'il ne saurait être envisagé qu'en dernière extrémité. Or que venons-nous d'entendre, à travers le rapport de MM. Blix et El Baradei ? Nous venons d'entendre que les inspections donnent des résultats. Bien sûr, chacun d'entre nous veut davantage et nous continuerons ensemble à faire pression sur Bagdad pour obtenir plus. Mais les inspections donnent des résultats.

[...] Nous sommes tous conscients que le succès des inspections suppose que nous aboutissions à une coopération pleine et entière de l'Irak. La France n'a cessé de l'exiger. Des progrès réels commencent à apparaître : l'Irak a accepté le survol de son territoire par des appareils de reconnaissance aérienne ; il a permis que des scientifiques irakiens soient interrogés sans témoins par les inspecteurs ; un projet de loi prohibant toutes les activités liées aux programmes d'armes de destruction massive est en cours d'adoption, conformément à une demande ancienne des inspecteurs ; l'Irak doit fournir une liste détaillée des experts ayant assisté en 1991 aux destructions des programmes militaires.

La France attend bien entendu que ces engagements soient durablement vérifiés. Au-delà, nous devons maintenir une forte pression sur l'Irak pour qu'il aille plus loin dans la voie de la coopération. Ces progrès nous confortent dans la conviction que la voie des inspections peut être efficace. Mais nous ne devons pas nous dissimuler l'ampleur du travail restant à accomplir : des questions doivent être élucidées, des vérifications doivent être conduites, des installations ou des matériels doivent sans doute encore être détruits. Pour ce faire, nous devons donner aux inspections toutes les chances de réussir.

[...] Alors oui, j'entends bien les critiques : il y a ceux qui pensent que, dans leur principe, les inspections ne peuvent avoir aucune efficacité. Mais je rappelle que c'est le fondement même de la résolution 1441 et que les inspections donnent des résultats. On peut les juger insuffisants mais ils sont là.

Il y a ceux qui croient que la poursuite du processus d'inspection serait une sorte de « manœuvre de retardement » visant à empêcher une intervention militaire. Cela pose naturellement la question du temps imparti à l'Irak. Nous sommes là au centre des débats. Il y va de notre esprit de responsabilité. Ayons le courage de mettre les choses à plat.

Il y a deux options : l'option de la guerre peut apparaître *a priori* la plus rapide. Mais n'oublions pas qu'après avoir gagné la guerre, il faut construire la paix. Et ne nous voilons pas la face : cela sera long et difficile, car il faudra préserver l'unité de l'Irak, rétablir de manière durable la stabilité dans un pays et une région durement affectés par l'intrusion de la force. Face à de telles perspectives, il y a une autre option offerte par les inspections, qui permet d'avancer de jour en jour dans la voie d'un désarmement efficace et pacifique de l'Irak. Au bout du compte, ce choix-là n'est-il pas le plus sûr et le plus rapide ?

Personne ne peut donc affirmer aujourd'hui que le chemin de la guerre sera plus court que celui des inspections. Personne ne peut affirmer non plus qu'il pourrait déboucher sur un monde plus sûr, plus juste et plus stable. Car la guerre est toujours la sanction d'un échec. Serait-ce notre seul recours face aux nombreux défis actuels ? [...]

Dans ce contexte, l'usage de la force ne se justifie pas aujourd'hui. Il y a une alternative à la guerre : désarmer l'Irak par les inspections. De plus, un recours prématuré à l'option militaire serait lourd de conséquences.

L'autorité de notre action repose aujourd'hui sur l'unité de la communauté internationale. Une intervention militaire prématurée remettrait en cause cette unité, ce qui lui enlèverait sa légitimité et, dans la durée, son efficacité. Elle pourrait avoir des conséquences incalculables pour la stabilité de cette région meurtrie et fragile. Elle renforcerait le sentiment d'injustice, aggraverait les tensions et risquerait d'ouvrir la voie à d'autres conflits. Nous partageons tous une même priorité, celle de combattre sans merci le terrorisme. Ce combat exige une détermination totale. C'est, depuis la tragédie du 11 Septembre, l'une de nos responsabilités premières devant nos peuples. Et la France, qui a été durement touchée à plusieurs reprises par ce terrible fléau, est entièrement mobilisée dans cette lutte qui nous concerne tous et que nous devons mener ensemble. C'est le sens de la réunion du Conseil de sécurité qui s'est tenue le 20 janvier, à l'initiative de la France.

Il y a dix jours, le secrétaire d'État américain, M. Powell, a évoqué des liens supposés entre Al Qaeda et le régime de Bagdad. En l'état actuel de nos informations et des recherches menées en liaison avec nos alliés, rien ne nous permet d'établir de tels liens. En revanche, nous devons prendre la mesure de l'impact qu'aurait sur ce plan une action militaire contestée actuellement. Une telle intervention ne risquerait-elle pas d'aggraver les fractures entre les sociétés, entre les cultures, entre les peuples, fractures dont se nourrit le terrorisme ?

La France l'a toujours dit : nous n'excluons pas la possibilité qu'un jour il faille recourir à la force, si les rapports des inspecteurs concluaient à l'impossibilité pour les inspections de se poursuivre. Le Conseil devrait alors se prononcer et ses membres auraient à prendre toutes leurs responsabilités. Et, dans une telle hypothèse, je veux rappeler ici les questions que j'avais soulignées lors de notre dernier débat le 4 février et auxquelles nous devrons bien répondre : en quoi la nature et l'ampleur de la menace justifient-elles le recours immédiat à la force ? Comment faire en sorte que les risques considérables d'une telle intervention puissent être réellement maîtrisés ?

En tout état de cause, dans une telle éventualité, c'est bien l'unité de la communauté internationale qui serait la garantie de son efficacité. De même, ce sont bien les Nations unies qui resteront demain, quoi qu'il arrive, au cœur de la paix à construire.

Monsieur le Président, à ceux qui se demandent avec angoisse quand et comment nous allons céder à la guerre, je voudrais dire que rien, à aucun moment, au sein de ce Conseil de sécurité, ne sera le fait de la précipitation, de l'incompréhension, de la suspicion ou de la peur.

Dans ce temple des Nations unies, nous sommes les gardiens d'un idéal, nous sommes les gardiens d'une conscience. La lourde responsabilité et l'immense honneur qui sont les nôtres doivent nous conduire à donner la priorité au désarmement dans la paix.

Et c'est un vieux pays, la France, d'un vieux continent comme le mien, l'Europe, qui vous le dit aujourd'hui, qui a connu les guerres, l'Occupation, la barbarie. Un pays qui n'oublie pas et qui sait tout ce qu'il doit aux combattants de la liberté venus d'Amérique et d'ailleurs. Et qui pourtant n'a cessé de se tenir debout face à l'histoire et devant les hommes. Fidèle à ses valeurs, il veut agir résolument avec tous les membres de la communauté internationale. Il croit en notre capacité à construire ensemble un monde meilleur.

Je vous remercie.

Discours devant le Conseil
de Sécurité des Nations unies,
à New York,
le 14 février 2003.

51.

VLADIMIR POUTINE

Vladimir Vladimirovitch Poutine, né en 1952 à Saint-Pétersbourg, a été président de la Fédération de Russie de décembre 1999 à mai 2008, avant de devenir le Premier ministre du président Medvedev.

Ce juriste de formation a servi pendant quinze ans dans les rangs du service de renseignement soviétique, le KGB. Il a ensuite assumé des fonctions politiques dans sa ville natale, puis est entré en 1997 au service de Boris Eltsine. En 1999, il est d'abord Premier ministre, puis devient président par intérim après la démission d'Eltsine.

Poutine annonce immédiatement son intention de restaurer l'État, et ce alors que la Fédération de Russie est au plus mal : mouvements séparatistes et terroristes, économie livrée aux oligarques et à l'étranger. Luttant contre la corruption, il redonne au pays une certaine stabilité économique, notamment par le contrôle de l'énergie et des matières premières.

Sur la scène internationale aussi, Poutine cherche à restaurer l'image d'une Russie qui, après avoir été la terreur du monde « libre » à l'époque de la guerre froide, semblait devenue incapable de mener des conflits même limités comme celui de la Tchétchénie. De plus, la politique de l'OTAN dans les Balkans, menée contre la Serbie, ces « Slaves du Sud », ou l'incorporation à cette organisation de pays de l'ancien bloc de l'Est, ajoutent aux complexes de la Russie.

Au début de l'année 2007, l'OTAN et les États-Unis décident d'installer des missiles balistiques en Pologne et en République tchèque. Vladimir Poutine, dans ce discours prononcé le 10 février 2007 à la conférence de Munich sur la sécurité, critique ce qu'il considère comme une tentative pour imposer, en violation des accords antérieurs, un monde « unipolaire ». La Russie n'est pas sortie du jeu mondial au début du XXIe siècle, loin de là…

IL FAUT REPENSER SÉRIEUSEMENT L'ARCHITECTURE GLOBALE DE LA SÉCURITÉ

Madame la Chancelière fédérale, […] Mesdames, Messieurs,

Je vous remercie pour cette invitation à participer à une conférence aussi représentative, qui a réuni hommes politiques, militaires, entrepreneurs et experts de plus de quarante pays du monde.

Le format de conférence me permet d'éviter les formules de politesse superflues et le recours aux clichés diplomatiques aussi agréables à entendre que vides de sens. Le format de la conférence me permet de dire ce que je pense des problèmes de la sécurité internationale et, si mes jugements vous semblent inutilement polémiques ou même imprécis, je vous demande de ne pas m'en vouloir. […]

On sait que les problèmes de la sécurité internationale sont bien plus larges que ceux de la stabilité militaro-politique. Ces problèmes concernent la stabilité de l'économie mondiale, la lutte contre la pauvreté, la sécurité économique et le développement du dialogue entre les civilisations.

Le caractère universel et indivisible de la sécurité est reflété dans son principe de base : « La sécurité de chacun signifie la sécurité de tous. » Franklin Roosevelt avait déclaré au début de la Seconde Guerre mondiale : « Où que la paix soit rompue, c'est le monde entier qui est menacé. »

Ces paroles restent valables aujourd'hui. D'ailleurs, le sujet de notre conférence en témoigne : « Les crises globales impliquent une responsabilité globale ».

Il y a vingt ans, le monde était divisé sur le plan économique et idéologique et sa sécurité était assurée par les potentiels stratégiques immenses des deux superpuissances.

La confrontation globale reléguait les problèmes économiques et sociaux urgents à la périphérie des relations internationales et de l'agenda mondial. De même que n'importe quelle guerre, la guerre froide nous a laissé, pour ainsi dire, des « obus non explosés ». Je pense aux stéréotypes idéologiques, aux doubles standards et autres clichés hérités de la mentalité des blocs.

Le monde unipolaire proposé après la guerre froide ne s'est pas non plus réalisé.

Certes, l'histoire de l'humanité a connu des périodes d'unipolarité et d'aspiration à la domination mondiale. L'histoire de l'humanité en a vu de toutes sortes.

Qu'est-ce qu'un monde unipolaire ? Malgré toutes les tentatives d'embellir ce terme, il ne signifie en pratique qu'une seule chose : c'est un seul centre de pouvoir, un seul centre de force et un seul centre de décision.

C'est le monde d'un unique maître, d'un unique souverain. En fin de compte, cela est fatal à tous ceux qui se trouvent au sein de ce système aussi bien qu'au souverain lui-même, qui se détruira de l'intérieur.

Bien entendu, cela n'a rien à voir avec la démocratie, car la démocratie, c'est, comme on le sait, le pouvoir de la majorité qui prend en considération les intérêts et les opinions de la minorité.

À propos, on donne constamment des leçons de démocratie à la Russie. Mais ceux qui le font ne veulent pas, on ne sait pourquoi, apprendre eux-mêmes.

J'estime que le modèle unipolaire n'est pas seulement inadmissible pour le monde contemporain, mais qu'il est même tout à fait impossible. Non seulement parce que, dans les conditions d'un leader unique, le monde contemporain (je tiens à le souligner : contemporain) manquera de ressources militaro-politiques et économiques. Mais, et c'est encore plus important, ce modèle est inefficace, car il ne peut en aucun cas reposer sur la base morale et éthique de la civilisation contemporaine.

Cependant, tout ce qui se produit actuellement dans le monde – et nous ne faisons que commencer à discuter à ce sujet – est la conséquence des tentatives pour implanter cette conception dans les affaires mondiales : la conception du monde unipolaire.

Quel en est le résultat ?

Les actions unilatérales, souvent illégitimes, n'ont réglé aucun problème. Bien plus, elles ont entraîné de nouvelles tragédies humaines et de nouveaux foyers de tension. Jugez par vous-mêmes : les guerres, les conflits locaux et régionaux n'ont pas diminué. [...] Les victimes de ces conflits ne sont pas moins nombreuses, au contraire, elles sont bien plus nombreuses qu'auparavant.

Nous sommes en présence de l'emploi hypertrophié, sans aucune entrave, de la force – militaire – dans les affaires internationales, qui plonge le monde dans un abîme de conflits successifs. Par conséquent, aucun des conflits ne peut être réglé dans son ensemble. Et leur règlement politique devient également impossible.

Nous sommes témoins d'un mépris de plus en plus grand des principes fondamentaux du droit international. Bien plus, certaines normes et, en fait, presque tout le système du droit d'un seul État, avant tout, bien entendu, des États-Unis, a débordé de ses frontières nationales dans tous les domaines : dans l'économie, dans la politique et dans la sphère humanitaire, et est imposé à d'autres États. À qui cela peut-il convenir ?

Dans les affaires internationales, on se heurte de plus en plus souvent au désir de régler tel ou tel problème en s'inspirant de ce qu'on appelle l'opportunité politique, fondée sur la conjoncture politique.

Évidemment, cela est très dangereux, personne ne se sent plus en sécurité, je tiens à le souligner, parce que personne ne peut plus trouver refuge derrière le droit international. Évidemment, cette politique est le catalyseur de la course aux armements.

La domination du facteur force alimente inévitablement l'aspiration de certains pays à détenir des armes de destruction massive. Qui plus est, on a vu apparaître des menaces foncièrement nouvelles qui étaient connues auparavant, mais qui acquièrent aujourd'hui un caractère global, comme le terrorisme.

Je suis certain qu'en ce moment crucial il faut repenser sérieusement l'architecture globale de la sécurité.

Il faut rechercher un équilibre raisonnable des intérêts de tous les acteurs du dialogue international, et ce d'autant plus que le « paysage international » change très rapidement et substantiellement en raison du développement dynamique de toute une série d'États et de régions.

[…] Ainsi, le PIB commun de l'Inde et de la Chine en parité de pouvoir d'achat dépasse déjà celui des États-Unis. Le PIB des États du groupe BRIC – Brésil, Russie, Inde et Chine – évalué selon le même principe dépasse le PIB de l'Union européenne tout entière. Selon les experts, ce fossé va s'élargir dans un avenir prévisible.

Il ne fait pas de doute que le potentiel économique des nouveaux centres de la croissance mondiale sera inévitablement converti en influence politique, et que la multipolarité se renforcera.

Le rôle de la diplomatie multilatérale s'accroît considérablement dans ce contexte. L'ouverture, la transparence et la prévisibilité en politique n'ont pas d'alternative raisonnable et l'emploi de la force doit effectivement être une mesure ultime, comme la peine de mort dans les systèmes judiciaires de certains États.

Aujourd'hui, au contraire, nous observons une situation où des pays dans lesquels la peine de mort est interdite, même à l'égard des assassins et d'autres dangereux criminels, participent allégrement à des opérations militaires qu'il est difficile de considérer comme légitimes et qui provoquent la mort de centaines, voire de milliers de civils !

Une question se pose en même temps : devons-nous rester impassibles face à divers conflits intérieurs dans certains pays, aux actions des régimes autoritaires, des tyrans, à la prolifération des armes de destruction massive ? […] Pouvons-nous assister impassiblement à ce qui se produit ? […] Bien entendu, nous ne devons pas rester impassibles. Bien sûr que non.

Mais avons-nous les moyens de faire face à ces menaces ? Oui, nous les avons. Il suffit de se rappeler l'histoire récente. Le passage à la démocratie n'a-t-il pas été pacifique dans notre pays ? Le régime soviétique a subi une transformation pacifique, malgré la grande quantité d'armes, y compris nucléaires, dont il disposait ! Pourquoi donc faut-il bombarder et pilonner aujourd'hui à tout bout de champ ? Manquerions-nous de culture politique, de respect pour les valeurs démocratiques et le droit, en l'absence d'une menace d'extermination réciproque ?

Je suis certain que la Charte des Nations unies est l'unique mécanisme d'adoption de décisions sur l'emploi de la force en tant que dernier recours. Dans cet ordre d'idées, ou bien je n'ai pas compris ce qui vient d'être déclaré par notre collègue ministre italien de la Défense, ou bien il ne s'est pas exprimé clairement. En tout cas, j'ai entendu ce qui suit : l'usage de la force ne peut être légitime que si cette décision a été prise par l'OTAN, l'Union européenne ou l'ONU. S'il l'estime effectivement, alors nos points de vue sont différents. Ou bien j'ai mal entendu. L'usage de la force n'est légitime que sur la base d'un mandat des Nations unies. Il ne faut pas substituer l'OTAN et l'Union européenne à l'Organisation des Nations unies. Lorsque l'ONU réunira réellement les forces de la communauté internationale qui pourront réagir efficacement aux événements dans certains pays, lorsque nous nous débarrasserons du mépris du droit international, la situation pourra changer. Sinon, elle restera dans l'impasse et les lourdes erreurs se multiplieront. Il faut œuvrer pour que le droit international soit universel aussi bien dans sa compréhension que dans l'application de ses normes.

Il ne faut pas oublier qu'en politique, le mode d'action démocratique suppose nécessairement une discussion et une élaboration minutieuse des décisions.

Mesdames et Messieurs, le risque potentiel de déstabilisation des relations internationales tient également à l'absence évidente de progrès dans le domaine du désarmement.

La Russie se prononce pour la reprise du dialogue à ce sujet.

Il est très important d'appliquer les normes juridiques internationales en matière de désarmement, tout en poursuivant la réduction des armements nucléaires.

[...]

La Russie respecte strictement le Traité sur la non-prolifération des armes nucléaires et le régime multilatéral de contrôle de la technologie des missiles, et elle a l'intention de les respecter à l'avenir également. Les principes à la base de ces documents revêtent un caractère universel.

À cette occasion, je tiens à rappeler que dans les années 1980, l'URSS et les États-Unis ont signé un Traité sur l'élimination des missiles à moyenne et plus courte portée sans toutefois conférer de caractère universel à ce document.

À l'heure actuelle, toute une série de pays possèdent des missiles de cette classe : la République populaire démocratique de Corée, la République de Corée, l'Inde, l'Iran, le Pakistan, l'État d'Israël. De nombreux autres pays sont en train de concevoir ces systèmes et envisagent d'en doter leurs forces armées. Or seuls les États-Unis d'Amérique et la Russie restent fidèles à leur engagement de ne pas construire ces armes.

Il est clair que dans ces conditions nous sommes obligés de veiller à assurer notre sécurité.

En même temps, il faut empêcher l'apparition de nouveaux types d'armes de pointe susceptibles de déstabiliser la situation. Je ne parle pas des mesures visant à prévenir la confrontation dans de nouveaux milieux, surtout dans l'espace. On sait que les « guerres des étoiles » ne relèvent plus de la fiction mais de la réalité. Dès le milieu des années 1980, nos partenaires américains ont réussi à intercepter un de leurs satellites.

Selon la Russie, la militarisation de l'espace est susceptible d'avoir des conséquences imprévisibles pour la communauté mondiale, conséquences qui ne seraient pas moins graves que l'avènement de l'ère nucléaire. [...]

En ce qui concerne les projets prévoyant le déploiement en Europe d'éléments du système de défense antimissiles, ils ne manquent pas non plus de nous inquiéter. Qui a besoin d'une nouvelle relance – inévitable en l'occurrence – de la course aux armements ? Je doute fort que ce soient les Européens.

[...]

Profitant de mon séjour en Allemagne, je tiens à évoquer la crise que traverse le Traité sur les forces armées conventionnelles en Europe.

Signé en 1999, ce Traité était adapté à une nouvelle réalité géopolitique : le démantèlement du bloc de Varsovie. Sept ans se sont écoulés depuis, mais il n'a été ratifié que par quatre pays, dont la Fédération de Russie.

[...]

Il est évident, je pense, que l'élargissement de l'OTAN n'a rien à voir avec la modernisation de l'alliance, ni avec la sécurité en Europe. Au contraire, c'est un facteur représentant une provocation sérieuse et abaissant le niveau de la confiance mutuelle. Nous sommes légitimement en droit de demander ouvertement contre qui cet élargissement est opéré. [...]

Les blocs de béton et les pierres du Mur de Berlin sont depuis longtemps des souvenirs. Mais il ne faut pas oublier que sa chute est devenue possible notamment grâce au choix historique de notre peuple – le peuple de Russie – en faveur de la démocratie et de la liberté, de l'ouverture et du partenariat sincère avec tous les membres de la grande famille européenne.

Or, maintenant, on s'efforce de nous imposer de nouvelles lignes de démarcation et de nouveaux murs. Même s'ils sont virtuels, ils ne manquent pas de diviser, de compartimenter notre continent. Faudra-t-il à nouveau des années et des décennies, une succession de plusieurs générations de responsables politiques pour démanteler ces murs ?

[...]

Dans la sphère énergétique, la Russie s'oriente vers l'élaboration de principes de marché et de conditions transparentes qui soient les mêmes pour tous. Il est évident que le prix des hydrocarbures doit être établi par le marché et ne doit pas faire l'objet de spéculations politiques ni de pressions ou de chantages économiques.

[...]

La sécurité économique est une sphère où tous doivent s'en tenir à des principes uniques. Nous sommes prêts à une concurrence loyale.

[...]

Et encore un thème très important qui influe directement sur la sécurité globale. On parle beaucoup aujourd'hui de la lutte contre la pauvreté. Mais qu'est-ce qui se produit en réalité ? D'une part, des ressources financières – et souvent importantes – sont allouées à des programmes d'assistance aux pays les plus pauvres. Quoi qu'il en soit, et beaucoup le savent ici également, il n'est pas rare que les compagnies des pays donateurs eux-mêmes les « utilisent ». D'autre part, l'agriculture dans les pays industrialisés est toujours subventionnée, alors que l'accès des hautes technologies est limité pour d'autres.

Appelons donc les choses par leurs noms : il s'avère qu'une main distribue les « aides caritatives », alors que l'autre entretient l'arriération économique, mais récolte aussi des bénéfices. La tension sociale surgissant dans de telles régions en dépression se traduit inévitablement par la croissance du radicalisme et de l'extrémisme, tout en alimentant le terrorisme et les conflits locaux. Et si tout cela se produit de surcroît, par exemple, au Proche-Orient dans le contexte d'une vision aggravée du monde extérieur, en tant que monde injuste, une déstabilisation globale risque de se produire.

Il va sans dire que les principales puissances mondiales doivent voir cette menace et organiser, par conséquent, un système plus démocratique et plus équitable de rapports économiques qui donne à tous une chance et une possibilité de développement.

[…]

Mesdames, Messieurs !

En conclusion, je voudrais retenir ceci. Nous entendons très souvent – et je les entends personnellement – les appels de nos partenaires, y compris nos partenaires européens, exhortant la Russie à jouer un rôle de plus en plus actif dans les affaires internationales.

Je me permettrai à cette occasion une petite remarque. Nous n'avons pas besoin d'être éperonnés ou stimulés. La Russie a une histoire millénaire, et pratiquement elle a toujours eu le privilège de pratiquer une politique extérieure indépendante.

Nous n'avons pas l'intention aujourd'hui non plus de faillir à cette tradition. En même temps, nous voyons que le monde a changé et nous évaluons avec réalisme nos propres possibilités et notre propre potentiel. Et évidemment nous voudrions aussi avoir affaire à des partenaires sérieux et tout aussi indépendants avec lesquels nous pourrions travailler à l'édification d'un monde plus démocratique et plus équitable, tout en y garantissant la sécurité et la prospérité non seulement des élites, mais de tous.

Je vous remercie de votre attention.

Discours prononcé à la conférence
de Munich sur la sécurité,
le 10 février 2007.

52.

BARACK OBAMA

Barack Hussein Obama, né le 4 août 1961 à Honolulu, est le premier Afro-Américain à accéder à la Maison-Blanche. Fils d'un Kenyan et d'une Américaine blanche, il a passé plusieurs années de son enfance en Indonésie. De retour aux États-Unis, il suit les cours de l'université de Columbia et de la faculté de droit de Harvard, où il préside la Harvard Law Review. *Avocat spécialisé en droit privé, il enseigne aussi le droit constitutionnel à l'université de Chicago.*

Barack Obama débute en politique par son élection au Sénat de l'Illinois de 1996 à 2004. Il demande l'investiture démocrate pour la Chambre des représentants en 2000, échoue, mais obtient quatre années plus tard son sésame, cette fois pour l'élection sénatoriale. Sénateur des États-Unis depuis novembre 2004, il s'oppose notamment à la politique menée par George W. Bush en Irak.

Il déclare sa candidature à l'investiture démocrate pour la présidence des États-Unis le 10 février 2007 à Springfield. Il bataille durement ensuite pour arriver à remporter les primaires face à Hillary Clinton, dont il fera, une fois au pouvoir, sa représentante sur la scène internationale. Il est officiellement désigné candidat lors de la convention démocrate de Denver, le 27 août 2008.

Opposé au candidat républicain John McCain, il remporte, le 4 novembre 2008, avec 52,9 % des voix, une élection présidentielle américaine qui aura passionné les États-Unis et le reste du monde, la France notamment. Il entre en fonction le 20 janvier 2009.

Plutôt que le discours d'investiture prononcé alors, plus convenu, plus centré sur la politique internationale, nous avons choisi de présenter le discours prononcé à Chicago par lequel Barack Obama remercie ses soutiens et décrit, comme d'autres présidents américains avant lui, le nouvel élan qu'il veut donner à son pays.

YES, WE CAN

Bonsoir Chicago,

S'il y a une seule personne ici qui doute encore que l'Amérique est un endroit où tout est possible, qui se demande toujours si le rêve de nos pères fondateurs est toujours vivant, qui doute toujours du pouvoir de notre démocratie, ce soir, vous avez la réponse.

C'est la réponse donnée par des files d'attente autour des églises et des écoles – les plus nombreuses que le pays a vues, par des personnes qui ont attendu trois ou quatre heures, pour la première fois de leur vie pour beaucoup, parce qu'ils ont cru que cette fois, ça devait être différent et que leur voix pouvait faire la différence.

C'est la réponse donnée par des jeunes et des vieux, des riches et des pauvres, des démocrates et des républicains, des Noirs, des Blancs, des Hispaniques, des Asiatiques, des Amérindiens, des homos, des hétéros, des handicapés et des valides. Des Américains qui ont rappelé au monde entier que nous n'étions pas simplement faits d'individus ou d'États rouges et d'États bleus...

Nous sommes et nous serons toujours les États-Unis d'Amérique !

C'est la réponse qui a conduit ceux dont on a longtemps dit qu'ils étaient cyniques, craintifs et emplis de doutes sur ce qu'ils pouvaient accomplir, à se saisir de l'arc de l'Histoire et à le bander à nouveau vers l'espoir de jours meilleurs.

Ce jour a mis du temps à venir mais ce soir, grâce à ce que l'on a réalisé aujourd'hui durant cette élection, à ce moment précis, le changement arrive en Amérique.

[…]

Je n'oublierai jamais à qui cette victoire appartient vraiment. Elle vous appartient. Elle vous appartient.

Je n'ai jamais été le candidat favori pour ce poste. Nous avons commencé avec peu d'argent et peu de soutien. Notre campagne n'est pas née dans les couloirs de Washington. Elle a commencé dans les jardins de Des Moines, les salons de Concord et sous les porches de Charleston. Elle a été construite par les travailleurs, hommes et femmes, qui ont pioché dans leurs économies pour donner, cinq, dix et vingt dollars à la cause. Elle a pris force grâce aux jeunes qui ont rejeté le mythe d'une « génération apathique »… et qui ont quitté leur domicile et leur famille pour des emplois leur offrant une faible rémunération et encore moins de sommeil. Elle s'est renforcée grâce aux moins jeunes qui ont affronté le froid et la chaleur pour aller frapper à la porte de parfaits inconnus et grâce aux millions d'Américains qui se sont portés volontaires, se sont organisés et ont prouvé que plus de deux siècles après, le gouvernement du peuple, par le peuple, pour le peuple ne disparaîtra pas de la Terre.

Ceci est votre victoire.

Et je sais que vous ne l'avez pas seulement fait pour gagner une élection, je sais que ne l'avez pas fait pour moi. Vous l'avez fait parce que vous comprenez l'énormité de la tâche qui nous attend. Alors que nous célébrons ce soir, nous savons que les défis que demain nous apportera sont les plus importants de notre vie : deux guerres, une planète en danger, la pire crise financière depuis un siècle. Alors que nous sommes ici ce soir, nous savons qu'il y a de braves Américains qui se réveillent dans le désert d'Irak et les montagnes d'Afghanistan pour risquer leur vie pour nous. Il y a des pères et des mères qui vont rester éveillés après avoir couché les enfants et qui vont se demander comment ils vont payer leur prêt, le médecin, ou comment ils vont mettre assez d'argent de côté pour payer les études de leurs enfants. Il y a de nouvelles énergies à maîtriser, de nouveaux emplois à créer, de nouvelles écoles à construire, des menaces à affronter, des alliances à reconstruire.

La route devant nous sera longue. La pente sera dure. Nous n'y serons peut-être pas en un an, ou même en un mandat mais, Amérique, je n'ai jamais eu plus d'espoir d'y arriver que je n'en ai eu ce soir. Je vous le promets. Nous, en tant que peuple, y arriverons.

Il y aura des échecs et des faux départs. Il y en a beaucoup qui ne seront pas d'accord avec toutes les décisions que je prendrai en tant que président. Nous savons aussi que le gouvernement ne peut pas résoudre tous les problèmes mais je serai toujours honnête avec vous sur les défis auxquels nous ferons face. Je vous écouterai, surtout quand nous ne serons pas d'accord, et par-dessus tout, je vous demanderai de me rejoindre dans cette œuvre de reconstruction de la nation, de la seule façon dont cela a été fait depuis deux cent vingt et un ans, pierre après pierre, brique après brique, main calleuse après main calleuse.

Ce qui a commencé il y a vingt et un mois au plus profond de l'hiver ne peut pas se terminer en cette nuit d'automne. Cette victoire seule ne représente pas le changement que nous cherchons. C'est seulement la chance pour nous de faire ce changement et cela ne peut pas se produire si nous revenons à la façon dont les choses ont été faites avant. Cela ne peut pas se produire sans vous, sans un nouvel esprit de service, un nouvel esprit de sacrifice. Il nous faut donc convoquer un nouvel état d'esprit de patriotisme, de responsabilité où chacun d'entre nous se résout à s'investir, à travailler plus dur et à veiller, pas seulement sur soi-même, mais aussi les uns sur les autres. Rappelons-nous que, si jamais cette crise financière nous apprend quelque chose, c'est que l'on ne peut pas avoir une Wall Street vigoureuse et une Main Street qui souffre.

Dans ce pays, nous nous élevons ou nous tombons comme une seule nation, comme un seul peuple. Résistons à la tentation de revenir au même esprit partisan, à la mesquinerie et à l'immaturité qui ont empoisonné notre vie politique pendant si longtemps. Rappelons-nous que c'est un homme de cet État qui le premier a porté la bannière du Parti républicain à la Maison-Blanche, un parti fondé sur les valeurs d'indépendance, de liberté individuelle et d'unité nationale. Tous, nous partageons ces valeurs et, tandis que le Parti démocrate a gagné cette élection, nous le faisons avec humilité et détermination afin de faire disparaître les divisions qui ont entravé nos progrès.

Comme Lincoln l'a dit à une nation encore plus divisée que la nôtre, nous ne sommes pas des ennemis mais des amis. Bien que la passion ait pu avoir tendu nos liens d'affection, elle ne doit pas les rompre.

Et à ces Américains dont je dois encore gagner le soutien, je n'ai peut-être pas recueilli votre vote ce soir mais je vous entends. J'ai besoin de votre aide et je serai aussi votre président. Et à tous ceux qui, ce soir, nous regardent au-delà de nos frontières, dans les Parlements et les palais, à tous ceux qui sont réunis autour des radios dans les coins oubliés du monde, nos histoires sont uniques mais notre destinée est partagée et une nouvelle aube du leadership américain est à portée de main.

À ceux… à ceux qui veulent détruire le monde : nous vous vaincrons. À ceux qui cherchent la paix et la sécurité : nous vous soutiendrons. Et à tous ceux qui se demandent si le phare de l'Amérique brille toujours autant, nous vous avons prouvé une fois de plus ce soir que la véritable force de notre nation ne vient pas de la puissance de nos armes ou de l'étendue de notre richesse mais de la force de nos idéaux : la démocratie, la liberté, l'opportunité et l'espoir infaillible.

Voilà le vrai génie de l'Amérique : sa capacité à changer. Notre union peut être parfaite. Ce que nous avons déjà réalisé nous donne l'espoir pour ce que nous pouvons et devons faire demain.

Cette élection a vu beaucoup de premières fois et beaucoup d'histoires qui seront répétées pendant des générations. Une de ces histoires que j'ai en tête ce soir est celle de cette femme qui a voté à Atlanta. Elle ressemble beaucoup aux millions d'autres personnes qui ont fait la queue pour faire entendre leur voix dans cette élection, sauf sur un point : Ann Nixon Cooper a cent six ans.

Elle est née une génération seulement après l'esclavage, à une époque où il n'y avait pas de voitures dans les rues ou d'avions dans le ciel ; à une époque où quelqu'un comme elle ne pouvait pas voter pour deux raisons – parce qu'elle était une femme et à cause de la couleur de sa peau.

Et ce soir je pense à tout ce dont elle a été témoin durant son siècle en Amérique – aux douleurs et aux joies, aux batailles et aux progrès, à ces moments où l'on nous disait que nous ne pouvions pas et à ces gens qui continuaient à avancer avec cette foi en l'Amérique : oui, nous le pouvons.

À une époque où les voix des femmes étaient réduites au silence et leurs espoirs rejetés, elle a vécu pour les voir se lever, parler et obtenir le droit de vote.

Oui, nous le pouvons.

Quand le désespoir a touché la région du Dust Bowl et la dépression le pays, elle a vu une nation vaincre sa peur avec le New Deal, des emplois et un nouveau sens de l'intérêt commun.

Oui, nous les pouvons.

Quand les bombes sont tombées sur notre port et que la tyrannie menaçait le monde, elle a été témoin d'une génération qui s'est élevée à la grandeur et une démocratie a été sauvée.

Oui, nous le pouvons.

Elle était là pour les bus à Montgomery, les lances à eau à Birmingham, un pont à Selma et un prédicateur d'Atlanta qui a dit à un peuple : *We shall overcome.*

Oui, nous le pouvons.

Un homme a marché sur la Lune, un mur est tombé à Berlin, un monde a été relié par la force de notre science et de notre imagination. Et cette année, à l'occasion de cette élection, elle a touché un écran avec son doigt et elle a voté, parce qu'après cent six ans en Amérique, à travers les pires moments comme les meilleurs, elle sait à quel point l'Amérique peut changer.

Oui, nous le pouvons.

Amérique, nous sommes arrivés si loin. Nous avons vu tant mais il y a encore tellement à faire. Alors ce soir, demandons-nous – si nos enfants voient le siècle prochain, si mes filles ont la chance de vivre aussi longtemps qu'Ann Nixon Cooper, que verront-ils ? Quels progrès aurons-nous faits ?

C'est notre chance de répondre à cette question. Notre moment est venu.

Notre moment est venu de remettre les gens au travail et de permettre à nos enfants de saisir leur opportunité, de restaurer la prospérité et de promouvoir les causes de la paix, de relancer le rêve américain et de réaffirmer cette vérité fondamentale : tous unis, nous ne formons qu'un ; tant que nous respirons, nous espérons. Et à tous ceux qui accueillent avec cynisme et doutes et qui nous disent que nous ne pouvons pas, nous leur répondrons avec cet espoir sans fin qui résume l'esprit de notre peuple :

Oui, nous le pouvons.

Merci. Que Dieu vous bénisse et que Dieu bénisse les États-Unis d'Amérique.

Discours prononcé à Chicago,
le 4 novembre 2008.

Table

Composition et mise en page

N° édition : L.01EHQN000300.N004
Dépôt légal : septembre 2009
Imprimé en Espagne par Novoprint (Barcelone)